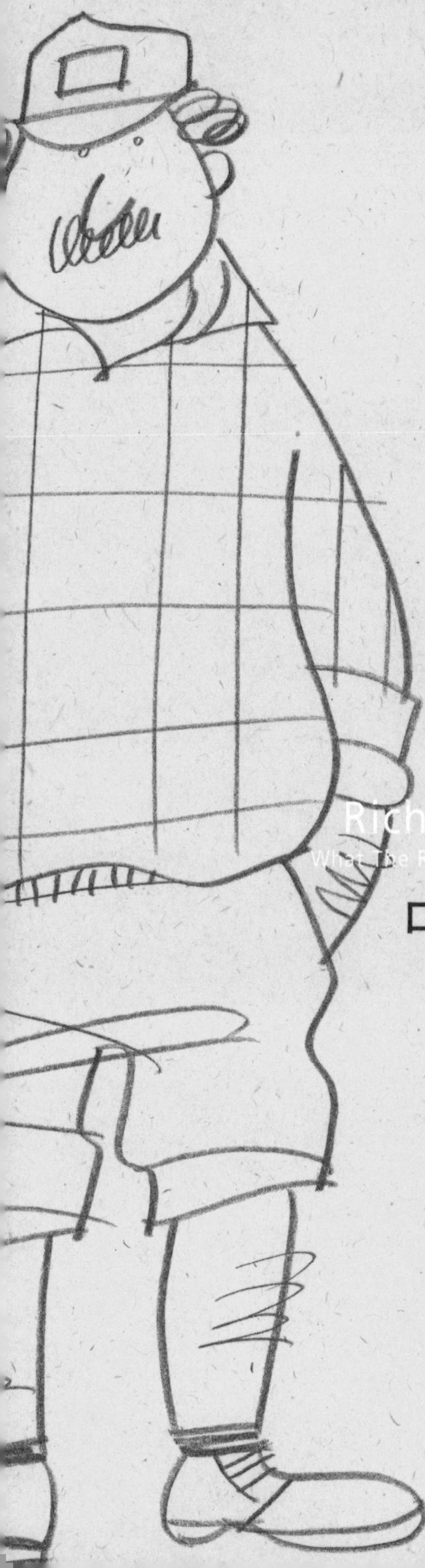

# 金持ち父さん 貧乏父さん

アメリカの金持ちが教えてくれるお金の哲学

Rich Dad, Poor Dad:

What The Rich Teach Their Kids About Money


ロバート・キヨサキ

＋

公認会計士

シャロン・レクター

白根美保子＝訳



筑摩書房

金持ち父さん　貧乏父さん

目次

## 実践の書

Rich Dad, Poor Dad:

What The Rich Teach Their Kids About Money–That The Poor And Middle Class Do Not!

by Robert T. Kiyosaki with Sharon L. Lechter C.P.A.

# 金持ち父さん　貧乏父さん

アメリカの金持ちが教えてくれるお金の哲学

子供にとっての最良の教師、全世界の親たちに捧げる

# いま子供たちに必要なこと

シャロン・レクター

## ●子供に「勉強しなさい」というのは間違い？

いま学校で、子供たちが実社会に出るための準備が充分になされているだろうか？

「一生懸命に勉強していい成績をとれば、いい会社に入ってたくさん給料がとれるようになる」両親は私にそう言い続けてきた。子供たちに大学教育を受けさせよう、そうすれば人生で成功を収められるから……それが彼らの人生の大目標だった。一九七六年に、二人姉妹のうち下の私が優秀な成績でフロリダ州立大学を卒業し、会計学士を取得したとき、両親はその目標を達成した。それは彼らにとって人生最大の業績だった。私は彼らの描いた人生の設計図に従い、「ビッグエイト」と呼ばれる全米でも指折りの会計事務所の一つに就職し、若くして引退生活に入るのを夢に描きながら、上をめざしてひたすら働き続けた。

夫のマイケルがたどってきた道も同じようなものだった。どちらの両親も働き者で、収入はそこそこだったが働くことに対して強い倫理観を持っていた。マイケルも私と同じように成績優秀で大学を卒業した。ただし彼の場合は二回卒業して、一回目は工学、二回目は法律の学士を取得した。卒業後、彼はすぐにワシントンにある有名な法律事務所にスカウトされた。その法律事務所は特許関係を専門とする事務所だった。マイケルの未来は明るかった。そこには明確なレールが敷かれ、若くして引退生活に入ることも、ほとんど保障されていると言ってよかった。

ところが、私たちは二人とも仕事の上でかなりの成功を収めてきたにもかかわらず、その結果は自分たちが思っていたのとは少し違っていた。マイケルも私も何度か転職した（どの場合もそれなりの正当な理由があった）が、二人とも将来年金をもらえる状態にはなっていないのだ。引退後の生活資金は二人の収入を削って貯めるしかない。

三人の子供に恵まれたいまの結婚生活は申し分ない。子供のうち二人はすでに大学生、末っ子も今年ハイスクールへ通い始めた。子供たちが最高の教育を受けられるようにと、これまで私たちはたくさんのお金を費やしてきた。

一九九六年のある日、末の息子が学校にひどく失望して帰ってきた。授業は退屈で、勉強するのはもうたくさんだと言うのだ。「実生活で絶対に使わないようなことを勉強する必要がどこにあるの？」と息子は不満げに言った。

私はろくに考えもしないで答えた。「成績が悪かったら大学に行けないからよ」

「大学に行こうが行くまいが、ぼくは金持ちになるよ」

「大学を卒業しなかったらいい仕事にはつけないでしょう」私は多少パニックを起こしかけながら、また母親として息子の将来を案じながら答えた。「いい仕事につかずにどうやって金持ちになるっていうの？」

息子は無理に笑みを浮かべながら、「ああ、またか」とでもいうようにゆっくりと頭を左右に振った。そんな話はもう耳にタコができるほど聞かされている。息子はうんざりした表情で下を向く。私が親心から言ったことはまたしても息子には通じなかったのだ。

息子は頭が切れ意志も強固だが、若者にしてはめずらしく礼儀正しく、目上の人間に尊敬を払う。

「母さん」と息子は始めた。今度は私がお説教を聴く番だ。「時代が違うんだよ！　まわりを見てごらんよ。

いまものすごくお金を持っている人は教育を受けたおかげでそのお金を儲けたわけじゃない。マイケル・ジョーダンだって、マドンナだってそうだ。マイクロソフトの創始者のあのビル・ゲイツだってハーバードを中退してる。それなのに、まだ四十歳にもならないうちにアメリカ一の大金持ちになった。子供のときは『知的障害あり』と言われていたのに、いまじゃ年俸四百万ドル稼ぐ野球選手だっているんだよ」

　息子がこう言ったあと、しばらく沈黙が続いた。私は自分が両親から言われたことをそっくりそのまま息子に言っていたことに気づき始めた。たしかに世界は変わりつつある。それなのに、親が子に与える忠告は変わっていないのだ。

　いい教育を受け、いい成績をとるというのはもはや成功へのパスポートではない。それなのに、だれもそのことに気づいていない——子供以外はだれも。

「母さん、ぼくは母さんや父さんのようにあくせく働くのはいやなんだ。父さんと母さんは収入もたくさんあるし、おかげでぼくらは大きな家に住んでおもちゃもたくさん買ってもらえる。母さんの言う通りにしたら、ぼくも父さんと母さんのようにはなれると思う。がむしゃらに働いて、税金が増えたらそれを払うためにもっと働いて、それで結局は借金だらけで終わるんだ。就職すれば一生食うに困らないなんて時代は終わったんだ。経営規模縮小《ダウンサイジング》だの経営規模適正化《ライトサイジング》だのって話はぼくも知ってる。近頃の大学新卒者の給料が父さんや母さんの時代より低いのも知ってる。医者を見てごらんよ。医者だってもう前ほどもうからないんだ。それに、社会保障や企業年金だってあてにできないこともわかってる。ぼくには新しい答えが必要なんだ」

　息子の言うことは正しかった。息子には新しい答えが必要だった。それは私も同じだった。私の両親のアドバイスは一九四五年以前に生まれた人にとっては正しい答えだったかもしれない。だが、急速に変化をとげるいまの世界に生まれ落ちた人間にとっては、大きな間違いのもとなのかもしれないのだ。いまではもう、子供たちに向かって「学校に行っていい成績をとって安定した仕事を見つけなさい」などと安易に忠告することはできない。

息子と話をしたこのとき、私は子供たちの教育の指針となるような新しい道を見つける必要があることを痛感した。

## ●ゲームをしながらお金について学ぶ

会計士としてだけでなく母親としても、私は子供たちが学校でお金に関する教育を充分に受けていないことにずっと危惧をいだいてきた。今日の若い人の多くは、お金について何の教育も受けないまま、たとえば投資の方法など何も教えられないまま、ハイスクールを卒業する前からクレジットカードを手にする。クレジットカードの利子が複利で、それがどのようにふくらんでいくかなど知っているはずもない。お金の流れの読み方も、お金そのものが持つ働きも知らない子供たちには、彼らを待ちうける世界に船出する準備はまったくできていない。そして、その外の世界たるや、お金を貯めることより使うことに重きが置かれているような世界なのだ。

上の息子が大学一年でクレジットカードを使いすぎて支払いができなくなったとき、私は息子がクレジットカードを破棄するのを手伝い、それと同時に、子供たちにお金に関する教育をするためのよい教材はないか探し始めた。

しばらくたったある日、夫が仕事先から電話をしてきた。「きみが会うべき相手が見つかったよ。名前はロバート・キヨサキ。投資家で自分でも事業をやっていて、教育用の製品の特許を申請するためにうちの事務所に来たんだ。この製品こそきみが探していたものだと思うよ」

ロバート・キヨサキが開発中だった教育用の新製品『キャッシュフロー』にひじょうに感銘を受けたマイクは、私といっしょにその試作品のテスト使用に参加できるように手はずを整えた。教育用ということだったので、地元の大学の一年生で十九歳だった娘にも声をかけた。

十五人ほどの参加者は三つのグループに分けられ、テスト使用が始まった。

マイクは正しかった。これこそ私が探し求めていた教材だった。しかもそれはただの教材ではなかった。その外観は、カラフルなモノポリーのゲーム盤のまんなかに、きちっと背広を着こんだネズミのキャラクターをはめこんだようなものだった。ただしモノポリーとは違って、駒を動かす道が内側と外側の二つあった。ゲームの目的は、ロバートが「ラットレース」と呼ぶ内側の道を抜け出して「ファースト・トラック（高速車線）」へ移ることだ。ロバートいわく、このゲームのファースト・トラックは実際に社会で金持ちになる人がやることをシミュレートしている。

次にロバートは「ラットレース」が何を意味するか教えてくれた。

「平均的な教育を受け、まじめに働く人の一生を思い浮かべてみると、一つの共通したパターンがある。子供が生まれ学校へ通い始める。両親は子供がそこそこの成績をとり大学に入学すると大喜びし、子供のことを誇らしく思う。その後子供がさらに学業を続け大学院へ進む場合もあるかもしれないが、いずれにせよそれまで教えられてきた通りの道に進む。つまり、最終的には安定した職業あるいは企業をさがして仕事を始める。たとえば医者や弁護士になったり、軍隊に入隊したり公務員になったりするのだ。ふつうは金を稼ぎ始めるこの時期に何枚ものクレジットカードが子供のもとに届き始め、子供は物を買い始める。ときにはもっと前にそれが始まっていることもある。

自由に使えるお金が持てるようになると、子供は自分と同じような若者が集まるところに出かける。仲間と遊んだりデートしたりして、そのうち結婚する。人生はばら色だ。最近では男も女も働くようになったので生活は楽だ。一家に収入の道が二つあるのはじつに快適だ。若い二人は人生における成功を手に入れたように感じる。未来は明るい。二人は家を買い、車を買い、テレビを買い、休暇には旅に出かける。それから子供ができる。子供の笑い声に満ちたしあわせな生活が訪れる。お金がもっと必要になる。子供ができて大喜びの両親は、自分たちの仕事が生活に不可欠だと再認識し、昇進と昇給をめざしてさらにがんばって働く。給料が上がり、次の子供が生まれ、もっと大きな家が必要になる。両親はさらに一生懸命働き、会社に献身するよき従業員となる。収入を増やすために特殊技能を身につけようと学校に戻る親もいる。副業を始める親もいるかもしれない。一家の収入は上がるが、累進課税のためにそれにかかる税金も増えるし、家を大きくしたために固定資産税も増える。社会保険料、そのほか諸々の税金も増える。二人は『給料は増えているのに、そのお金はどこへ行ってしまったのだろう』と不思議に思いながら、あまったわずかなお金で投資信託を買い、生活必需品をクレジットカードで買う。子供たちは学齢期に達し、大学進学のためのお金を貯める必要が出てくる。それと同時に自分たちの引退後の生活のためのお金も貯め始めなければならない。

三十五歳になったしあわせな二人はいまや完全に『ラットレース』に巻き込まれ、退職の日までがむしゃらに働き続けなければならない。彼らは会社の持ち主に利益をもたらすために働き、政府に税金を払うために働き、銀行にローンを返すために働き、クレジットカードでの買い物の支払いをするために働く。

そして、両親は子供に『一生懸命勉強していい成績をとって、安定した職業につきなさい』と言い聞かせる。こういう親たちはお金について一生何も学ばず、ただがむしゃらに働き続ける。彼らがお金について学ぶことと言えば、彼らの無知を利用して金儲けをする金持ち連中が耳に吹き込むことだけだ。このプロセスは次の世代でもまた繰り返される。これが『ラットレース』だ」

## ●ラットレースから抜け出せ！

ラットレースから抜け出す唯一の方法は会計と投資に関する能力を高めることだが、この二つは誰に言わせても習得が最もむずかしい科目ということになっている。公認会計士の資格を持ち、「ビッグエイト」と呼ばれる全米有数の会計事務所の一つで働いたことのある私から見ても、ロバートがこの二つの科目をあれほどおもしろく、夢中になって学べるものに作り変えたことは大きな驚きだった。このゲームでは教育的な要素はじつにうまくカモフラージュされていて、ラットレースから抜け出そうと夢中になっていると、自分が何かを勉強していることなどすっかり忘れてしまう。

ゲームが始まってからまもなく、私と娘はこれまで話したこともなかったようなことを話し始め、とても楽しい午後のひとときをすごした。会計士である私にとっては、損益計算書や貸借対照表を使ったこのゲームは簡単だった。だから、娘をはじめ同じテーブルの参加者にわからないことを説明してあげる余裕があった。その日、私はだれよりも早く――いっしょにプレーしていたグループの中だけでなく、参加者全員の中で一番早く――ラットレースから抜け出した。私の記録は五十分だった。最終的にゲームは三時間近く続いた。

私のテーブルには私と娘のほかに銀行員、会社社長、コンピュータ・プログラマーがいた。私がとても驚いたのは、会計や投資についての彼らの知識があまりに乏しいことだった。この二つの科目は彼らの生活にとってとても大きな意味をもっているはずなのに……。私は彼らが実生活でどんなふうにお金を動かしているのか、不思議に思った。十九歳の娘がお金のことを知らないというのはわかる。だが、彼らは少なくとも娘の二倍は年をくっている大人だ。

ラットレースを抜け出してからみんなのゲームが終わるまでの二時間ほど、私は充分な教育を受け、そこそこの成功も収めているこの大人たちと娘がサイコロを振り、駒を動かすのを見ていた。そして、みんなが多くのことを学んでいるのを見てとてもうれしく思う一方、大人たちがいかに会計や投資の基礎知識に欠けているかを目の当たりにして心配にもなった。彼らにとっては、損益計算書と貸借対照表のあいだの関係を理解することすらむずかしいようだった。そして、そうすることによって毎月のキャッシュフローに影響があるかもしれないのに、そんなことは考えもせずに、その場限りの考えで資産を買ったり売ったりしていた。私は、会計と投資についてだれからも教えてもらわなかったというただそれだけの理由で、経済的に苦しみ続けている人が実社会にいったい何百万人いることだろうと考えずにいられなかった。

いま目の前にいる人たちが純粋にゲームを楽しんでいて、人より早く「上がり」になることに夢中になって実社会のことなどすっかり忘れているのはしあわせなことだわ……私はそう心のなかでつぶやいた。

ゲームの終了を宣言したあと、ロバートは参加者に十五分与え、『キャッシュフロー』についておたがいに話し合うように言った。

私のテーブルの会社社長はぶぜんとした表情だった。このゲームが気に入らなかったのだ。「こんなことを学ぶ必要があるとは思わない。こんなことは雇っている会計士や弁護士、銀行員なんかが全部教えてくれる」男は大声でそう言った。

それに対してロバートはこう答えた。「この世には金持ちではない会計士がたくさんいることをご存知ですか。銀行員、弁護士、株式ブローカーにしたところで同じです。彼らは知識が豊富です。それにたいていは頭のいい人たちばかりです。それなのに彼らのほとんどが金持ちではないのです。現在の学校教育では金持ちが知っているようなことを教えてはくれません。だから、私たちは彼らのような専門家からアドバイスを受けます。でも、ある日会社に向かってハイウェイを運転していて交通渋滞にひっかかったあなたは、右の窓から外をながめて気づくのです。あなたの会計士も同じ交通渋滞にひっかかって動きがとれなくなっているってことにね。反対側の窓の外には銀行員の姿も見えます。これは何か間違っていると思いませんか」

コンピュータのプログラマーもこのゲームにはあまり心を動かされなかったようだった。「こういったことを教えるソフトウェアはいくらだって売っている」

銀行員だけはほかの人と違っていた。「私はこういったこと、つまり会計的なことは学校で学んだ。だがそれをどうやって実生活に応用したらよいかは知らなかった。いまはそれがわかる。私はラットレースから抜け出さなくてはいけないのだ」彼はそう感想を述べた。

だが、私が一番感動したのは娘の言葉だった。「楽しく勉強できたわ。実際にお金がどんなふうに働くか、どんなふうにお金を投資したらよいか、そういったことがたくさん学べたわ」

娘はさらに続けてこう言った。「安定しているからとか、福利厚生がしっかりしているからとか、給料がいいからといった理由ではなく、自分がやりたいからという理由で仕事を探していいんだっていうことがよくわかったわ。このゲームが教えてくれることをしっかりマスターできれば、会社が必要としている技術を身につけるために何かを学ぶのではなく、自分が学びたいことを自由に学ぶことができると思う。クラスメートの大部分はもうすでに、安定した仕事を持つことや社会保障について心配し始めているけれど、これをマスターすればそんなことは心配しなくてすむと思うわ」

## ●金持ちと貧乏人を分ける二つのルール

ゲームが終わったすぐあとはロバートと話す機会がなかったが、後日、私たちは彼のプロジェクトについて話し合いの場を持つことにした。お金についての知識を増やす手助けとしてこのゲームを使いたいとロバートが願っていることは私にもわかり、彼の計画についてもっと詳しく聞きたいと思ったのだ。

次の週、私と夫はキヨサキ夫妻と食事をともにした。個人的に会うのはこれがはじめてだったが、私たちはたがいにまるで昔からの友人のように感じた。

私たちには多くの共通点があった。スポーツから演劇、レストランから社会・経済問題まで、私たちはあらゆることを話し合った。世の中の変化についても話をした。アメリカ人の多くが引退後の生活のためにほんの少ししか蓄えていない、あるいはまったく蓄えていないということについてはかなり時間をかけて話し合った。社会保障や医療保障の制度がほぼ破産状態にあることについてもじっくり話し合った。私たちの子供はベビーブームの時代に生まれた七千五百万人の年寄りの引退後の生活のために支払いを要求されるのだろうか？　一つの年金プランに依存することがどんなに危険なことか、世間の人はわかっているのだろうか？　私たちはさまざまな危惧を持っていた。

ロバートが一番心配していたのは、アメリカのみならず世界中で「持てる者」と「持たざる者」のギャップが広がり続けていることだった。独学独習で起業家となり世界中を旅して投資を続けるロバートは、四十七歳にして引退生活に入ることができた。仕事の世界へのカムバックを決めたのは、私が自分の子供について感じたのと同じ心配をいだいたからだった。ロバートには、世界が変わったのに教育がそれにともなって変わっていないことがわかっていた。彼に言わせると、いまの子供たちは時代遅れの教育システムの中で、将来けっして使うことのない知識を学び、もはや存在しない世界で生きるための準備をして何年もの時をむだに過ごしている。

「いま子供に『学校へ行っていい成績をとって安定した職業を見つけなさい』とアドバイスするのはひじょ

うに危険だ」ロバートは口癖のようにそう言う。「そんなのは時代遅れのアドバイスで、間違っている。アジアやヨーロッパ、南アメリカでいま起こっていることを見れば、だれだって心配になるはずだ」

昔から親が言い続けてきたこのアドバイスが間違っている理由を、ロバートは次のように説明した。「もし子供に経済的に安定した将来を持たせてやりたいと思うなら、昔のルールでゲームをさせることはできない。それはあまりに危険すぎる」

「昔のルール」というのはどういうことか、私はロバートにたずねた。

「私のような人間はあなた方が従っているルールとは異なるルールでプレーしている。企業が経費の削減を理由にダウンサイジングをしたらどうなるかい？」

「解雇が行われ、職を失った人の家族が路頭に迷い、失業率が上がるわね」

「そうだ。だが、企業自体はどうなるかな？　とくに株式の公開されている企業だったら？」

「ふつうダウンサイジングが公表されると株価は上がるわ。企業が機械化や人員整理などによって人件費を削減すると市場はそれを好材料と見るのよ」

「その通りだ。で、株価が上がると私のような人間、つまり株主のふところにはまた金が入ってくる。これが異なるルールということなんだ。従業員は負け、企業のオーナーと投資家は勝ちというわけだ」

ロバートが説明してくれた違いは、雇用する側とされる側の違いだけでなく、自分の運命を自分でコントロールすることと、その操縦をだれかにゆだねてしまうことの違いでもあった。

「でも、こういったことがどうして起こるのか簡単に理解できる人は少ししかいない。たいていの人はただ『公平じゃない』と思うだけだ。

これが、子供にただ『勉強しろ』と言うのがどんなにばかげているかの理由だ。学校での教育が、卒業後に子供たちが放り出される現実の世界に対する準備をさせてくれると思ったら大間違いだ。どの子供にももっと教育が必要だ。学校での教育とは異なる教育がね。それから、子供たちはルールを知らなければならない。これもこれまでとは違った新しいルールだ。

世の中には二つのルールがある。金持ちが使っているルールと、残りの九十五パーセントの人が使っているもう一つのルールだ。家庭や学校で教えられているのは、この九十五パーセントが使っているルールだ。いま、ただ単純に『しっかり勉強していい仕事につきなさい』と子供に言い続けることが危険な理由はここにある。いまの子供たちにはもっと高度な教育が必要だ。それなのに現在のシステムでは必要なものが与えられていない。教室にいくつコンピュータが導入されようが、そのほかの設備にどんなにお金をかけようが、そんなことは関係ない。自分の知らないことはどうやったって人には教えられないのだから。現在のシステムではいまの子供たちに必要なことは教えられない」

となると、学校が教えないことを親が教えるにはどうしたらいいのだろう？　どうやって子供に会計学を教えるというのだ？　子供は退屈するに決まっている。また、自分は親として危険を避けて堅実にやってきたのに、子供に投資を教えるなんてことができるのだろうか？　いろいろ考えたすえ、私は安全な道を選べと教える代わりに、賢明な道を選べと教えるのが一番いいと結論を出した。

「で、ロバート、お金についての話や、そのほか今日ここで話したいろいろなことを全部どうやって子供に教えるというの？　とくに、親自身もわかっていないことを子供に教えるのは至難のわざでしょう？　どうやったらそれを楽にできるかしら？」

「それについてはぼくが書いた本がある」

「どこに？」

「ぼくのコンピュータの中だ。何年もかかって書きためたもので、順序もでたらめにあちこちに入っている。いまでも時々書き足しているんだが、腰をすえてまとめる暇がないんだ。前の本がベストセラーになったあとに書き始めたのだけれど、こっちはまったく仕上がっていない。まだばらばらなんだ」

ロバートに頼んで見せてもらうと、実際それはばらばらだった。その一部を読んだあと、私はこの本はまとめたらきっとためになるし、とくにこの変動の時代に多くの人に読んでもらうことに大きな意味があると強く感じた。私がそのことを伝えると、ロバートは私を共著者としてこの本を完成することに賛成してくれた。

## ●子供にかならず教えたいお金の知識

お金に関しての知識をどの程度まで子供に教える必要があると考えているのか、私はロバートにたずねた。ロバートは「それは子供による」と答えた。ロバートの場合は幼い頃から自分が金持ちになりたいと思っていることに気づいていたし、金持ちになる方法を知っていてそれを喜んで教えてくれる「父親」が運よくそばにいた。

教育こそが成功の鍵だとロバートは言う。学問的な知識・技術が大切なのと同様、お金に関する知識や技術、あるいは人とのコミュニケーションの技術も成功には欠かせない。

これからみなさんに読んでいただくのは、ロバートの二人の「父親」――一人はハワイ一の金持ちになり、もう一人は一生お金の苦労をし続けた――の話だ。ロバートがこれまでに築き上げてきた「お金に関する技術」はこの二人の父親の話がもとになっている。対照的な二人の父親の話は私たちに大切なことを教えてくれる。この本はロバートが書きためていたものを私がまとめ、編集を加えた。読者の中には会計の知識をすでに豊富に持っている方もあるかもしれないが、この本を読む際は、これまで教科書で習った知識はちょっとわきに置いて忘れていただきたい。そして、真っ白な状態でロバートの理論に耳を貸してほしい。ロバートの展開する理論の中には、一般に受け入れられている会計の基礎と真っ向から対立するようなものも多い。だが、投資家として成功している人たちが決定を下すときいったいどんな分析を行っているかを知るには、ロバートの理論は大いに役立つ。

私たちが親として子供に「学校に行って、しっかり勉強して、いい仕事につきなさい」と言うのは、単に昔から親たちがそうしてきたから、つまりいわば文化的な習慣からそうしていることが多いのではないだろうか。たしかにこれまではその忠告は正しかった。ロバートの考え方をはじめて耳にしたとき、私はびっくりした。「二人の父親」に育てられたロバートは、それぞれの父親によって二つの異なるゴールを示された。高い教育を受けた方の父親はいい仕事につくように、つまり会社のために働くように勧めた。一方、金持ちの父親は自分で会社を持つことを勧めた。どちらの道にも教育が必要だったが、勉強すべき科目はまったく異なっていた。高い教育を受けた方の父はロバートに、一生懸命に勉強して「頭のいい人間になる」ようにと言って励ました。金持ちの父は「頭のいい人間を雇う」立場になる方法を学ぶように励ました。

父親を二人持つというのは問題も多い。ロバートの実の父親はハワイの州教育局の局長だった。ロバートが十六歳になったときにはすでに、「いい成績をとれなかったら、いい仕事にはつけないぞ」という脅しはまったく効かなくなっていた。ロバートはそのときまでに、自分の進むべき道は会社を興すことであって、会社のために働くことではないと気づいていたのだ。実際、ハイスクールの進路相談カウンセラーがあれほど賢明で辛抱強い人でなかったら、ロバートは大学に行かなかったかもしれない。実際ロバート自身、そうだったかもしれないと言っている。ハイスクールを卒業した時点でロバートは早く自分の「資産」を築き始めたくてうずうずしていた。だが、最後には進路相談カウンセラーの説得もあって、大学の教育も自分のためになるかもしれないと考えるようになった。

正直に言って、この本に書かれている考え方は大部分の親の目にはまったくのこじつけ、あるいはあまりに過激と映るかもしれない。また、子供に勉強させるどころか、さぼらずに学校に行かせるだけでも苦労している親にとってはとんでもない話に聞こえるかもしれない。だが、すべてが急激に変化するいまの時代、私たち親は心を開き、新しい考え方、大胆な考え方も受け入れていかなければならない。会社勤めをするよう子供を励ますことは、ろくな年金プランもないまま、自分のためよりもむしろ税金のために一生働くよう勧めるのと同じことだ。税金が私たちにとって最大の支出だというのは本当だ。実際のところ、大部分の一般家庭の稼ぎ手は一月から五月の半ばまで、ただ税金を払うため、いわば政府のためにだけ働いている。だからこそ新しい考え方が必要なのだ。この本を読めばそれがきっとおわかりいただけると思う。

ロバートは「金持ちは一般の人間とは異なったやり方で子供を教育する」と言う。彼らは学校ではなく、家で、食卓を囲んでの会話の中で子供を教育する。これから紹介するロバートの考え方は一見すると、家でする子供との会話の話題としては適切とは思えないかもしれない。だが、ともかく目を通していただきたい。そして、よく考えていただきたい。母親として、また公認会計士として、私は「いい成績をとっていい仕事を見つける」という考えはもう時代遅れだと確信している。いまの子供にはもっと新しい時代にあった、洗練されたアドバイスが必要だ。親は新しい考え方、これまでとは異なる教育について知る必要がある。いまの時代には、立派な会社員になる努力をすると同時に、自己資金で会社を興すための努力をするよう子供たちに教えるのもそれほど悪い考えではないかもしれない。

母親として、私はこの本が世の親たちの助けとなるよう心から願っている。ロバートの願いは、その気になりさえすればだれでも裕福になれるのだというメッセージを人々に伝えることだ。たとえいまあなたがどんな職業についていようと、あるいは失業していようと、経済的な安定を得るために自分自身を教育する、あるいは自分の子供にそのことを教える能力はかならず持っている。

いま私たちが生きる時代の世界的な変化、テクノロジーの変化はこれまで人類が体験したどんな変化よりも過激だ。将来を見とおす水晶玉を持っている人などだれもいない。だがいま、一つだけ確かなことがある。それは、だれもが思いもかけないような変化がそこに待っているということだ。未来がどうなるか知っている人はだれもいない。しかし、何がどうなろうと、私たちに与えられた二つの選択肢は変わらない。一つはひたすら安全のみを求める道。もう一つは将来に備えて教育を受け、自分や自分の子供の中に眠っている「お金に関する才能」を目覚めさせる道だ。

# 教えの書

# 金持ち父さん、貧乏父さん

## ロバート・キヨサキが語ったこと

### ●二人の父親

私には二人の父がいる。金持ちの父と貧乏な父だ。一方の父は高い教育を受け、知的レベルも高かった。四年制大学を二年で卒業し博士号を取得、そのあともさらに高度な教育を受けるためにスタンフォード、シカゴ、ノースウェスタンと三つの大学をはしごした。どの学校でも成績優秀だったため、授業料はすべて奨学金でまかなうことができたそうだ。一方、もう一人の父はハイスクールすら卒業していない。

二人の父はどちらも生涯を通じてよく働いた。二人とも仕事はうまくいっていて収入もけっこう多かった。それなのに、一方の父は死ぬまでお金に苦労した。そして、もう一方の父はハワイで最も裕福な人間の一人になった。一方の父は家族への遺産だけでなく、慈善事業や教会の活動にも何千万ドルという金を遺した。もう一方の父が遺したのは未払いの請求書だけだった。

二人ともたくましく、人を惹きつける魅力を持ち、まわりの人に影響力を持つ存在だった。二人とも私にあれこれとアドバイスをしてくれたが、その内容は異なっていた。教育が大切であると信じている点では二人とも共通していたが、「勉強しろ」と勧める対象が異なっていたのだ。

もし私に一人しか父親がいなかったら、そのアドバイスを受け入れるか反発するか、二つに一つしかなかったと思う。だが、実際には二人いたために、裕福な人間とそうでない人間の二人から、まったく相反するアドバイスを受け、その中から選択する自由が与えられた。

また、二人の父親がいたおかげで、私は単純に一方のアドバイスを受け入れもう一方を無視するのではなく、しっかりと自分で考え、両方を比較して選択することも学んだ。

だがそこに問題がなかったわけではない。というのは、その頃は、のちに金持ちになる父はまだ金持ちではなかったし、一生お金の苦労をすることになる父もまだそうと決まっていたわけではないからだ。二人とも仕事を始めたばかりで、家族を養うための金を稼ぐのに必死だった。

二人の違いといったらたとえばこんなふうだ。一方の父がよく「金への執着は悪の根源だ」と言っていたのに対して、もう一方の父は「金がないことこそが悪の根源だ」と言っていた。

影響力の大きい父親を二人持つというのは、少年の私にはかなりめんどうなことだった。親の言うことを聞くいい息子になりたいと思っていても、二人の父親がそれぞれに違うことを言うのだから。二人の父親の考え方の違い、とくにお金に関する考え方の違いはほとんど正反対と言ってもよいほどで、おかげで私は「どうしてこんなに違うのだろう」と興味を持つようになった。そして、二人が言っていることについてじっくり時間をかけて考えるようになった。

あの頃、私は一人きりでいる時間はほとんどすべて、「こっちの父さんはどうしてこんなことを言うのだろう?」「あっちの父さんがあんなことを言うのはなぜだろう?」といった質問を頭の中で繰り返し、いろいろと考えることに費やした。父親が一人だけで、ただ単純に「ああ、父さんの言うことは正しい。ぼくもそう思う」といったふうに考えることができれば、もっとことは簡単だっただろうし、反対に「父さんには何もわかっちゃいない」と頭から否定することができれば、それはそれでもっと簡単だったと思う。だが現実には私には二人の父親がいて、そのどちらも大好きだったから、二人がまったく違ったことを言ってきたら一生懸命に考え、自分自身で最終的な決定をくだすしかなかった。でも、そのおかげで、一つの考えを単純に受け入れたり否定したりするよりも、自分で選択することの方がずっと価値のあることがわかった。

金持ちがさらに金持ちになり、貧乏人がさらに貧乏になり、いわゆる「中流」の人たちがいつも借金に追われている理由の一つは、お金に関する教育が学校ではなく家庭で行われるからだ。たいていの人は親からお金について学ぶ。となれば話は簡単だ。貧乏な親は子供にこう言うしかない――「学校に行って一生懸命勉強しなさい」。子供はいい成績で学校を卒業するかもしれないが、頭に入っているお金に関する知識は貧乏な親から教えてもらったものだけだ。このお金に関する知識は子供がまだごく幼い時期に教え込まれるので、さらにしまつが悪い。

学校ではお金について教えない。学校で教えるのは学問的知識、専門的な技術だけで「お金に関する実際的な技術」は教えない。学校で優秀な成績をとったはずの銀行員や医者、会計士たちが一生お金のことで苦労しなければならない理由の一部はここにある。国家も同じだ。国家が財政難に苦しんでいる理由の一部は高い教育を受けたはずの政治家や政府の役人が、お金に関する訓練をまったく、あるいはほとんど受けないまま財政上の決定を行っていることにある。

私は西暦二〇〇〇年以降のアメリカについてよく考える――老人が増え、経済的援助あるいは医療面での援助を必要とする何百万という人口を抱えて、この国はいったいどうなるのだろうか? 老人たちは家族と政府からの経済的援助に頼って生きていくことになる。高齢者対象の医療保障や社会保障の制度がパンクしてしまったらいったいどうなるのだろう? お金に関する教育を親に任せたまま、国家が生き延びていくことが可能なのだろうか? 親たちの大部分はすでにお金のことで苦労し始めているか、あるいは近い将来苦労することになるというのに……。

## ●正反対のことを言う「金持ち父さん」と「貧乏父さん」

強い影響力を持った二人の父親に育てられたおかげで、私はその両方から学ぶことができた。また、一方の話をうのみにするのではなく、両方の話を比較してじっくり考えるチャンスも与えられた。そして、そうする過程で私は、人間の考え方が人生に大きな影響を与えることを知った。たとえば、父のうち一方は「それを買うためのお金はない」と言うのが口癖だった。もう一人の父にとってそれは禁句だった。この父は、こんなときは「どうやったらそれを買うためのお金を作り出せるだろうか?」と言わなくてはいけないと私に教えた。一方の父の言葉は断定的、もう一方の父の言葉は答えを要求する疑問文だ。前者を口にすればことはそれで片付く。もう一方はそのあと、自分の頭で考えることを余儀なくされる。のちに金持ちになった父親は、自分にそれを買うだけのお金がないとき、何も考えずに「それを買うお金はない」と言ってしまうと、頭が働くのをやめてしまうのだと説明してくれた。「どうやったらそれを買うためのお金を作り出せるだろうか?」と自問すれば頭が働き出す。この父は何も、ほしいものは何でも手に入れろという意味でこんなことを言っていたわけではない。世界でもっとも優秀なコンピュータ、つまり自分の頭を使えと言いたかったのだ。「私の頭は毎日使っているからどんどんよくなっている。頭がよくなればなるほど、金も儲かる」そう言っていたこの父にとっては、何も考えずに「それを買うお金はない」と言うことは、頭をなまけさせることに等しかったのだ。

二人の父はどちらもよく働く人だったが、一方の父はお金のこととなると頭を休ませてしまう傾向があり、もう一方の父は大いに頭を働かせる傾向にあった。それが長い間続いた結果、一方は経済的に豊かに、もう一方は貧しくなっていった。頭を鍛えるのも身体を鍛えるのと同じだ。定期的にジムに通ってエクササイズをすれば強くなるが、ソファに座ってテレビばかり見ていたのでは身体は鍛えられない。適切な運動をすれば健康になる可能性が増えるのと同じように、頭にも適切な運動をさせてやれば金持ちになる可能性が増える。なまけていると健康状態も経済状態も悪くなる。

私の二人の父は何かにつけてまったく正反対の考え方をしていた。一人は「金持ちはお金に困っている人を助けるためにもっと税金を払うべきだ」と考えていた。もう一人は「税金は生産する者を罰し、生産しない者に褒美をやるためのものだ」と言っていた。

一方の父は「一生懸命勉強しろ、そうすればいい会社に入れるから」と私を励ました。もう一方の父は「一生懸命勉強しろ、そうすればいい会社を買うことができるから」と励ました。

一方が「私にお金がないのは子供がいるせいだ」と言うかと思えば、もう一方は「私が金持ちなのは子供がいるからだ」と言う。

一方がお金やビジネスについての話を食卓でするのを大いに奨励するかと思えば、一方は食事をしながらお金の話などしてはいけないと言う。

一方が「この家は私たちにとって最大の投資であり、最大の資産だ」と言うと、一方は「この家は負債だ。持ち家が自分にとって最大の投資だという人は大いに問題がある」と言う。

二人とも請求書はきちんと期日通りに支払った。だが、一方は請求書の支払をほかのどんな支出よりも優先させ、もう一方の父は請求書の支払を最後にした。

一方の父は会社や政府が自分たちのめんどうを見てくれると信じて疑わなかった。この父はいつも昇給や年金、医療費の補助、病気休暇、有給休暇などといったことを気にかけていた。自分の二人のおじが軍隊で二十年を過ごしたあと、退役後死ぬまでめんどうをみてもらえる資格を手に入れたとき、この父はひどく感心したものだ。軍が退役者に軍の医療施設と売店の使用を許可しているのもとてもいい考えだと思っていた。また、大学での終身在職権というのもいい制度だと思っていた。彼にとっては、一生仕事が保障される、あるいは一生恩典を利用できることが、仕事そのものより重要に思えることがあったようだ。この父はよく、「国のために一生懸命働いたのだから、私にはこういった恩典を受ける資格がある」と言っていた。

もう一方の父は、経済的に百パーセント「自分に依存する」ことが大事だと考えていた。退職後の恩典を受ける資格などというものには強く反対し、そんなものは軟弱で、金銭的に他人に頼らなければならない人間を作るだけだと言っていた。彼にとって大切だったのは、金銭的な面で有能であることだった。

一方の父はわずかな金を貯めるのにあくせくし、もう一方はどんどん投資を増やしていった。

一方の父は、いい仕事につくためのじょうずな履歴書の書き方を教えてくれた。もう一方は、自分で仕事を生み出すためのビジネス・プラン、投資プランの書き方を教えてくれた。

## ●頭の中の考えがその人の人生を作る

存在感の強い二人の父親のもとで育った私は、異なる考え方が人間の人生に異なった影響を与えることを目の当たりにすることができた。その結果、「頭の中の考えがその人の人生を作る」という言葉が本当であることを知った。

たとえば、お金に困ってばかりいた父親はいつも「私は絶対金持ちにはなれない」と言っていた。その予言はみごとにあたった。一方、のちに金持ちになった父親は、そうなる前から自分は金持ちだと言い切って、「私は金持ちだ。金持ちはそんなことはしない」といったことをよく言っていた。この父は、金詰りになってほとんど破産状態になったときでさえ自分は金持ちだと言い続け、「貧乏と破産では大違いだ。破産は一時的な状態にすぎないが、貧乏はずっと続く」と言っていた。

貧乏な父の方は「お金には興味がない」「大切なのはお金じゃない」などとよく言っていたが、金持ちの父の方は「お金は力だ」といつも言っていた。

思考がどんなに大きな力を持っているか、それは測ることはできないし、ふだんはその力のありがたみなどわからない。だが、私は子供ながら、自分が何を考え、それをどう表現するかがどんなに大切かに気がついた。そして、貧乏な父親が貧乏なのは、稼ぐお金の量が少ないからではなく（実際のところかなりの収入があった）、考え方や行動の仕方が原因なのだということに思い当たった。二人の父を持ったおかげで、少年の私は自分がどちらの考えに従うか、慎重に考えなければならないことを身をもって知らされた——ぼくはどちらの言うことを聞いたらいいのだろう？「金持ち父さん」の言うことか？それとも「貧乏父さん」の言うことか？

どちらの父も教育と学習の持つ力に大きな敬意を払っていたが、学習すべき対象となると意見が大きく違っていた。一方の父は私に、学校で一生懸命勉強し、いい大学を卒業していい仕事につき、できるだけ多くのお金を稼ぐために働くようにと言った。この父は私が弁護士や会計士などの専門的な職業につくか、MBAをとるために大学院に進むことを望んでいた。もう一方の父は金持ちになるために学ぶ、つまり、お金がどのように動くかを理解し、お金のために働くのではなくお金を自分のために働かせるにはどうしたらよいかを学ぶことを奨励した。「私はお金のために働いているわけじゃない！」この父はよくこう言っていた。「お金が私のために働いているのだ！」

九歳のとき、私はお金に関しては金持ち父さんの言うことを聞こうと心に決めた。その決心は、貧乏父さんからの忠告には耳を貸さないことを意味していた。ここまで読んでくればもうおわかりだろうが、こちらの父の方がたくさんの大学の卒業資格を持っていた私の実の父だ。

**●ロバート・フロストの詩が教えてくれること**

私はロバート・フロストの詩が大好きだ。中でも一番好きなのは「歩む者のない道」という題の詩だ。私はこの詩に書かれている通りのことを毎日やっている。

歩む者のない道　　ロバート・フロスト

黄色い森の中で道が二つに分かれていた
残念だが両方の道を進むわけにはいかない
一人で旅する私は、長い間そこにたたずみ
一方の道の先を見透かそうとした
その先は折れ、草むらの中に消えている

それから、もう一方の道を歩み始めた
一見同じようだがこちらの方がよさそうだ
なぜならこちらは草ぼうぼうで
誰かが通るのを待っていたから
本当は二つとも同じようなものだったけれど

あの朝、二つの道は同じように見えた
枯葉の上には足跡一つ見えなかった
あっちの道はまたの機会にしよう！
でも、道が先へ先へとつながることを知る私は
再び同じ場所に戻ってくることはないだろうと思っていた

いま深いためいきとともに私はこれを告げる
ずっとずっと昔
森の中で道が二つに分かれていた。そして私は……
そして私は人があまり通っていない道を選んだ
そのためにどんなに大きな違いができたことか

［一九一六年］

たしかにそのために大きな違いができた。

このロバート・フロストの詩に出会ったのはずいぶん前のことだが、それからいままでに、この詩に思いをめぐらせることが何度もあった。高い教育を受けた父の忠告を無視し、お金に対する彼の姿勢を見習うのをやめようと決心することは、私にとってつらいことだった。だが、あの決心こそが、それからあとの私の人生を大きく変えることになったのだ。

どちらの父の忠告を受け入れるかを決めたとき、お金についての私の教育が始まった。金持ち父さんは私

が九歳のときから三十九歳になるまでの三十年間、私を教育してくれた。のみこみの悪い私のために同じことを何度も繰り返し教えてくれ、そのすべてを私が理解し、自分のものにしたことがわかると、金持ち父さんは教えるのをやめた。

## ●前向きの考え方だけでは人生はうまくいかない

お金は力だ。だが、それよりも強いのはお金に関する教育だ。お金はふところから出たり入ったりするが、教育を受けてお金がどのように働くか、その仕組みをマスターすれば、お金に働かせて富を築くことができる。前向きの考え方というのは人生哲学としてはすばらしいが、それだけではうまくいかないのは、多くの人が学校に行って教育を受けているにもかかわらず、お金がどのように働くかについてはまったく習わないからだ。そういう人は一生、お金のために働くことになる。

金持ち父さんからお金について学び始めたとき、私はまだ九歳だった。だからその「授業」の内容はごく簡単なものだった。三十年後、その授業のすべてが終わったとき、私は金持ち父さんが教えてくれたことはわずか六つであることに気づいた。数は少ないが大切な六つの教え。金持ち父さんは三十年間にわたりそれを繰り返し私に教えてくれていたのだ。

この本は、その六つの教えについて書いたものだ。説明は金持ち父さんが私に教えてくれたときのようにできるだけ簡単にした。また、最初にお願いしておくが、これらの教えは「解答」ではなく「指針」として受け止めてほしい。変化と不確実性に満ちたこの世界でどんなことが起ころうと、あなたとあなたの子供が金銭的に豊かになることができるように、それを手助けする「指針」としていただければさいわいだ。

## 金持ち父さんの六つの教え

第一の教え　金持ちはお金のためには働かない

第二の教え　お金の流れの読み方を学ぶ

第三の教え　自分のビジネスを持つ

第四の教え　会社を作って節税する

第五の教え　金持ちはお金を作り出す

第六の教え　お金のためではなく学ぶために働く

# 第一の教え
# 金持ちはお金のためには働かない

## ●私はどうやって金持ちになったか

そもそものことの始まりはこうだった。

「パパ、お金持ちになる方法を教えてくれる?」

父は読んでいた夕刊をひざの上に下ろした。「どうして金持ちになりたいのかい?」

「だって今日、ジミーのおかあさんが新しいキャデラックで迎えに来たんだ。それに、週末は海の別荘に行くんだって。ジミーは友達を三人誘っていたけれど、ぼくとマイクは誘われなかった。貧乏人の子供だから誘わないんだって」

「そんなことを言ったのかい?」父は信じられないという顔で聞いた。

「うん、そうだよ」幼い私は悲しそうに答えた。

父はだまって頭を横に振り、鼻先に落ちかかっていた眼鏡をもとの位置に戻すと、また新聞を読み始めた。

私はそこに立ったまま、質問に答えが返って来るのを待った。

それは一九五六年のことだった。九歳だった私は、ちょっとした運命のいたずらで、裕福な家庭の子供たちが通学する公立学校に通っていた。私たちが住んでいたのはサトウキビの栽培を主な産業とする町だった。広いサトウキビ畑を所有する農園主や医者、個人事業主、銀行家といった町の金持ちはみな子供をこの学校に入れていた。こういった子供は、六年生を終えるとたいてい私立の学校に進学した。私の場合は家がたまたま学区を区切る通りのこっち側だったので、この学校に通うことになったのだ。通りの向こう側に住んでいたら、もっと自分と家庭環境の似た子供たちといっしょに別の学校に通っていただろう。私を含めて、こういった子供たちは六年生以降も公立の学校に通った。私立の学校は金持ちでなければとても入れなかったからだ。

しばらくして父がまた新聞をひざの上に置いた。父が慎重に言葉を選んでいるのがわかった。

「そうだな、ロバート」父はゆっくりと口を開いた。「金持ちになりたかったら、お金を作る方法を学ぶことだ」

「どうやってお金を作るの?」

「さあ、それは自分で考えてごらん」父は笑みを浮かべながら言った。私にはわかった。その言葉の本当の意味は、「これで話は終わり」あるいは「私にはその答えはわからない。だからこれ以上困らせないでおくれ」ということだった。

## ●親友とのはじめての共同事業

次の日の朝、私は親友のマイクに父から聞いた話をした。どんなにひいき目に見ても、マイクも私とたいして変わらない境遇だった。つまり、私たちの通っていた学校で親が金持ちでないのはマイクと私だけだった。マイクも私と同じように運命のいたずらでこの学校に通うはめになっていた。つまり、誰かが学区の境界線を引くときに道路一本分間違えてしまったために、私たち二人は金持ちばかりの通う学校に行かなくてはならなくなったのだ。実際には私たちの家はひどく貧乏だったわけではないが、ほかの子供たちはみな野球のグローブや自転車をはじめなんでも新品を持っていたので、それほどひんぱんに物を買ってもらえなかったマイクと私は「うちは貧乏だ」と感じないわけにはいかなかった。

私の両親は生活の基本的な必要を満たすものはきちんと子供に与えていた。たとえば食べ物や、雨露をしのぐ家、衣服などだ。だが、それ以外は皆無と言ってよかった。父はよく、「なにかほしいものがあれば働いてお金を貯めるんだ」と言っていた。そう言われても、九歳の私たちにできる仕事はあまりなかった。

「で、どうやってお金を作るの?」前日の夜の父とのやりとりの一部始終を聞いたマイクがたずねた。

「わからないよ。でも、マイク、ぼくといっしょにやってみる気はあるかい?」

というわけで、その土曜の朝、マイクは私の最初の仕事上のパートナーとなった。私たちはその日の午前中ずっと、お金を作るためのアイディアを出し合った。それから、ときどきは、ジミーの海辺の別荘で楽しんでいる金持ち連中のことも話した。彼らのことを思うと少し胸が痛んだが、その痛みは歓迎すべきものだった。というのも、それがいい刺激となってお金を作る方法を考え続けることができたからだ。その日の午後になってやっと、ものすごくいい考えが浮かんだ。それはマイクが前に読んだ科学の本をヒントにしたアイディアだった。私たちは「やった!」という思いで興奮に胸をときめかせ握手をした。二人の共同経営者の初仕事だ。

それから数週間、マイクと私は近所の家をかたっぱしから回り、空になった歯磨きのチューブをとっておいてくれるように頼んだ。いぶかしげな顔をしながらも、たいていの人は笑顔で引き受けてくれた。なかには何をしているのかとたずねる人もいたが、そういう人には「教えられません。企業秘密なんです」と答えた。

日がたつにつれて、うちの母は困った問題をかかえることになった。私たちが原料の貯蔵場所として母の洗濯機のすぐ横を選んだからだ。ケチャップのビンが入っていた茶色いダンボール箱の中に投げ込まれた空の歯磨きチューブの山はどんどん大きくなっていった。

とうとう母が文句を言ってきた。洗濯機の横に乱雑に積まれた歯磨きチューブの山にどうしてもがまんできなくなったのだ。

「あなたたち、本当にいったい何をしているの？　企業秘密なんていいわけはもう聞きませんよ。このゴミの山をなんとかしてちょうだい。そうでなかったら、みんな捨ててしまうから」

マイクと私はあらゆる手を尽くして母を説得した。もうじき十分な量がたまるから、そうしたら製品の生産を始めるから……近所の家であと二つ、歯磨きを使い終わるのを待っているだけだから……。母は私たちに一週間の猶予をくれた。

こうして生産開始の時期はやむなく繰り上げられた。マイクと私の初の共同事業は、原料置き場に関する母からの立ち退き勧告によって早くも座礁しかかっていた。マイクは、もう少しで歯磨きを使い終わりそうな家を回り、「歯医者さんに行ったら、ぜったいにもっと頻繁に歯を磨くようにって言われますよ」と言っては、早く使い終わるようにしむけた。そのあいだに私は生産ラインの組み立てに取りかかった。

一週間後、私たちは予定通りに生産を開始した。そして、ガレージのまん前で二人の九歳の少年が生産ラインをフル回転させているその真っ只中、父が友人といっしょに車で家に帰ってきた。どこもかしこも細かい白い粉で覆われ、長いテーブルの上には学校で集めた小さな牛乳パックが並び、家から持ち出した火鉢のなかでは炭ががんがんと燃え盛っていた。

ガレージへの入り口が完全にふさがれていたため、やむなく道路ぎわに止めた車から降りてきた父は、ゆっくりと私たちの方に近づいてきた。そのうち、父とその友人の目に、火鉢の炭の上に乗った鉄鍋の中で歯磨きのチューブが熔けているのが見えてきた。当時は歯磨きのチューブはプラスチックではなく鉛でできていたので、外側の塗装が燃え尽きたあとは鉛だけが残り、それが熔けて鉄鍋の中で液状になっていたのだ。私たちは母の鍋つかみを借り、その鍋の中の鉛の液を牛乳パックの小さな口から中に流し込んでいた。

牛乳パックの中には、固い石膏がぎっしりつまっていた。そこいらじゅうを白くしていた細かい粉の正体は、水に混ぜる前の石膏だった。私があせって石膏の入った袋を蹴飛ばして倒してしまったので、あたりがまるで雪に覆われたようになっていた。牛乳パックに入っていた石膏は鋳型の役目をしていた。

父とその友人は、私たちが石膏の鋳型の上にあけられた小さな穴から液状になった鉛を慎重に流し込むのをじっと見ていた。

「気をつけて」と父が声をかけた。

私は熱く熔けた鉛から目を離さずにうなずいた。

鉛をすっかり流し込み、鉄鍋を下におろしてから、私は父の方を見てにこりとした。

「おまえたち、いったい何をやっているんだ?」父は警戒した笑いを浮かべてたずねた。

「パパがやれって言ったことをやっているんだよ。ぼくたち金持ちになるんだ」

「そうですよ」にやりとしながらマイクがうなずいた。「ぼくらはパートナーなんです」

「で、この石膏の型は何なんだい?」父が聞いた。

「見てて。これはうまくいったと思うよ」私は自信満々で答えた。

私は石膏の塊をちょうど半分に切ったあたりにはさまったパテを小さい金槌で叩いた。それから、型の上半分をそっとひっぱると、中から鉛の五セント硬貨がころがり出た。

「なんてこった! おまえたち、鉛で五セント玉を作っているのか!」

ですよ」

「そうですよ」マイクが答えた。「ぼくらは言われた通りのことをしているんです。お金を作っているんですよ」

父の友人が後ろを向き、腹を抱えて笑い出した。がんがん燃え盛る炭、箱一杯の使い古しの歯磨きチューブ、その横に得意満面で立つ粉まみれの二人の少年……父は苦笑しながら頭を振った。

それから父は、火を消して作業をやめ、玄関前の階段のところに自分といっしょに座るように私たちに命じた。

玄関前の階段で、父は「偽造」という言葉の意味を私たちにやさしく教えてくれた。

●マイクのお父さんに聞いてごらん

私たちの夢はあっけなく消えた。

「つまりこれは犯罪ってことなんですか?」マイクが少し震えた声で聞いた。

「やらせておけよ。これが生まれついての才能かもしれない」父の友人が口をはさんだ。

父はこわい顔で友人の方をにらんだ。

「そうだ、犯罪だ」父はやさしい声で言った。「でも、おまえたちは二人ともすごい創造力を持っている。この調子でがんばれ。本当によくやったぞ!」

マイクと私はすっかりしょげかえり、二十分ほどそこに座ったままだまっていた。それからやっと、生産ラインの片付けにとりかかった。私たちの事業は初日にして活動停止のうきめを見た。石膏の粉をほうきでかき集めながら、私はマイクの方を見て言った。「やっぱり、ジミーやあいつの友達が言うことが正しいんだ。ぼくらは貧乏なんだ」

立ち去りかけていた父が私の言葉を聞きつけて言った。「おまえたち、貧乏になるのはあきらめてしまうからだ。あきらめないかぎりは貧乏じゃない。一番大事なことは、おまえたちが何かをやったということだ。世の中には金持ちになる話ばかりして、夢ばかり見ている人がたくさんいる。おまえたちは何かをやった。私はおまえたちのことを誇らしく思うよ。もう一度言う。この調子でがんばれ。あきらめるんじゃない」

マイクと私はだまってそこに立っていた。父の言葉はうれしかった。でも、何をしたらいいかは依然としてわからなかった。

「じゃあ、どうしてパパは金持ちじゃないの?」私はそう聞いた。

「それは私が学校の先生になる道を選んだからだよ。学校の先生っていうのは金儲けにはあまり興味がない。ただ教えるのが好きなんだ。おまえたちに知恵を貸したいのはやまやまだが、本当に私は金儲けの方法を知らないんだ」

マイクと私は父から離れ、また片付けを始めた。そこに父が声をかけた。

「そうだ。金持ちになる方法を知りたかったら、私じゃなくて、きみのお父さんに聞いたらいい、マイク」

「ぼくのパパ?」マイクはわけがわからないという表情でたずねた。

「そうだよ。きみのお父さんだ」父はにこにこしながら繰り返した。「きみのお父さんと私は同じ銀行の人に世話になってる。その人はいつもきみのお父さんのことをほめちぎっているよ。金儲けの天才だってね」

「ぼくのパパ?」マイクはまだ信じられないという顔でまた聞いた。「じゃあ、なんでうちには学校の金持ちの子供の家みたくかっこいい車や、大きな家がないんですか?」

「かっこいい車や大きな家を持っていたって金持ちとはかぎらないし、金儲けがうまいってわけでもないんだ」父はそう答えた。「ジミーのお父さんはサトウキビ農園で働いている。私とたいして変わりはない。違いは、ジミーのお父さんは会社のために、私は政府のために働いている、ただそれだけだ。ジミーのうちの車は会社が買ってくれたものだ。あの砂糖会社はいま経営状態が悪いから、ジミーのお父さんはもしかすると何もかも失うことになるかもしれない。でも、きみのお父さんは違う。きみのお父さんはいわば大きな帝国を築きつつあるんだよ。数年のうちにはきっと、とっても金持ちになると思うよ」

父のその言葉を聞いて、マイクと私はまた元気を取り戻した。新しいエネルギーを注ぎ込まれた私たちは、失敗に終わった最初の事業が残したがらくたの山の片付けに精を出し、掃除をしながら、マイクのお父さんといつ、どのようにして話をするかを相談した。問題はマイクのお父さんは長い時間働いていて、夜遅くなって家に帰ることもしばしばだったことだ。マイクのお父さんは倉庫、建設会社、コンビニエンスストアのチェーン、三つのレストランを経営していて、とくにレストランの仕事が遅くまでかかることがあったのだ。ガレージの片付けが終わるとマイクはバスで家に帰って行った。夜、父親が家に帰ってきたら、金持ちになる方法を私たちに教えてくれるかどうか聞いてみることになっていた。父親と話をしたら、それがどんなに夜遅くても私に電話をくれるとマイクは約束してくれた。

その夜八時半に電話が鳴った。

「よし、今度の土曜だね」私はそう言って受話器を置いた。マイクの父親はマイクと私に会うことを承知してくれたのだ。

土曜の朝七時半、私は町に住む金持ちと貧乏人を分ける境界線のこちら側からバスに乗りこんだ。

## ●「一時間につき十セント払おう」

マイクと私はその日の朝八時にマイクの父親に会った。マイクの父親は七時前から働いていて、私たちが会ったときもとても忙しそうだった。簡素な造りで小さいがこぎれいなマイクの家に向かって歩いて行くと、マイクの父親の経営する建設会社に勤めている工事監督が小さなトラックに乗って出てくるのとすれちがった。マイクは玄関のところで私を待っていてくれた。

「パパは電話してる。裏のベランダで待ってろってさ」玄関の扉を開けながらマイクが言った。

古いこの家の玄関の敷居をまたぐと、木の床がぎしぎしと音を立てた。ドアのすぐ内側に安物のマットが敷いてある。長い間人が出入りしたためにすりへった床を隠しているのだ。敷物はきれいに洗濯されていたが、すり切れていて、取りかえる時期が来ているのは明らかだった。

いまならアンティーク家具としてもてはやされそうな、かび臭い、ふかふかのソファーがいくつも詰め込まれたせまい居間に入ると、なんだか息が詰まりそうになった。二人がけのソファーには二人の女の人が座っていた。私の母より少し年上に見える。その向かい側には黄土色の作業服の上下を着た男の人が座っている。そのシャツとズボンはきれいにアイロンがかけられているが、糊はついていない。足にはぴかぴかにみがかれた作業用ブーツをはいている。その男の人は私の父より十歳くらい年上、四十五歳くらいに見えた。三人の大人は、居間を通り抜け裏のベランダに通じる台所に向かって歩いて行こうとするマイクと私の姿を見てにっこりした。私はちょっとはにかみながら微笑み返した。

「あの人たちはだれなの?」ベランダに出てから私はマイクに聞いた。

「パパのところで働いている人たちだよ。ちょっと年取ったおじさんは倉庫を管理している人。女の人たちはレストランの店長だよ。工事監督はさっき外で見かけただろう? あの人はここから五十マイルくらい離れたところで道路工事を監督してるんだ。工事監督はもう一人いて、その人は別の家の建築現場を監督している。きみが来る前にもう行っちゃったけどね」

「いつもってわけじゃないけれど、だいたいね」マイクは笑いながら椅子を引っ張ってきて、私の隣に座った。

「毎日こんななの？」


「ぼくらに金儲けの仕方を教えてくれないかってパパに聞いたんだ」マイクが言った。

「うん、それで何て言ってた？」私は少しどきどきしながら聞いた。

「ええとね、まずとても変な顔をしてた。それから、ぼくらに提案をしたいって言ってた」

「ふうん」私は椅子をうしろに倒し、背もたれを壁に寄りかからせながら言った。

マイクも同じように椅子を倒した。

「提案ってなんだかわかる？」私が聞いた。

「ううん。でももうじきわかるよ」

突然、戸口からはずれかけている網戸を勢いよく開けてマイクの父親がベランダに出てきた。マイクと私は椅子から飛び降り、気をつけの姿勢をした。敬意を払うつもりでやったのではなく、不意をつかれてすっかり驚いてしまったのだ。

「準備はいいかい？」マイクの父親は椅子を引きずってきて私たちのそばに座った。

私たちはうなずき、壁の前から椅子を引っ張ってきてその前に座った。

マイクの父親は六フィート（約百八十センチ）近くあり、体重は二百ポンド（約九十キロ）はあろうかという大男だった。私の父も体重は同じくらいだったが、背がもっと高かった。年齢もマイクの父親より五歳上だ。二人はどちらかというと外見は同じようなタイプだったが、中身はぜんぜん違っていた。ただし、持っているエネルギーの量は同じようなものだった。

「マイクから聞いたんだが、金儲けの方法を知りたいんだって？　ロバート」

私はいそいでうなずいたが、なんだか少し恥ずかしい気がした。マイクの父親の言葉は力強く、顔には笑顔が浮かんでいた。

「よし、私からの提案というのはこうだ。それを教えてあげるのはかまわない。だが、学校の授業のようには教えない。きみたちは私のために働くんだ。そうしたら金儲けの方法を教えてあげる。私のために働かないというのなら教えない。きみたちが働けば、速く教えてあげることができる。学校の授業のように何もしないでただ座って聞いていたのでは、私にとっても時間のむだだからね。これが私の提案だ。私の言うとおりにするかしないかはきみたちしだいだ」

「あの……その前に一つ質問してもいいですか？」私はおそるおそる聞いた。

「いや、だめだ。いますぐ決めるんだ。私は忙しいんだ。むだにする時間はない。いまここで決められないのなら、どっちにしても金儲けの方法をマスターするのは無理だ。チャンスは来たと思ったらすぐに行ってしまう。すばやく決断すべきときがいつかを知るのはとても大切なことなんだ。いまきみたちには待っていたチャンスがやってきた。十秒以内に決めないと、この授業は終わってしまうよ」マイクの父親はからかうような笑みを浮かべてそう言った。

「ぼく、やります」私が言った。

「ぼくもやる」マイクが続いた。

「よし。あと十分くらいでマーチンさんが来る。私との仕事の話が終わったら、マーチンさんに店に連れて行ってもらって働き始めるんだ。一時間につき十セント払う。毎週土曜日に三時間ずつ働くんだ」

「でも、今日はぼく、野球の試合があるんです」私がそう言うと、マイクの父親は声を低くして、けわしい口調で言った。
「やるか、やらないかどっちなんだ」
「やります」私は野球をやる代わりに、働いて金儲けの方法を学ぶ道を選んだ。

## ●三週間働いてみたけれど……

空は晴れわたり、気持ちのいい土曜の朝九時前、マイクと私はマーチンさんがやっているコンビニエンスストアで働き始めた。マーチンさんはとても親切なおばさんで、なんでもめんどうがらずにていねいに教えてくれた。自分の二人の息子はもう大きくなって家を出ていってしまったが、私たちを見ているとその二人のことを思い出すと何度も言った。でも、やさしいとはいっても仕事には厳しく、私たちをしっかりと働かせた。私たちは次から次へと言いつけられる仕事をやった。三時間のあいだに缶詰を棚から下ろし、一つ一つハタキをかけてほこりを落とす。それからまた全部元通りにもどすのだ。缶詰は数限りなくあり、いつまでも終わることのない退屈なこの仕事は、まるで拷問のようだった。

マイクの父親、つまり私が「金持ち父さん」と呼んでいる人は当時、大きな駐車場つきのこのようなコンビニエンスストアを九つ持っていた。それはいわば、セブンイレブンタイプの店の原型のようなものだった。近所の人が牛乳やパン、バターやタバコといったちょっとした品物を買いに来る店だ。問題は、これがハワイでの話で、エアコンもまだなく、暑いのでドアを閉めきっておくわけにもいかなかったことだ。道路側に一つ、駐車場側に一つあるドアはいつも開けっぱなしだった。前の通りを車が通ったり、駐車場に車が入って来るたびにほこりが舞い上がり、店の中はすぐほこりだらけになった。

だから、エアコンがつかないかぎり、ずっと私たちの仕事は続くということだった。

それから三週間、毎週土曜日、マイクと私はマーチンさんのところで三時間働いた。十二時に仕事が終わると、マーチンさんが二人に三十セントずつくれた。これが一九五〇年代の話で、私たちがほんの九歳だったということを考えに入れても、三十セントというのはたいした金額ではなかった。漫画雑誌が十セントだったので、私はたいていそれを買って家に帰った。

四週目の水曜日までに、私は仕事をやめる決心をした。ぼくが働くことに同意したのは、金儲けの方法を学びたかったからだ。それなのに、いまのぼくは時給十セントの奴隷じゃないか！　それに、最初の土曜日に会ったっきり、マイクのお父さんとは顔も合わせていない！

「ぼく、もうやめる」給食を食べながら私はマイクにそう言った。学校の給食はひどかった。学校そのものも退屈だったし、いままで楽しみだった土曜日もいまでは仕事でつぶれている。でも、一番腹が立っていたのは三十セントの賃金だった。

私の言葉を聞いたマイクはにやりとした。

「何を笑ってんだよ！」私はいらいらして聞いた。

「パパはきっときみがそう言い出すだろうって言ってた。きみがやめたくなったら、会いに来いってさ」

「何だって？」私はばかにされたような気がした。「きみの父さんはぼくがいやになるのを待ってたって言うのかい？」

「まあそんなとこかな。パパはほかの人とはちょっと違うんだ。きみのお父さんとは違うやり方でものを教える。きみのお母さんやお父さんは口でいろいろ言うだろう？　うちのパパはだまっているタイプなんだ。土曜日まで待ってよ。きみに準備ができたってパパに言っておくから」

「ぼくはきみのお父さんの思う通りに踊らされてたってこと？」

「いや、そういうわけじゃないけど、ま、そうかもね。土曜日にパパが説明してくれるよ」

## ●口で言うばかりが教育ではない

私はそのときを待ち構えていた。反撃の準備は万端。私の実の父もマイクの父親に腹を立てていた。この本で「貧乏父さん」と私が呼んでいる実の父は、金持ち父さんのやっていることは、子供の労働を規制した法律に違反していると言った。そして、当局に捜査を依頼すべきだとまで考えていた。

高い教育を受けていた実の父は、相応の代価を要求するように私に言った。「少なくとも一時間につき二十五セントはもらうんだ。そうでなかったらすぐにやめた方がいい」貧乏父さんは私にそう言って聞かせた。

「どっちにしろ、おまえはあんなひどい仕事をする必要はないんだ」父は誇り高くそう宣言した。

土曜日の朝八時、私はマイクの家のこわれかけた網戸をまたくぐった。

「座って順番を待つんだ」私が部屋に入るとすぐにマイクの父親はそう言った。それからくるりと後ろを向いて、寝室のとなりの小さなオフィスに姿を消した。

まわりを見まわしてもマイクの姿はなかった。私はなんだか場違いに感じながらも、四週間前にもそこにいた二人の女の人の隣りに座った。二人はにっこりと笑い、少し横に寄ってソファーに私の座るスペースを開けてくれた。

四十五分が過ぎた。私は頭に来ていた。二人の女の人がオフィスに入り、出てきて立ち去ってからもう三十分もたっている。女の人たちより少し年取った男の人もあとからやってきて、二十分ぐらいオフィスの中にいたあと出てきて立ち去った。

家にはほかにだれもいなかった。雲一つない美しい土曜の朝、私は子供を搾取するペテン師に会うために、ほこりだらけの居間に一人座っていた。オフィスの中でマイクの父親が動き回ったり、電話でだれかと話したりするのが聞こえた。たしかにそこにいて、私がここで待っているのを知っているはずなのに、マイクの父親は私を無視していた。さっさと帰ってしまおうと思えばそれもできたが、私はなぜかそうしなかった。

それから十五分たった九時ちょうどに、金持ち父さんがやっとオフィスから出てきた。なにも言わずに私を手招きし、みすぼらしいオフィスに入るようにうながす。

「賃金を上げてくれなければやめるつもりなんだそうだね」回転式の椅子に座ったままくるりと体の向きを変えながら金持ち父さんが言った。

「だって、あなたは約束を守っていないじゃないですか」私は半分泣きそうになりながら大声で言った。九歳の子供にとって、大人とこんなふうに対決するのは本当に恐ろしいことだった。

「あなたのために働いたら教えてくれると言ったじゃないですか。ぼくは働きましたよ。一生懸命ね。野球の試合もあきらめたんですよ。それなのに、あなたは約束を守っていない。何も教えてくれていないじゃないですか。町のみんなが言っているように、あなたはやっぱりペテン師なんだ。欲張りで、お金は全部自分のもの。あなたのために働いている人のことなんかちっとも考えていないんだ。今日だってぼくのことを待たせるだけ待たせて、あやまろうともしない。いくらぼくが子供だからといって、こんなのひどすぎます」

金持ち父さんは椅子の背もたれにぐっと寄りかかった。両手をあごの下にあて、私の方をじっと見つめる。まるで私の力量を測っているとでもいうようだった。

「悪くない。一カ月もたっていないのに、きみはうちで雇っている人間の大部分と同じような物の言い方をするようになった」

「何ですって？」私はその言葉の意味がわからずにたずねた。それから、また文句を言い出した。「あなたが約束を守っていろいろ教えてくれるもんだと思っていたんです。それなのに、あなたはぼくをいじめるばかりだ。ひどいですよ。本当にひどい」

「ちゃんと教えているよ」金持ち父さんは静かにそう言った。

「何を教えてくれたっていうんです？　何にもないじゃないですか！」私は怒っていた。「ほんのわずかな賃金であなたのために働くってぼくが約束してから、一度だってぼくと話していないじゃないですか。時給十セントですよ。ひどすぎます！　本当なら、あなたのことを政府に知らせなきゃいけないところですよ。子供の労働を規制する法律っていうのがあるんですよ。それくらいご存知でしょう？　それに、うちのパパは政府で働いているんですよ……」

「これはこれは！　今度はきみは前にうちで働いていた人間の大部分と同じような物の言い方をするようになった。私が首にするか、自分からやめるかして、いまはもうここでは働いていない人たちのことだがね」

「で、どういいわけするつもりですか？」子供にしてはかなり大胆になっているのが自分でもわかった。

「あなたは嘘をついた。ぼくはあなたのために働いたのに、あなたは約束を守らなかった。何もぼくに教えてくれなかった」

「私が何も教えていないと、どうしてきみにわかるんだい？」金持ち父さんは静かな声でそう聞いた。

「だって、あなたはぼくと一度も話をしていないじゃないですか。ぼくは三週間働いたというのに、あなたは何も教えてくれていない」私は口をとがらせて言った。

「教えるっていうのは話したり、授業をしたりすることなのかい？」

「ええ、そうだと思いますけど」

「それは学校で教えるやり方だ」金持ち父さんは笑みを浮かべながら言った。「でも人生はそんなふうな教え方はしない。だけど、人生がだれよりもすぐれた先生だってことはたしかなのさ。たいていの場合、人生はきみに話しかけてきたりしない。きみのことをつついて、あちこち連れまわすだけだ。人生はそうやってきみをつつくたびにこう言っているんだ。『ほら、目を覚ませよ！　きみに学んでもらいたいことがあるんだよ』ってね」

「この人はいったい何の話をしているのだろう？」私は心の中でそう思った。人生がぼくをつつきまわすのは、人生がぼくに話しかけているっていったい何のこと？　この仕事は絶対やめなくちゃ。ぼくがいま話をしてる相手は、頭が少しおかしいんだ！

「もし人生から教訓を学ぶことができれば、きみは成功する。もし学べなければ、人生につつきまわされるばかりだ。人間には二種類ある。一つは人生につつきまわされても、ただそのままにしておく人たち。もう一つは、怒ってつつき返す人だ。でも多くの人は、つつき返すときに相手を間違える。上司や仕事そのもの、あるいはだんなさんや奥さんに向かってつつき返すんだ。みんな人生が自分をつついてるとは知らないからなんだな」

私には何のことだかさっぱりわからなかった。

「人間はだれだって人生につつきまわされている。中にはあきらめてしまう人もいるし、戦う人もいる。でも、人生から教訓を学んで先に進んで行く人はとても少ないんだ。そういう人は人生につつかれるのを喜ぶ。人生から何かを学ぶ必要があることを知っているからだ。それに、自分から学びたいと思っている。そういう人は人生からつつかれるたびに何かを学び、先に進んでいく。でも、ほとんどの人があきらめる。そして、きみのような一握りの人間が戦う道を選ぶんだ」

## ●人生につつきまわされたときが学ぶチャンス

金持ち父さんは立ちあがり、そろそろ修理が必要な古ぼけた窓を、キーキー言わせながら閉めた。「もしきみが人生からのこの教えを学べば、大きくなってから、賢明で、裕福で、しあわせな青年になれる。もし学ばなければ、賃金が安いとか、上司がいやだとか仕事に文句を言い続けて一生を終えることになるだろう。お金の悩みをすべて解決してくれるようななにかでかいことが起こらないかと、一生夢だけを持ち続けるんだ」

金持ち父さんは私がまだ話を聞いているかどうか確かめるために、窓の前で振りかえってこちらを見た。二人の目が合った。私たちはしばらくじっと見つめ合った。目という窓を通して二人のあいだを言葉にならない言葉が行き交った。そのとき、金持ち父さんが言っていることの意味がやっとわかった。私はだまって目をそらせた。金持ち父さんが言っていることはたしかに正しい。ぼくは金持ち父さんが悪いのだと文句ばかり言っていた。でも、学びたいと言ったのもたしかだ。そして、戦う道を選んだことも……。

金持ち父さんは話を続けた。「あるいは、きみがガッツのない人間だったら、人生につつかれるたびになんの抵抗もせずに降参してしまうだろう。そして、一生安全な橋だけを渡り続け、まともなことだけをやり、決して起こることのない人生の一大イベントのために一生エネルギーをたくわえ続けるんだ。そして、最後は退屈しきった老人になって死ぬ。とても働き者で気のいいきみにはたくさんの友達ができるだろう。だが、実際きみがやったことといえば、人生につつきまわされ、されるがままになっていただけだ。心の奥底で、きみは危険を冒すことを恐れていた。本当は勝ちたかったのに、負けるのが怖くて勝利の感激を味わおうとしなかった。そして、自分がそうしなかったことをきみは知っている。きみだけが、心の奥底でそのことを知っている。きみは安全なこと以外はしない道を選んだんだ」

二人の目がまた合った。十秒くらいのあいだ私たちは見つめ合っていた。金持ち父さんの言っていることがしっかり私の頭に入ると、からみ合っていた視線がほどける。

「あなたはぼくのことをつつきまわしていたんですか?」

「そういうふうに言う人もいるだろうね」金持ち父さんは微笑みながらそう言った。「私だったら、きみに人生の味っていうのを味あわせてあげたって言うけれどね」

「人生の味ってなんです?」私はまだ少し怒っていたが、好奇心にかられて聞いた。それにたぶん、何かを学ぼうという気持ちになっていたのだと思う。

「金儲けの方法を教えてくれと言ったのは、きみたちがはじめてだよ。百五十人以上の従業員を使っているけれど、お金について私が知っていることを教えてくれと言ってきた人間はこれまで一人もいない。仕事と給料をくれとは言ってくるが、お金について教えてくれとはだれも言わないんだ。だから、ほとんどの人が人生の一番いい時期をお金のために働いて過ごす。自分がそのために働いているお金っていうものを本当に理解することもなくね」

　私はじっと座って耳をすませていた。

「だから、きみが金儲けの方法を知りたいと言っているとマイクから聞いたとき、私は実際の人生にとても近いカリキュラムを作ってやろうと決めたんだ。のどがからからになるまできみに向かってしゃべり続けることもできたけれど、そんなことをしてもきみには何もわからなかっただろう。だから、私は人生にきみをつつかせることにしたんだ。そうすれば、きっときみは私の話に耳を貸すからね。きみに十セントしか払わなかったのはそのためだよ」

「時給たったの十セントで働いたことからぼくは何を学んだんですか?　あなたがけちで、労働者から搾取していることですか？」

　金持ち父さんは椅子の背もたれに寄りかかって、本当に愉快そうに笑った。それから、やっと笑うのをやめるとこう言った。「きみはものの見方を変えなくちゃだめだよ。つまり問題なのは私だといって私を責めるのをやめるんだ。私が問題なんだと思っていたら、私を変えなければそれは解決しない。もし、自分自身が問題なんだと気づけば、自分のことなら変えられるし、何かを学んでより賢くなることもできる。たいていの人が自分以外の人間を変えたいと思う。でも、よく覚えておくんだ。ほかのだれを変えることより、自分自身を変えることのほうがずっと簡単なんだ」

「よくわからないんですけど……」

「きみが抱えている問題を私のせいにするなということだ」金持ち父さんは少ししびれを切らしたような口調で言った。

「でも、あなたは十セントしか払ってくれなかった」

「そうだよ。で、きみは何を学んだ？」金持ち父さんは微笑みながら聞いた。

「あなたがけちだってことです」私はちょっといじわるそうな笑いを浮かべて答えた。

「ほら、もう私が問題なんだって考えている」

「でも、そうなんですから」

「そういう考え方をしているうちは何も学ぶことはできないよ。もし、私が問題だっていう考え方をするとしたら、きみにはどんな選択の道があるんだい？」

「ええと……もし給料をあげてくれなくて、ぼくのことをもっとまともに扱ってもくれず、お金儲けの方法を教えてもくれないんなら、仕事をやめます」

「そうだね。たいていの人はいまきみが言った通りのことをする。仕事をやめて新しい仕事をさがす。もっと昇進の見込みがあって給料も高い仕事をね。で、新しい仕事が見つかって給料が上がれば問題が解決すると思っている。でも、たいていはそうならないんだ」

「じゃあ、どうすれば問題が解決できるんですか？　時給わずか十セントで仕事をして、ニコニコしていろとでもいうんですか？」

金持ち父さんはにこりとした。「仕事をやめない人のうち多くはそうする。こんな給料では家族を十分養うこともできないと知りながら、おとなしく給料を受け取る。給料さえ増えれば問題は解決すると思いながら、昇給をじっと待つんだ。たいていの人はそうだ。中にはアルバイトをしてもっと働く人もいる。でも、そこでの給料だって微々たるものだ」

私はソファに座ったままじっと床を見つめていた。金持ち父さんが言おうとしていることが少しずつわかりかけてきた。これが人生の味なのだと実感できるようになったのだ。しばらくして私は顔を上げ質問を繰り返した。「じゃあ、どうすれば問題が解決できるんですか？」

「ここだよ」金持ちの父さんは私の頭を軽くつつきながら言った。「きみの耳と耳のあいだにあるこいつを使うんだよ」

次に、金持ち父さんはとても大切なことを私に教えてくれた。それは、金持ち父さんと、金持ち父さんのもとで働く人や私の「貧乏父さん」とを分ける決定的なものの考え方だった。その後、高い教育を受けた実の父がお金に苦労をし続けているあいだに、「金持ち父さん」がハワイ一の金持ちになったのはこの考え方のおかげだった。これこそ、人生に大きな違いをもたらす唯一無二の考え方だと言える。

**中流以下の人間はお金のために働く**
**金持ちは自分のためにお金を働かせる**

というものだ。金持ち父さんはこのことを何度も繰り返し私に教えてくれた。私はこれを「第一の教え」と呼んでいる。

## ●学校はお金のために働く方法を学ぶところ

あの晴れ渡った土曜日の朝、私はそれまでに貧乏父さんから教えられてきたのとはまったく違うものの見方を学び始めた。九歳にして、私は二人の父が自分に何を教えようとしているかに気づいた。二人ともよく勉強するようにと私に言っていた。だが、何を勉強するかとなると、二人はまったく異なる意見を持っていた。

高い教育を受けた父の方は、自分がやった通りのことを私にも勧めた。「息子よ、おまえには一生懸命勉強して、いい成績をとって、大会社で安定した仕事を見つけられるようにしてほしい。給料以外に福利厚生の充実した会社を選ぶのも忘れないようにな」一方、金持ち父さんは、お金がどのようにして働くかを学び、お金を自分のために働かせることができるようになれと言った。その後、私が大人になるまでに、金持ち父さんはそのための方法をいろいろ教えてくれたが、それはすべて教室の外で習ったものだ。

金持ち父さんの一回目の「授業」はまだ終わっていなかった。

「時給十セントで働くことにきみが腹を立ててくれてよかったよ。腹を立てずに喜んで働いていたら、いずれは『きみには何も教えられない』と言うしかなかったと思うよ。いいかい。本当に何かを学ぶためには、たくさんのエネルギー、情熱、どうしても知りたいという欲望がないとだめなんだ。怒りも原動力の一つになる。情熱は怒りと愛が合わさったものなんだから。お金のこととなると、たいていの人は安全そうなことだけやって安心していたいと思う。つまりそこには情熱はない。そういう人は恐怖に動かされているんだ」

「給料の安い仕事でもやろうという人がいるのは、そのためなんですか？」

「そうだよ。うちではサトウキビ農園や政府の役所ほどたくさんの給料を出していない。そのために、私がみんなを搾取していると言う人もいるけれど、私に言わせれば、みんなは私にではなく自分自身に搾取されているんだ。原因は自分の恐怖で、私のじゃない」

「でも、あなたはもっとたくさん払うべきだとは思わないんですか？」

「そうしなきゃいけない理由はないからね。それに、給料を上げたって問題の解決にはならない。きみのお父さんを見てごらん。高い給料をもらっているのに、請求書の支払いに困っているじゃないか。たいていの人はお金をたくさんもらっても、請求書の数が増えるだけなんだ」

「時給十セントっていうのはそういうわけだったんですね」私はにこにこしながら言った。「つまり授業の一部だったんだ」

「その通り」金持ち父さんもにこにこしていた。「いいかい、きみのお父さんは高い給料のもらえる仕事につけるようにと、学校に通いすばらしい教育を受けた。で、その通りにいい職についた。それでもお金に困っている。なぜかというと、学校でお金について習わなかったからだ。それに、一番困ったことは、お金のために働くのが正しいと信じていることだ」

「あなたはそう思っていないんですか？」

「まあね。もしきみがお金のために働く方法を学びたいのなら、学校に行ったらいい。学校はそのためには最高のところだ。でも、もしお金を自分のために働かせる方法を学びたいと思っているなら、私が教えてあげる。きみが学びたいというのならだがね」

「そんなことだったら、みんな学びたいと思うんじゃないんですか?」

「いや、そうは思わないんだ。理由は簡単。お金のために働く方法を学ぶ方が簡単だからね。とくにお金のこととなると、恐怖によって決定が左右されることが多いからなおさらだ」

「ぼくにはわからないなあ」私は眉のあいだにしわを寄せて言った。

「いまはわからなくてもいいよ。ただ、たいていの人は恐怖が原因でひとところで働き続けるってことを覚えておくんだ。月末に請求書の払いができないんじゃないか、首になるんじゃないか、お金が足りなくなるんじゃないか、やり直したら失敗するんじゃないかと思って怖いんだ。この恐怖は、一生懸命勉強して会社に入り、お金のために働くという道を選んだ場合に支払わなければならない代償のようなものだ。たいていの人はお金の奴隷になっている……そうなってから上司に向かって腹を立てるんだ」

「お金を自分のために働かす方法を学ぶっていうのは、ぜんぜん違うやり方をしなくてはいけないんでしょう?」

「そうだよ。まったく違うんだ」

## ●お金を自分のために働かせる方法

美しいハワイの土曜日の朝、私たちはだまってそこに座っていた。学校の友達はリトルリーグの野球の試合をそろそろ始めている頃だった。でも、なぜかはよくわからなかったが、私は時給十セントの仕事をやると決めてよかったと思い始めていた。自分はこれから、友達が学校では絶対に学べないようなことを学ぼうとしているのだという感じが強くしていた。

「学ぶ用意はできたかい？」

「ばっちりです」私は笑みを浮かべながら答えた。

「約束は守っていたんだよ。ただ、遠くからきみを教えていたんだ。九歳にしてきみは、お金のために働くっていうのがどんなものか、その味を知った。これまでの一ヵ月が五十年続くと考えてごらん。たいていの人がどんなことをして一生を過ごすか、想像がつくだろう」

「よくわからないなあ……」

「私と会うために待っているあいだ、どんな気持ちがした？　仕事をもらったあと、もっとお金をくれと要求するのはどんな気持ちだったかい？」

「とてもいやな気持ちでしたよ」

「もしきみがお金のために働くことを選んだとしたら、ずっとそんな気持ちで過ごすことになる。たいていの人と同じにね」

金持ち父さんは質問を続けた。

「じゃあ、三時間働いたあと、マーチンさんが十セント玉を三つ、きみの手の上に乗せてくれたときはどんな気持ちがしたかい？」

「充分じゃないと思いました。ひどく少なく思えて。すごくがっかりしました」

「会社に勤める人の大部分が給料をもらったときに同じように感じるんだ。とくに、税金やらなにやら引かれたあとにはね。きみは少なくとも百パーセントもらえたんだからまだましだ」

「たいていの人は働いても全部はもらえないんですか？」私はびっくりして聞いた。

「そうだとも！　まず政府が取り分をとるんだ」

「どういうふうにして？」

「税金だよ。お金を稼ぐとかならず税金をとられる。お金を使ったときにも税金だ。お金を貯めても税金。死んでも税金だ」

「なぜみんな政府にそんなことをさせておくんですか？」

「お金をたくさん持っている人間はそうはしない」金持ち父さんはにやりとして言った。「おとなしく税金を払っているのは中流以下の人だ。たしかに私の方がきみのお父さんより稼いでいるけれど、きみのお父さんの方が税金をたくさん払っているんだよ」

「なぜそんなことができるんですか？」九歳の私には金持ち父さんの話はどうしてもわからなかった。「政府がそんなことをするのに反対する人はいないんですか？」

金持ち父さんはだまって座っていた。いろいろ口をはさまずに、だまって話を聞いてほしいと思っているのだなと私は気がついた。

しばらくしてやっと私の興奮がおさまった。私は金持ち父さんの話が気に入らなかった。自分の父親がいつも高い税金についてこぼしているのは知っていた。でも、父はそれについて何もしようとしない。これは人生が父をつついていることなのだろうか？

金持ち父さんはだまって椅子をゆっくり前後に揺らし、私をじっと見つめていた。

「学ぶ用意はできたかい？」

私はゆっくりとうなずいた。

「さっきも言ったように学ぶことはたくさんある。お金を自分のために働かせる方法を学ぶのは、一生を通じての勉強だ。たいていの人は大学に四年通い、それで勉強は終わりだ。でも、お金についての勉強は一生続く。私はそのことに気がついたんだ。学べば学ぶほど、知らなくてはならないことが出てくる。たいていの人はこの科目は勉強しない。仕事をして、給料をもらい、請求書を支払って、それで終わりだ。そのくせ、なぜ自分にはお金の悩みがつきないのだろうと考える。そして、お金がもっと手に入れば問題が解決するのだと思う。お金に関する教育が自分に足りないことが問題なのだと気づく人はほとんどいない」

「じゃあ、ぼくのパパはお金のことをわかっていないから、税金で困っているってことなんですか?」私はわけがわからなくなって聞いた。

「いいかい、税金について学ぶことはお金を自分のために働かせる方法の学習のほんの一部にすぎない。まだまだ学ぶべきことはたくさんある。今日のところは、きみがお金についてまだ学びたいと思っているかどうか、知りたかっただけなんだ。たいていの人はそうは思わないからね。みんな学校に行って、職業を見つけ、仕事を楽しんで、たくさんのお金を儲ける、そのことしか望まない。それで、ある日朝起きて気がつくんだ。お金にすごく困っているってね。それで、もう働くのをやめることができなくなる。お金を自分のために働かせるのではなく、お金のために働くことしか知らないとそういうことになるんだ。さあ、きみはまだ学びたいと思っているかい?」

私は大きくうなずいた。

「よし。じゃ、仕事に戻るんだ。今度は私はきみに何も払わない」

「えっ?」私はびっくりして聞き返した。

「聞こえただろ。何も払わない。きみはいままで通り毎週土曜日三時間ずつ働くんだ。でも、今回は一時間働いても一セントももらえない。きみはお金のために働かない方法を学びたいと言っただろう。だから、私はきみに何も払わない」

「そんなのないですよ」私は叫んだ。「払ってくれなくちゃだめですよ」

「きみは学びたいと言っただろう？　もしこれをいま学ばなければ、きみはいずれ、さっき居間に座っていた二人の女の人や年取った男の人と同じような大人になる。お金のために働き、首にならないことだけを願うようにね。きみがそうなりたいのなら、最初の約束通り一時間に十セント払うよ。そうすれば、きみはたいていの大人がするようなことはできるようになる。給料が足りないと文句を言って、仕事をやめてほかの仕事をさがすようなことはね」

「でも、ぼくはどうしたらいいんですか？」

金持ち父さんは私の頭を指先で叩いた。「ここを使うんだ。ここをうまく使えば『いいチャンスをくれた』ってじきに私に感謝することになるさ。そしてきみは将来金持ちになれるよ」

私はこんなにひどい申し出をされたことがいまだに信じられずに、だまってそこに立っていた。給料を上げてもらうために来たはずなのに、今度は無給で働けと言われるなんて……。

金持ち父さんはもう一度私の頭を指先で叩いて言った。「ここを使うんだ。さあ、さあ、こんなところでぼやぼやしていないで、仕事に戻った、戻った」

## ●時給五ドルの高給の申し出

私は貧乏父さんにはただで働いていることを言わなかった。言ったとしても父には理解してもらえなかっただろうし、自分でもわかっていないことを説明するのはいやだったからだ。

二度目に金持ち父さんと話してから三週間、私とマイクは毎週土曜日に三時間ずつ、無給で働いた。仕事自体はとくにいやではなかった。毎回同じことをしているので仕事は楽になる一方だった。私がいやだったのは、仕事のおかげで野球の試合に行けなかったことと、前とはちがって、漫画雑誌すら買えなくなってしまったことだった。

三週間目の土曜日の昼、金持ち父さんが店にやってきた。駐車場にトラックが入ってきて、ブルブルと音をたててエンジンが止まった。金持ち父さんはマーチンさんに挨拶をしたあと店の中をざっとチェックすると、アイスクリームの入った冷凍庫から二本の棒付きアイスを取り出した。それからマーチンさんにお金を払うと、私とマイクについてくるように合図した。

「きみたち、ちょっとその辺をひとまわりしよう」

私たちは車を二、三台やりすごしてから通りを渡り、反対側の大きな芝生を横切ってその向こうのピクニック用のテーブルのところまで歩いていった。芝生では何人かの大人が野球をしていた。金持ち父さんは私とマイクにアイスクリームを渡してくれた。

「さあ、仕事はどんな具合だい?」

「まあまあさ」とマイクが答えた。

私もうなずいた。

「何か学ぶところはあったかな?」金持ち父さんが聞いた。

私とマイクは顔を見合わせ、肩をすくめて頭を振った。

「頭を使って考えなくちゃだめだよ。きみたちは人生で最大の教訓の一つを学ぼうとしているんだから。この教えをきちんと自分のものにすれば、将来大きな自由と安定を保証された生活を楽しめる。反対にそれをものにできなければ、マーチンさんやここで野球をしている人たちと同じような人生を送ることになる。みんなわずかなお金のために一生懸命に働き、この仕事についているかぎり安定した生活を送れるという幻想にしがみつき、一年に三週間の休暇と、四十五年勤続の褒美にもらえるわずかの年金を楽しみにしているんだ。そういう生活がおもしろそうだというんなら、きみたちの給料を時給二十五セントにしてもいいんだよ」

「でも、マーチンさんやここにいる人たちはみんな一生懸命働いているんです。あなたはそういう人たちをばかにしているんですか?」私はそうたずねた。

金持ち父さんは笑顔で答えた。

「マーチンさんは私にとって母親みたいなものだ。ばかにするなんてとんでもない。ひどいことを言っているように思えるかもしれないが、それもすべて、きみたち二人に何とか『あること』をわかってもらいたいからなんだ。きみたちにはものの見方を広げて、それが見えるようになってほしいんだよ。たいていの人はものの見方がせまくてそれを見ることができない。みんな、自分がはまっている罠が見えないんだよ」

マイクと私は金持ち父さんのいうことがいま一つわからずに、だまってそこに座っていた。金持ち父さんは本当にひどいことを言っているように聞こえた。でも、金持ち父さんが私たちに何かをわかってもらいたいと思って必死なのだということはよくわかった。

金持ち父さんは笑みを浮かべながら言った。「一時間二十五セントというのは悪くないだろう? そんなにもらえると思ったらどきどきしないかい?」

私は頭を振って「いいえ」と言った。本当はとてもどきどきしていた。一時間二十五セントは私にとって大金だった。

「よし、それじゃ一時間二ドル出そう」

九歳の私の小さな脳みそと心臓はいまにも爆発しそうだった。何と言ってもそれはまだ一九五六年のことで、一時間に二ドルもらったら、私は世界で一番金持ちの子供になれるに違いなかった。そんな大金を自分で稼ぐことなど、想像もできなかった。「それでいいです」という言葉がのどまで出かかった。その申し出を即座に受け入れたかった。新しい自転車や、新しい野球のグローブ、お金をポケットからちらつかせたときの友達の尊敬のまなざしなどが頭をかすめた。それに、ジミーやその友達の金持ち連中から二度と「貧乏」と言われることもなくなる。でも、どうしてかわからないが、私は承諾の言葉を口にしなかった。

もしかすると、私の頭は興奮しすぎてヒューズがとんでしまっていたのかもしれない。でも、たしかに頭の片隅では、一時間二ドルの給料をもらえたらどんなにいいだろうと思っていた。

アイスクリームはすっかりとけ、棒をつたって私の手に落ちていた。さらに地面までしたたり落ちたバニラとチョコレートのアイスクリームのかたまりにアリがたかっている。金持ち父さんは、もう何も考えることもできずただ目を丸くして自分を見つめる二人の少年の目をじっと見ていた。金持ち父さんには自分が少年たちを試していることがよくわかっていたし、私たちが心の奥ではその申し出を受け入れたがっていることもわかっていた。人間はだれでも魂の中に弱く貧しい部分を持っていて、その部分は金で買うことができる。そのことを金持ち父さんは知っていたのだ。しかし、それと同時に、人間の魂の中には強く、お金によって動かすことのできない確固とした決意に満ちた部分があることも知っていた。問題は魂の中のこの二つの部分のどちらが勝つかだった。金持ち父さんはこれまでに何千人もの人の魂を試してきた。仕事を求めてやってきた人を面接するときには、いつもその人の魂を試していたのだ。

「よし、じゃ五ドルだ」

そのとき突然、私の頭の中に沈黙が訪れた。頭の中で何かが変わった。金持ち父さんの申し出はあまりに高額で、まったく法外だった。一九五六年当時、大人でも一時間五ドルという高給を取っている人は少なかった。申し出を受けてしまおうかという気持ちはすっかり消えた。そして、頭がだんだん冷えてきた。私はゆっくりと左を向いて、マイクを見た。マイクも私の方を見た。私の魂の中の弱く貧しい部分はすっかりなりをひそめていた。お金で動かされることのないもう一つの部分が勝利を収めたのだ。お金に対する冷静な見方、堅実な見方が私の頭と魂の中に流れるように入ってきた。隣にいるマイクにも同じことが起こっているのがわかった。

## ●恐怖と欲望が仕掛ける人生の罠

「それでいい」金持ち父さんは静かに言った。「たいていの人には値段がある。それは人間だれしも恐怖と欲望という感情を持ち合わせているからだ。まず、お金を持たずにいることが怖いから必死で働く、そして給料を受け取ると欲張り心が頭をもたげ、もっとお金があればあれも買える、これも買えると考え始める。そのときに人生のパターンが決まる」

「パターンってどんな?」と私は聞いた。

「朝起きて、仕事に行き、請求書を支払う、また朝起きて、仕事に行き、請求書を支払う……この繰り返しだ。そのあとの彼らの人生はずっと恐怖と欲望という二つの感情に走らされ続ける。そういう人はたとえお金を多くもらえるようになっても、支出が増えるだけでパターンそのものは決して変わらない。これが、私が『ラットレース』と呼んでいるものなんだ」

「ほかにやり方はないの?」マイクが聞いた。

「あるよ」金持ち父さんはゆっくりと言った。「でも、それを見つけられるのはほんの一握りの人だけだ」

「それってどんなやり方なの?」マイクがまた聞いた。

「それをきみたちに見つけてほしいんだよ。私といっしょに働き、学ぶあいだにね。だからこそ、きみたちにお金を払うのをやめたんだ」

「ちょっとだけヒントをくれない? ぼくたち、こんなふうにあくせく働くのがちょっといやになってきてるんだ。とくにただ働きじゃね」

「そうだな、まず第一のステップは本当のことを言うことだ」

「ぼくたち、嘘なんかついていませんよ」私はそう反論した。

「きみたちが嘘をついていると言ったんじゃない。本当のことを言いなさいと言ったんだ」

「何についてですか?」

「自分がどう感じているかについてだよ。別に他人にそれを言わなくちゃいけないわけじゃない。自分にだけ言えばいいんだ」

「この公園にいる人たち、あなたのところで働いている人たち、マーチンさん、みんなそうしていないってことですか?」

「うん、そうだと思うよ。みんな自分の本当の気持ちを見つめず、お金がなくなったらどうしようと心配ばかりしている。そして、その恐怖に真正面から立ち向かおうとしないんだ。つまり、考えもせずに反応だけしている。頭を使うかわりに感情にまかせて反応だけしているんだ」そう言いながら金持ち父さんは私たち二人の頭を軽く指で叩いた。「それで、いくらかお金を手にすると今度は、喜びと欲望、さらには欲張りの感情が出てくる。そして、またそれに流されるままに反応するんだ。考えもしないでね」

「つまり、考える代わりに感情に動かされているんだね」マイクが言った。

「その通りだ。自分がどう感じているかってことを正直に自分に伝える代わりに、考えもせずに感情に反応しているんだ。恐怖を感じるから仕事に行く。お金がその恐怖をやわらげてくれることを願いながらね。でもお金が入っても恐怖は消えない。それからまた新たな恐怖に襲われて仕事に戻る。今度もお金が恐怖をやわらげてくれるのではないかと思いながらね。でも今度もそうはならない。恐怖が彼らを罠のなかに閉じ込めているんだ。『いつか恐怖がなくなることを願いながら仕事をしてお金を稼ぐ、それでも恐怖がなくならないからまた仕事をしてお金を稼ぐ……』っていう罠にね。

でもいくら働いても次の日に朝起きると、いつもそこに昨日と同じ恐怖が待っている。何百万という人が、昔から変わることのないこの恐怖のために、心配で悶々とした眠れない夜をすごす。だから、朝になるとベッドから飛び出して仕事に行く。自分たちの魂をむしばむこの恐怖を給料が消してくれるのではないかと願いながらね。こういう人の人生はお金によって動かされている。でも、本人たちはそのことについて本当のことを語ろうとしない。実際は彼らの感情も魂もお金に支配されているんだけれどね」

金持ち父さんはだまってそこに座ったまま、私たちが自分の言葉の意味を理解するのを待っていた。マイクと私はたしかに金持ち父さんの言葉を聞いてはいたが、いったい何の話をしているのか完全にはわかっていなかった。ただ一つ思いあたることと言えば、これまでもよく、大人はどうしていつも急いで仕事に行くのだろうと疑問に思っていたことだった。仕事に行くことはそんなにおもしろそうにも見えなかったし、大人たちもそれをひどく楽しんでいるふうでもないのに、何かが大人を仕事に駆り立てている……。

私たちが子供の頭でできるかぎり話の内容を理解したことを見て取ると、金持ち父さんは話を続けた。

「きみたちにはその罠にかからないようにしてほしいんだ。これこそ、きみたちに教えたいと思っていることなんだよ。金持ちになる方法だけを教える気はないんだ。なぜって、金持ちになっただけでは問題は解決しないからね」

## ●金持ちになっても問題は解決しない

「解決しないんですか?」私はびっくりしてたずねた。

「解決しない。その理由を説明するには、人生のパターンを決めるもう一つの感情、欲望のことを説明しなくちゃならない。この感情を強欲と呼ぶ人もいるけれど、私はただ欲望と呼ぶ方がふさわしいと思っている。いま持っているものよりもいいものをほしいと思ったり、もっときれいなものを手に入れたい、もっと楽しいことやもっとおもしろいことをしたいと思うのはごく自然なことだ。人は欲望のためにも働く。つまり、お金で買えると思っている喜びを手に入れるために、お金をほしいと思うんだ。でも、お金がもたらしてくれる喜びはたいていあまり長続きしない。だから人はもっと楽しいことを、もっと快適な生活を、もっと安定した生活をしたいと思って、より多くのお金を必要とするようになる。だから働き続けるんだ。恐怖と欲望でゆがめられた魂がお金によって癒されると思ってね。でも、お金にはそんな効果はない」

「金持ちでもだめってことなの?」とマイクが聞いた。

「金持ちだって同じだ。金持ちがお金を持っているのは、欲望のためではなくて恐怖のためだ。金持ちはお金を持たないでいることの恐怖、貧乏になることの恐怖をお金が打ち消してくれるだろうと本気で信じている。だからたくさんお金を貯める。でも、その結果わかるのは恐怖がもっと強くなっていることだけだ。今度は貯めたお金を失う恐怖が襲ってくるんだ。私の友達の中にも、お金をたくさん持っているのになお働き続けている人は何人もいる。何百万ドルも持っているのに、それを持っていなかったときよりももっと大きな恐怖を抱えている人も知っている。そういう人はお金を失うのが怖いんだ。恐怖をなくそうとしてお金を貯めたというのに、その恐怖が前より大きくなっている。魂の弱い部分、何かをほしがってやまない部分が、前より大きな声で叫んでいる。お金によって手に入れた大きな家や自動車、いい暮らしなんかを失うのが怖いんだ。お金を失ったら友達が何と言うだろうかと心配なんだ。金持ちそうに見えて、実際お金をたくさん持っているのに、ひどく絶望していたりノイローゼ状態になっている人はたくさんいるよ」

「つまり、貧乏な人の方がしあわせだってことですか?」

「いや、私はそうは思わない。お金がなくてもいいと考えるのは、お金にとらわれているのと同じくらい異常なことだ」

このとき、まるで筋書きが書かれていたかのように、町にいついてる浮浪者がテーブルの前を通りかかり、大きなゴミ箱の前に立ち止まって中のものをあさった。以前なら気にも留めず見過ごしていただろうが、このときばかりは三人とも興味を持ってじっと見守った。

金持ち父さんが財布から一ドル札を出し、その年取った浮浪者に手招きした。お金を見たその男はすぐに飛んできてお札を手にすると、金持ち父さんに何度もお礼を言い、大金を手にしたことに大喜びしながら立ち去った。

「うちで働いている従業員の大部分はあの男とたいして変わらない。『お金になんか興味はない』と言う人はおおぜいいるが、そう言いながら一日八時間せっせと働いている。そんなのは真実を否定していることにしかならない。本当にお金に興味がないのなら、なぜ働いているんだ? こういう考え方の人は、お金を貯めこんでいる人よりもっと異常と言えるかもしれない」

金持ち父さんの話を聞く私の頭の中に、いつも「お金には興味がない」と言っている実の父の姿がちらついた。実の父は「私が働くのはいまの仕事が好きだからだ」ともよく言っていた。

「じゃあ、ぼくたちはどうすればいいんですか？　恐怖心や欲望がすっかりなくなるまで、お金のために働くなってことですか?」

「いやちがう。そんなことをするのは時間のむだだ。感情は人間であるかぎり避けられない。感情のおかげで私たちは人間でいられるんだ。『感情（emotion）』という言葉には活動するエネルギーという意味があるんだ。自分の感情に正直になって、自分にとって悪い方にではなく、自分のためになるように心と感情を使うんだ」

「ヒャー！」マイクが頭をかかえて叫んだ。

「いま言ったことがよくわからなくても心配しなくていい。時間がたてば少しずつわかっていくから。ただ一つ、感情に対してただ反応する人間ではなく、それを観察して考える人間になることを覚えておくんだ。たいていの人は、自分の行動や思考を支配しているのが感情だということに気づいていない。感情は感情として持っていていい。だが、それとは別に自分の頭で考える方法を学ばなくちゃいけないんだ」

## ●恐怖にかられて仕事をするのではだめ

「例をあげてもらえますか?」と私が聞いた。

「もちろんだとも。人が『仕事をさがさなくちゃ』と言うときはたいてい、感情に反応してものを考えている。お金を持たないことへの恐怖がそう考えさせているんだ」

「でも、だれだってものを買えばその支払いのためにお金がいるでしょう?」

「もちろんだよ」金持ち父さんはにこりとした。「私が言いたいのは、恐怖によって考え方が支配されることが多いってことなんだ」

「よくわからないよ」とマイクが言った。

「たとえばね」と金持ち父さんが続けた。「もし、お金がなかったらどうしようという恐怖に考え方を支配されなければ、その恐怖をなくすためにわずかな金を稼ごうと大急ぎで仕事を探しに行ったりせずに、『長い目で見て、仕事をすることがこの恐怖をなくすための最善の方法なのだろうか』と自分に問いかけるかもしれない。私に言わせれば、その疑問の答えはいつもノーだ。とくに、人間の一生を考えたらね。本当を言って、仕事をすることは長期的な問題に対する短期的な解決策でしかないんだ」

「でもぼくのパパはいつも、『学校に行っていい成績をとりなさい。そうすれば安定した仕事につける』と言っていますよ」私は多少頭が混乱してきて、思わず口をはさんだ。

「そうだね。きみのパパがそう言う気持ちは私にもよくわかる」金持ち父さんはにこにこしながら言った。「たいていの人はそう勧める。たいていの人にとってはそれがいい考えなんだ。でも、そんなふうに勧める人は、恐怖からそうしているんだ」

「ぼくのパパも怖いからそう言っているってことなんですか?」

「そうさ。きみのお父さんはきみがお金を稼げずに、社会のつまはじきにされてしまうのが怖いんだ。なにもそれが悪いって言っているんじゃないよ。きみのお父さんはきみのことを愛していて、きみにとって一番いいことをしてやりたいと思っているんだ。私もきみのお父さんの恐怖は当然のことだと思う。教育と仕事は大事だ。でも、それでは恐怖とは戦えない。いいかい、きみのお父さんは恐怖をなくすために少しでも多くのお金を稼ごうと毎朝起きて仕事に出かける。その同じ恐怖のために必死になってきみに学校に行けと言っているんだ」

「じゃあ、あなただったら何を勧めるんですか?」と私は聞いた。

「私はきみたちにお金の持っている力を学んでほしいと思っている。お金を怖がるのではなくね。そういったことは学校では教えてくれない。でも、それを学ばなければ、きみたちはお金の奴隷になるしかないんだ」

やっと言っていることがわかってきた。金持ち父さんは私たちに視野を広げろと言っているのだ。マーチンさんはじめ、金持ち父さんのもとで働いている人たちに見えていないもの、また私の実の父に見えていないものを見るための目を持つようにと言っているのだ。あのとき金持ち父さんが持ち出した例はずいぶんひどいように感じられた。でも、おかげで私はそこに込められたメッセージをしっかり心に刻み付けることができた。あの日、私のものの見方が広がった。多くの人の前に口を広げて待ちうけている罠をしっかりと見ることができるようになったのだ。

「いいかい、私たちは結局のところみんなだれかのために働いている従業員なんだ。ただ、会社の中での役割が違うだけで大差はない。きみたちには罠を避けるチャンスをつかんでほしいんだ。恐怖と欲望という二つの感情によって仕掛けられた罠をね。自分の損になるのではなく、得になるように感情を利用するんだ。それをきみたちに教えたいんだよ。金持ちになる方法だけを教えるのでは何にもならない。それでは恐怖も欲望も消すことはできないからね。恐怖と欲望をコントロールする方法を学ばずに金持ちになったとしても、それはただ金をたくさんもらえる奴隷になっただけで、奴隷であることに変わりはない」

「じゃあ、その罠を避けるにはどうしたらいいんですか?」私が聞いた。

「貧乏や金詰りの一番の原因は国の経済や政府、金持ち連中のせいなんかではなく、恐怖と無知だ。人間を罠にかけるのは自分から招いた恐怖と無知なんだ。だから、子供は学校に行き、大学卒の資格をとる。私はきみたちに、学校では学べない、この罠にかからないための方法を教えてあげるつもりなんだ」

ばらばらになっていたジグソーパズルが少しずつ形を作り始めていた。高い教育を受けた私の実の父は、すばらしい教育とりっぱな職業を持っていた。でも、お金をどう扱うか、あるいは心に巣食う恐怖をどう扱うかについては学校では習わなかった。私は二人の父親からまったく異なる、重要なことを学ぶことができる――幼い私にもそのことがはっきりわかってきた。

## ●無知が恐怖と欲望を大きくする

「パパはお金を持たないことに対する恐怖についていま話してくれたけれど、お金に対する欲望はどうなの？　欲望はどんなふうにぼくらの考えに影響を与えるの？」マイクが聞いた。

「給料をあげてやろうと私が言ったとき、どんな気持ちがしたかい？　欲望が強くなるような感じがしなかったかい？」

私たちはうなずいた。

「でも、きみたちは感情におぼれなかったから、すぐに反応することなく考えることができた。それが一番大事なことなんだ。これからも私たちは恐怖と欲望という二つの感情を持ち続ける。大事なのはそれらの感情を長い目で見て、自分のためになるように使うことだ。感情におぼれ、それによって考え方まで支配されたりしないようにね。たいていの人は恐怖や欲望を自分のためにならないように使ってしまう。それが無知のはじまりなんだ。たいていの人は恐怖や欲望といった感情がいったいどこへ自分を連れて行こうとしているのかほとんど考えもせずに、ただ感情に突き動かされるまま高い給料、昇給、安定した仕事を求めて一生を過ごす。それは、鼻先にニンジンをぶらさげられた馬が、どこへ行くのか知りもせずに、重たい荷物を引いて走り続けるのと変わりがない。馬をあやつる人間は、馬を自分の望む方向に行かせることができるかもしれないが、馬自身は決して手に入らないニンジンを追いかけ続けるだけだ。明日になってもまた新しいニンジンを目の前にぶらさげられるだけなんだ」

「じゃ、ぼくが頭の中に思い浮かべた新しい野球のグローブやお菓子やおもちゃなんか、あれは馬にとってのニンジンだったってことなの?」マイクが聞いた。

「ああ。大人になれば頭に思い浮かべるものがもっと高価なものになるだけのことだ。友達にみせびらかすための新しい車、船、大きな家……といったふうにね」金持ち父さんは笑みを浮かべながら言った。「恐怖がきみたちをドアの外に押し出す。すると今度は欲望がきみたちを呼ぶ。岩だらけの道、罠の待っている道に呼び寄せるんだよ」

「じゃあ、どうすればいいの?」マイクが聞いた。

「恐怖と欲望を大きくするのは無知だ。ある程度のお金を持った人の多くが、金持ちになればなるほどいっそう、それを失ったときの恐怖を強く感じるのはこのためだ。お金はニンジンなんだ。決して手に入らないまぼろしみたいなものなんだ。もし馬が自分の姿を遠くからながめることができれば、自分の置かれた立場がわかり、ニンジンを追いかけることが自分にとってためになることかどうか、考えなおすかもしれないだろう?」

金持ち父さんはそのあと、人間の一生が「無知」と「啓蒙」のあいだの絶え間ない戦いであることをわかりやすく説明してくれた。

人間が自分を知るための情報や知識を求めなくなると、すぐに無知がしのび寄ってくる。無知と啓蒙の戦いはその瞬間ごとに要求される決断によって勝負が決まる。つまり情報や知識を手に入れるために心を開くか開かないかを決めることで、無知か啓蒙か、道が分かれるのだ。

「いいかい、学校はとても、とても大事だ。社会に貢献できる人間になるための技術や職業を身につけるためにきみたちは学校に行く。どんな社会にも教師や医師、技術者、芸術家、プロの調理人、実業家、警察官、消防夫、兵士など専門的な知識と技術を身につけた人が必要だ。学校は社会や文化を豊かにするために、こういった職業につく人たちを育てる。だが、残念ながら、たいていの人は学校を卒業することがゴールになってしまい、それがスタートになっていない」

金持ち父さんがそう言ったあとしばらく、私たち三人は何も言わずにだまっていた。金持ち父さんはにこにこしていた。私にはあの日、金持ち父さんが言ったことが全部わかったわけではなかった。だが、偉大な教師というものが多くの場合そうであるのと同様、金持ち父さんの言葉はそれからずっと長い間、私の心の中に留まり、教えを与え続けてくれた。具体的にどんなふうに言われたかすっかり忘れてしまったこともあるが、そこに込められた教えだけは忘れていない。だからいまでも、金持ち父さんの教えは私の中にしっかりと生き続けている。

「今日はきみたちにちょっと残酷な話もした。でも、それにはちゃんとした理由がある。それはきみたちに今日の話をいつも思い出してほしいからなんだ。マーチンさんのことや、ニンジンを追いかける馬のことを絶対に忘れるんじゃない。なぜなら、恐怖と欲望が人間の考え方を左右しているということを意識しないでいると、この二つの感情に引っ張られて、知らないあいだに人生で最大の罠が待ち構える道へ迷い込んでしまうからだ。夢の実現に向かって努力することもなく恐怖におびえながら一生を送る、それこそ残酷なことだ。お金があれば物を買うことができてしあわせになれるだろうと思いながらお金のために働き続ける、これも残酷なことだ。月末に請求書の支払いができるかどうか心配で真夜中に飛び起きるなんていうのは最悪だ。給料の額によって決められた人生なんて、本当の人生じゃない。仕事につけば安定した人生が送れるなど考えるのは、自分自身をだましているのも同然だ。本当に残酷なのはいま言ったような生き方だ。できることならきみたちにはそんな罠にはまってほしくない。お金がどんなふうにして人の人生を支配するか、私はたくさんの例を見てきている。きみたちにはそんなふうにはなってほしくない。お金に振り回されないようにしてほしいんだ」

ソフトボールが一つ、テーブルの下にころがってきた。金持ち父さんが拾って投げ返した。

「で、欲望や恐怖と無知はどう関係があるんですか?」と私は聞いた。

「欲望や恐怖が大きくなるのはお金のことを知らないからなんだ。例をあげて説明しよう。家族にもっといい暮らしをさせようと、医者が診察代を値上げしたとする。そうすると住民の医療費の負担が大きくなる。一番困るのは貧しい人たちだ。その結果、貧しい人たちはお金を持っている人たちより健康状態が悪くなる。一方、医者が値上げをしたのを理由に、弁護士も相談料をあげる。すると、教師も給料の引き上げを要求し、政府はそのために税金を上げる……こうやってすべての物の値段が上がっていく。そうこうしているうちに金持ちと貧乏人のあいだのギャップがひどく大きくなり、社会に混乱が起きて、また一つ偉大なる文明が危機にさらされる。歴史を振りかえってみてもわかるが、偉大なる文明は持てる者と持たざる者のあいだのギャップが大きくなりすぎたときに滅びている。アメリカもその道を突き進んでいるんだ。私たちは歴史から何も学ばず、『歴史は繰り返す』という言葉を自ら実証しようとしている。歴史の授業で年号や日付、人の名前ばかり覚えていて、教訓を得ようとしないからこんな結果になるんだ」

「物の値段っていうのは上がるものじゃないんですか?」と私は聞いた。

「政府がしっかりしていて、社会の教育程度が高ければ物価は上がらなくてすむ。本当は物価は下がるはずのものなんだよ。もちろん、これは理論上のことだけれどね。実際には物価は上がる。無知から生じた欲望と恐怖のためにね。もし学校でお金のことをちゃんと教えれば、もっと人々のあいだにお金が行きわたり物価も低く抑えられる。でも実際は、学校ではお金のために働くことしか教えない。本当は、お金の力をコントロールする方法を教えなくちゃいけないのにね」

「でも、そのためにビジネススクール（経営大学院）っていうのがあるんじゃないの？」マイクがたずねた。

「ビジネススクールに行ってMBAをとれっていうことなの？」

「たしかに経営を学ぶための場所はある。でもビジネススクールはたいてい、多少高度な『数字屋』を作るだけだ。数字屋では人に雇われるのがせいぜいで、自分でビジネスを興すことはできない。数字屋がやることといえば、数字をながめ、人の首を切り、ビジネスをつぶすことくらいだ。私はそういう数字屋を雇っているからよくわかるんだ。あの連中が考えることといったら、費用を切り詰め値段を上げることだけだ。そうやって問題を増やしているだけなんだ。たしかに数字は大事だ。もっと多くの人がそのことに気づけばいいのにと思うよ。でも、それだけがすべてじゃない」金持ち父さんはだんだん怒ったような口調になっていた。

## ●感情に支配されず、頭でものを考える

「それじゃどうすればいいの？　答えはあるの？」マイクが聞いた。

「あるさ。感情をうまく使って考えるんだ。感情にまかせて考えるんじゃなくてね。最初にただで働くってことに同意したとき、きみたちは感情をコントロールする方法を学んだ。だから、これは望みがあるぞと思ったんだ。次に、私が給料をつり上げていったときも、きみたちは感情を抑えた。あのときききみたちは、たとえ誘惑に負けそうになっても、感情におぼれずに頭を使って考える方法を学んでいたんだ。これが解決へ

の第一歩さ」

「その一歩がどうしてそんなに大事なんですか?」私はそうたずねた。

「そうだな、その理由を見つけるのはきみたちにまかせるよ。もしきみたちが学びたいというなら、私はきみたちを民話『ウサギどんキツネどん』に出てくるブレア・パッチに連れて行く。ほら、キツネどんから逃げ出すためにウサギどんがまんまと逃げ込んだあのイバラの茂みだよ。ふつうの人はだれだってイバラの茂みになんか入りたがらない。でも私といっしょに来れば、きみたちはお金のために働くなんて考えは捨てて、お金を自分のために働かせる方法を学ぼうって気になるだろう」

「もしあなたといっしょに行ったら、ぼくたちは何が得られるんですか? あなたから学ぼうってぼくたちが決めたら? いったい何が得られるんですか?」私が聞いた。

「ウサギどんが得たものと同じものだよ。キツネがウサギを捕まえるために仕掛けたタール人形の罠から自由になることだ」

「ブレア・パッチって本当にあるんですか?」私はさらに聞いた。

「あるよ。人間の恐怖と欲望こそがブレア・パッチさ。恐怖をしっかり見つめ、欲望、人間の弱点、強欲さに立ち向かうことこそ、そこから抜け出すための道なんだ。その道は頭を使って切り開く。考えを選ぶことによって切り開くんだ」

「考えを選ぶ?」よくわからなくなったマイクが聞いた。

「そうだよ。感情に反応するんじゃなくて、自分で自分の考えを選ぶんだ。請求書の支払いができなくなるのが怖いからというだけの理由で、それを解決しようとただ毎朝起きて仕事に行くのじゃなくてね。考えるっていうのは、ときには自分自身に問いかけるための時間をとることを意味する。たとえば『もっと一生懸命働くことがこの問題を解決するのに一番いい方法なのだろうか?』といった質問を自分にしてみるんだ。たいていの人は自分自身に本当のこと――恐怖が自分を支配しているということ――を言うのが怖くて、考えることすらできない。そして、考える代わりに玄関から飛び出していく。つまり、タール人形に支配されているんだ。考えを選ぶことによって道を切り開くっていうのはこういうことなんだよ」

「で、どうやったらぼくたちにそれができるようになるの?」マイクが聞いた。

「それを教えてあげたいんだよ。朝、コーヒーを流し込んで玄関から飛び出して行くみたいに考えもなしに反応するのでなくて、考えを選ぶ方法を教えてあげようというんだ。

前に、仕事は長期的な問題に対する短期的な解決法にすぎないという話をしたけれど、そのことを忘れちゃいけないよ。たいていの人の頭にはたった一つの問題しかない。目の前にぶらさがっている問題だけだ。つまり、月末の請求書の支払、タール人形のことばかり気にしている。こういう人の人生はお金に振り回されている。お金がないことに対する恐怖とお金に対する無知に振り回されているんだ。だから、こういう人は自分の親がやっていたのと同じことをする。毎朝ベッドから飛び出して、お金のために働きに行くんだ。『ほかに道はないだろうか?』と考えるひまさえない。彼らの考えを支配しているのは頭じゃなくて感情だ」

「感情が考えを支配しているのと、頭で考えているのとではどこが違うのか、パパにはわかるの?」とマイクが聞いた。

「ああ、わかるとも。両方の話を年がら年中聞いているからね。たとえば『人はみんな働かなくちゃいけない』『金持ちはみんなペテン師だ』『給料をあげてくれなければ仕事を変わる。安くこき使われるのはまっぴらだ』『この仕事は安定しているから気に入っている』とか言う人は感情で考えている。そうじゃなく、『自分に見えていないことが何かあるんじゃないか?』というふうに自問すれば、感情的な思考を断ち切って、はっきりした頭で物事を考える時間ができるんだ」

このとき、金持ち父さんはとても大切なことを教えてくれていた。いまの私にはそのことがはっきりわかる。その人が感情にまかせてものを言っているのか、はっきりした頭で考えてものを言っているのかを見きわめることはとても大切だ。金持ち父さんのこの「教え」はこれまで何度も私を助けてくれた。とくに、頭でなく感情に反応して話しているのが他人ではなく自分自身であるとき、その違いを知ることはとても大きな助けになるものだ。

マーチンさんの店に戻るあいだ、金持ち父さんは金持ちが実際にお金を作り出していることを説明してくれた。

「金持ちはお金のためには働かない。『お金を作っている』つもりで、鉛を熔かして五セント玉を必死で作っていたとき、きみたちは実際、金持ちの考え方にとても近い考え方をしていたんだ。問題はそのやり方が法律に違反していたことだ。あんなふうにしてお金を作るのは、政府や中央銀行ならかまわないけれど、きみたちはだめなんだ」金持ち父さんはそのあと、お金を作るには法律にあったやり方と違反したやり方があることを説明してくれた。

それから、金持ち父さんは、金持ちはお金が単なる幻想にすぎないことを知っていると言った。つまり、お金は馬の目の前にぶら下げられたニンジンそのものなのだ。何十億という人が、この幻想にすぎないお金を実体のある「本物」と信じているのは、恐怖と欲望のせいだ。お金は作られたものにすぎない。トランプのカードで作ったお城が立ち続けていられるのは、大衆が幻想を信じ、本当のことを知らないでいるからにすぎない。「本当は、馬の鼻先にぶらさげられたニンジンの方がお金よりももっと価値があるんだ」金持ち父さんはそう言った。

金持ち父さんはそれから、アメリカがとっている「金本位制度」について話してくれた。それによると、どの紙幣も実際に銀と交換可能な証券としての意味を持っているということだった。金持ち父さんが心配していたのは、いつか金本位制度がなくなって紙幣と銀との交換ができなくなるという噂があることだった。「もしそうなったら世の中はおおさわぎになるぞ。中流以下の人たちやお金のことを何も知らない人たち、つまりお金に本当の価値があり、会社や政府が自分たちのめんどうを見てくれると信じている人たちは、間違った考えを信じているという、ただそれだけの理由で生活をめちゃめちゃにされてしまうんだ」

マイクと私はこのとき金持ち父さんが話してくれたことを完全に理解したわけではなかった。だが、年月がたてばたつほど、その言葉の意味がよくわかるようになった。

## ●頭を使ってお金を生み出す

マイクの父親は、自分の経営するコンビニエンスストアの裏に止めてあったトラックの運転席に足をかけて次のように言った。「このまま働き続けるんだ。給料が必要だということをどれだけ早く忘れることができるか、それが、きみたちが大きくなってからの人生がどれだけ楽になるかを決める鍵だ。ただ働きをしながら頭を使うんだ。そうすればじきに、私が払うよりもずっと多くの金を作る方法を『頭』が教えてくれる。ほかの人には見えないものが見えてくるからだ。それは目の前にあるチャンスだ。たいていの人はお金と安全な道ばかりを求めているから、このチャンスが目に入らない。だから結局、求めているものしか手に入らないんだ。反対に一つでもこのチャンスを見つけることができれば、それからも一生、こういったチャンスを見つけることができるようになる。つまり、このチャンスの見つけ方を学べば、人生で最大の罠を避けることができる。ウサギどんのようにタール人形にさわって、そこから抜け出せなくなるようなことは決してないんだ」

　その日仕事を終えたマイクと私は自分たちの持ち物をまとめ、マーチンさんに手を振って店を出た。それから、さっき三人で話していた公園の中のピクニック用のテーブルのところに戻り、考えたり話したりしながらさらに数時間をそこで過ごした。

　次の週、私たちは学校に通いながら考えたり話したりした。そしてそれからさらに二週間、同じようにただで働き続けながら、考え、話し合った。

　二週間目が終わろうという土曜日、マーチンさんに「さよなら」と言いながら、私は漫画雑誌が並べてある棚をじっと見つめていた。三時間働いて三十セントすらもらえなくなったのがいやだった理由の一つは、漫画雑誌すら買えなくなったことだった。その日、漫画雑誌の棚をじっと見ていた私の目に、突然あるものが飛び込んで来た。マイクと私に向かって「さよなら」と言いながら、マーチンさんがやり始めたことは、それまで私が見たことのないことだった。いや、見たことはあったが、それまでは気にもとめていなかったことだった。

　マーチンさんは漫画雑誌の表紙を半分だけ切り取り始めた。切り取った半分だけをとっておき、雑誌そのものは大きなダンボール箱の中に放りこんでいる。私がその雑誌はどうするのかと聞くと、「捨てるのよ。表紙の半分は新しい雑誌を届けに来た卸業者に、小売りしなかった証拠に戻すの。業者の人はあと一時間ほどで来るわ」

　マイクと私は一時間待つことにした。まもなくやって来た業者の人に私は表紙を半分切られた漫画雑誌をもらうわけにはいかないだろうかとたずねた。その男の人は「きみたちがこの店で働くことと、雑誌を転売しないことを約束してくれればいいよ」と答えた。

マイクと私の共同事業が復活した。マイクの家にはだれも使っていない地下室が一つあった。私たちはそこを掃除して、毎週手に入る漫画雑誌をどんどんその部屋に積み上げていった。まもなく私たちの「漫画図書館」がオープンした。マイクと私は勉強好きのマイクの妹を図書館長として雇った。館長は毎日学校が終わったあと、二時半から四時半まで図書館を開館し、入場料として一人につき十セント徴収する。十セントで二時間漫画が読み放題。お客は近所の子供たちだ。漫画雑誌は一冊十セントで、二時間あれば五冊か六冊は読めたから子供たちにとっても割のいい話だった。

マイクの妹は、お客の子供たちが帰るときに雑誌を持ち帰ったりしないようにそのたびにチェックした。また、お客の人数、名前、お客の意見を記録するのも図書館長の役目だった。マイクと私はそれから三カ月、平均して週九・五ドルの収入をあげた。マイクの妹には週一ドルを払い、雑誌をただで読ませてやった。もっとも、いつも学校の勉強をしていたマイクの妹はめったに漫画は読まなかったが。

マイクと私は約束を守り、毎週土曜にマーチンさんの店で働きながら、ほかの店も回って漫画雑誌を集めた。雑誌を売ったのではないから、卸業者との約束はきちんと守られていたわけだ。雑誌がぼろぼろになると燃やして処分した。私たちはべつに支店を作ることも考えたが、マイクの妹ほど信頼ができ、仕事に熱心な人間を見つけることができず、その考えはあきらめた。こうして、幼いながらも私たちは、優秀なスタッフを見つけることがどんなにむずかしいか知ることになった。

図書館をオープンしてから三カ月後、図書館の中でけんかがあった。常連ではないいじめっ子たちが押しかけてきて、けんかを始めたのだ。金持ち父さんは私たちに図書館の閉館を勧めた。そこで、私たちは漫画雑誌を使ったこの事業をやめ、それと同時にコンビニエンスストアでの土曜の仕事もやめた。

閉鎖の憂き目を見ることになったとはいっても、金持ち父さんはとても喜んでいた。ちょうど、私たちに新しいことを教えようと考えていたときだったし、私たちが一つめの教えをしっかりと身につけていることがわかったからだ。私たちはお金を自分たちのために働かせることを学んでいた。店でのただ働きのおかげで、私たちはお金を作るためのチャンスを見つける必要に迫られた。そして、漫画図書館というビジネスを自分たちで始めることで、雇い主に頼ることなく自分のお金を自分で管理する立場を手に入れたのだ。漫画図書館のアイディアの中で一番よかったことは、私たちが実際にその場にいなくてもその事業自体がお金を生み出してくれたことだ。お金が私たちのために働いてくれたのだ。

金持ち父さんは私たちに給料を払う代わりに、お金には代えられないたくさんのことを私たちに与えてくれた。

# お金の流れの読み方を学ぶ

第二の教え

**●お金について知らなければ、お金は出て行くばかり**

私の親友のマイクは一九九〇年に父親のビジネス帝国を引き継ぎ、いまでは父親よりもずっと多くの利益をあげている。マイクと私は年に一、二回ゴルフコースで顔を合わせる。いまマイクとその夫人は想像を絶するほどの金持ちだ。金持ち父さんの帝国はよき指導者にめぐまれ、以前にもまして繁栄を続けているのだ。マイクはいま、自分の子供にその地位を譲るべく教育を始めている。彼の父親がマイクと私を教育したように……。

一九九四年、私は四十七歳で引退した。妻のキムは三十七歳だった。「引退」といっても仕事をしないわけではない。私と妻にとって引退とは、「予期せぬ大きな変化があったときは別として、仕事をするかしないかは自分たちの自由になり、それでいて自分たちの持てる富はインフレに負けずに自動的に膨張する」ことを意味している。つまり、一言で言えば「自由」を意味すると言ってよいだろう。上手に引退すれば、そのときまでに資産は充分に大きくなっていて、あとは何もしなくても自然に成長する。ここまでの道のりは木を育てるのに似ている。何年ものあいだ水をやり、手をかけてやれば、ある日、木はあなたを必要としなくなる。根が充分深いところまで達したのだ。それ以後は、木は心地よい日陰を与えてくれ、あなたはその下で自由を満喫すればいい。

自由を手に入れたところで、マイクは帝国を統治し続けることを選び、私は引退する道を選んだ。

講演をするとよく「どうしたらいいのですか?」「私に何ができるでしょうか?」といったことを聞かれる。「どうやって始めたらいい?」「お勧めの本は?」「子供に何を教えたらいい?」「成功の秘訣は?」「巨富を築く方法は?」と聞く人も多い。このような質問にあうと、私はいつも、かつてだれかから見せてもらった次のような記事を思い出す。

世界で最も裕福なビジネスマンたち

一九二三年、シカゴのエッジウォーター・ビーチ・ホテルに、ビジネス界のリーダーや大金持ちのビジネスマンが集まった。出席者の中には、メジャーに属さない鉄鋼会社としては最大の会社を率いるチャールズ・シュワブ、世界最大の公益事業会社の社長サミュエル・インサル、世界最大のガス会社の社長ハワード・ホプソン、当時世界最大の会社の一つだったインターナショナル・マッチの社長イヴァー・クルーガー、インターナショナル・セツルメンツ銀行の頭取レオン・フレイザー、ニューヨーク株式取引所の社長リチャード・ホイットニー、株式投機家の二大巨頭アーサー・コットンとジェシー・リヴァモア、ハーディング大統領の内閣の一角をになっていたアルバート・フォールらの顔があった。二十五年後、この九人は次のような末路をたどった。シュワブは五年間借金に追われる生活を続けたあと、文無しで死んだ。インサルは国外で破産状態で死んだ。クルーガーとコットンも破産して死んだ。ホプソンは頭がおかしくなり、ホイットニーとアルバート・フォールは刑務所から出たばかりだった。フレイザーとリヴァモアは自殺した。

実際に彼らに何が起こったのかはおそらく誰にもわからないだろう。だが、一九二三年といえば、一九二九年の株式大暴落とそれに引き続く大恐慌の直前にあたり、そのことがこの九人の末路に大きな影響を与えたであろうことは想像に難くない。ここで私が言いたいのは、今日、私たちはこの九人が体験したよりも大きく、しかもより急速な変化の時代を生きているということだ。私たちは今後二十五年のあいだに、あの会合に出席していた九人が直面したと思われる上昇と下落に負けずとも劣らない変化を体験することになるだろう。

私は最近、多くの人がお金の心配ばかりしていて、もっと偉大な富、つまり「教育」に心を砕こうとしないことに懸念をいだいている。柔軟性を持って新しいものを喜んで受け入れ学び続けるならば、人は変化を乗り越えるたびにどんどん裕福になっていく。お金があればすべての問題が解決すると思っている人は、これから先、苦労するだろう。問題を解決し金を生むのは頭脳だ。ファイナンシャル・インテリジェンス（お金に関する知性）の乏しい人が持っているお金はすぐになくなる。

人生で大事なのはどれだけのお金を稼げるかではなく、どれだけのお金を持ち続けることができるかだ。だが、これに気づいている人は少ない。お金に困っていた人が宝くじにあたって一夜にして大金持ちになったかと思うと、またすぐお金に困るようになる……といった話はよく耳にする。彼らは何百万ドルも手にしながらすぐにもとの木阿弥に戻ってしまう。また、二十四歳で年俸何百万ドルと稼いでいたプロスポーツ選手が、三十四歳になったときには橋の下で寝起きしている……といった話もある。今朝の新聞にも、一年前には数百万ドルの金を稼いでいたプロバスケットボールの若手選手の話が載っていた。この若者は友人や弁護士、会計士たちが自分の金をむしりとっていったと嘆いていた。そのせいで、いまではわずかの給料で洗車場で働いているというのだ。

まだ二十九歳の若さのこの青年は、車を洗うときに、現役時代の優勝の記念である指輪をはずすことを拒んだために洗車場を首になり、それがきっかけで新聞にとりあげられたのだ。彼は虐待と差別を理由に解雇を不服として訴えを起こしていた。自分に残されたものはこの指輪だけであり、それをはずしたら自分は何者でもなくなってしまうというのが彼の主張だった。

最近は一夜にして億万長者になる人間があふれている。まるで繁栄の二〇年代がふたたびやってきたようだ。みんながどんどん裕福になるのは喜ばしいことだ。ただ、長い目で見た場合に大切なのは、どれだけの金を稼げるかではなく、どれだけの金を持ち続けることができるか、子供や孫など、何世代先までそれを残すことができるかだ。それを知らないのは困る。

このことを知らずに、「まず何をしたらいいですか?」とか「手っ取り早く金持ちになる方法を教えてください」と聞いてくる人は、みんな私の答えを聞いてがっかりする。私の答えはかつて金持ち父さんが私に教えてくれたのと同じだ。

## 金持ちになりたければ、お金について勉強しなければならない

これが私の答えだ。

### ●「お金の流れの読み方」は高層ビルの基礎

前にも書いた通り、金持ち父さんより多くの教育を受けていた私の実の父は、本を読むことの大切さをいつも私に説いた。一方、金持ち父さんは私の顔を見るたびに「ファイナンシャル・リテラシー(お金に関す

る読み書きの能力)」をマスターする必要性を説き続けた。

エンパイア・ステート・ビルを建てようと思ったら、まず最初にやらなければいけないのは深い穴を掘り、しっかりした基礎を築くことだ。郊外に一戸建てを建てたいというなら、そんなものはいらない。コンクリートを流し込み六インチほどの厚さの壁を作れば十分だ。多くの人は速く金持ちになりたいとあせるあまり、六インチ幅のコンクリートの基礎の上にエンパイア・ステート・ビルを建てようとしている。

農業中心の時代に作られたアメリカの学校教育システムは、基礎のない家を建てることが正しいといまだに信じている。床が地面のままでも一向に構わないのだ。だから、学校を出た子供たちはお金に関する基礎知識をほとんど持っていない。彼らはいつかきっと、アメリカンドリームさながらに郊外に家を構え、借金で首が回らず夜も眠れない日々を送ったあと、自分たちがかかえる問題に対する解決法は短期間で金持ちになることだと思い込むようになる。

それから超高層ビルの建設が始まる。ビルはどんどん高くなる。そして、何年もたたないうちにビルができあがる。でもそれはエンパイア・ステート・ビルではなく、ピサの斜塔ならぬ「郊外の斜塔」だ。眠れない夜がまた戻ってくる。

マイクと私の場合、大人になって選んだ道はどちらも堅実な道だった。なぜなら、私たちは子供のときにすでに、エンパイア・ステート・ビルを建てるならばしっかりした基礎を作らなければいけないと教えられていたからだ。

「会計学」が世界で最も退屈な科目だと思っている人は多いだろう。おまけにわかりにくさも天下一品だ。だが、金持ちになりたいと思ったら、長い目で見てこれほど役に立つ学問はない。問題はこの退屈でわかりにくい学問をどうやって子供に教えるかだ。答えは簡単、それをシンプルにすればいいのだ。まず図で説明すればいい。

金持ち父さんは、まだほんの子供だったマイクと私にお金に関するしっかりした基礎を教え込むにあたって、この実に単純な方法を使った。つまり、最初の数年のあいだは、ただ図を描き、口で説明してくれたのだ。その単純な図は幼い私たちにも充分わかった。このようにして私たちが専門用語を覚え、お金の動きを理解したあとではじめて、金持ち父さんは数字を使った説明を始めた。いまではマイクはもっと複雑で高度な会計分析もマスターしている。十億ドルの価値のあるビジネス帝国を率いている彼にはそれが必要だからだ。私の帝国はもっと小さいので、私の会計の知識はそれほど高度ではない。だが、どちらの場合も同じ、単純な基礎から始まっている。これから先のページでは、マイクの父親が私たちのために考え出したのと同じ単純な図を使った説明を紹介する。これらの図は実に単純だが、二人の幼い子供がのちにしっかりとした基礎の上に巨大な富を築くのにどれほど大きな助けになったかしれない。

## ●資産と負債の違いを知ることが第一

まず大切なのは、資産と負債の違いを知り、資産を買わなければならないということだ。金持ちになりたい人が知っておくべきことはこれにつきると言ってもいい。いわば金持ちになるための鉄則だ。「そんなことは簡単じゃないか」と思われるかもしれない。だが、このルールの持つ意味の深さを本当に理解している人は少ない。大部分の人は資産と負債の違いを知らないために、いつもお金がなくてヒイヒイ言っている。

**金持ちは資産を手に入れる。中流以下の人たちは負債を手に入れ、資産だと思いこむ**

金持ち父さんがこのことをはじめて教えてくれたとき、私たちは「ぼくたちが何も知らないと思ってからかっているんだ」と思った。金持ちになる秘訣が聞ける……と胸を躍らせる十代になりたての二人の少年に対して返ってきた答えがこれだったから無理もない。あまりに単純な答えだったので、その言葉の意味を理解するのにしばらく時間がかかった。

「資産って何なの?」まずマイクが口を開いた。

「いまはそれは知らなくていい。ただ、いま私が言ったことをそっくりそのまま頭に刻んでおくんだ。単純だがこの言葉の意味が本当にわかれば、人生の計画も立てられ、お金に困ることもなくなる。いいか、これは単純なことなんだ。だからみんなは忘れてしまっているんだ」

「つまり、資産が何かってことがわかって、それを手に入れればそれだけで金持ちになれるってことなんですか?」私はそう聞いた。

金持ち父さんはうなずいた。「そうだ、簡単だろう?」

「そんなに簡単だったら、なぜ金持ちになれない人がいるんですか?」

金持ち父さんはにっこり笑った。「なぜって、みんな資産と負債の違いを知らないからだよ」

「みんな大人のくせになぜそれを知ろうとしないんですか? そんなに簡単で、そんなに大切なことだったら、その違いを知りたいと思わない人がいるなんておかしいじゃないですか?」いまでも覚えているが、私はそう食い下がった。

金持ち父さんによる資産と負債の違いの説明は実に単純明快で、数分とかからなかった。

大人になったいま、私がそれを大人に説明しようとするとけっこうむずかしい。その理由は、大人が子供より頭がいいからだ。たいていの大人は複雑なことばかり教えられているので、簡単なことがわからなくなっている。大人は銀行員、会計士、不動産業者、ファイナンシャル・プランナーといった高い教育を受けた専門家からいろいろ教えられる。だから、大人に白紙の状態になれ、子供のようになれというのはひじょうにむずかしい。教養ある大人は、単純な説明に熱心に耳を傾けたりしたら沽券にかかわる……と思っていることが少なくない。

金持ち父さんは物事を人に教えるときは「サルでもわかるくらい」簡単にすることが大事だと考えていた。だから、幼い二人の少年のためにわかりやすく説明するのはお手のものだった。おかげで私たちは金銭・財政に関する基礎をしっかりと固めることができた。

そんなに簡単だとしたら、なぜ違いがはっきりしないのだろう？　簡単だったら混乱することなどないはずだ。なぜ、本当は負債なのに資産だと思って負債を買ってしまう人がいるのだろう？　これらの疑問に対する答えは私たちが受けてきた基本的な教育の中にある。

私たちは文章を読んだり書いたりする「リテラシー（読み書き能力）」ばかり気にかけ、「ファイナンシャル・リテラシー（お金に関する読み書きの能力）」には注意を払わない。あるものが「資産」か「負債」かを決めるのは言葉ではない。頭を本当に混乱させたいと思っている人は、辞書で資産と負債の項目を読むといい。そこに書かれている定義は専門知識を持った会計士にはよくわかるかもしれないが、ふつうの人間には何のことかさっぱりわからない。それなのに、私たちのような大人は自尊心が邪魔をして「これはよくわからない」と認めることがなかなかできないのだ。

子供の心を忘れていない金持ち父さんはこう言う。

「資産が何かを決めるのは言葉ではなくて数字だ。だから、もし数字を読むことができなければ、地面にあいた穴と資産の区別だってできやしない。

会計の世界で大切なのは数字そのものではなくて、数字が何を意味しているかだ。つまり言葉と同じだ。言葉の場合だって、大切なのは言葉そのものじゃなくて、言葉が語るストーリーだろう?

何か読んでも内容はたいして理解していないという人は多い。内容を理解することを読解力というんだが、この読解力にはいろいろな種類がある。たとえば、こういうことだ。私は最近新しいビデオプレーヤーを買った。それには録画のためのプログラムの仕方を説明したマニュアルがついてきた。私はただ金曜の夜の好きな番組を録画したかっただけだったのに、マニュアルに書いてあることを理解しようとするだけで、もう頭がおかしくなりそうになった。録画のためのプログラムの仕方を理解するだけの読解力が私にはないんだ。そこに書いてあることは読める。だけど理解できないんだ。学校の成績で言ったら語彙力は優秀、理解力は落第といったところだ。たいていの人にとっては、貸借対照表や損益計算書といった会計関係の表が、私にとってのあのマニュアルみたいなものなんだ。

きみも金持ちになりたかったら、数字を読み、それを理解する方法を学ばなければいけない」

マイクの父親はこの言葉を何十回、何百回、何千回と私に聞かせた。また、「金持ちは資産を手に入れ、中流以下の人間は負債を手に入れる」という言葉も何度も聞かされた。

## ●資産と負債はここが違う

これから資産と負債の違いについてお話しする。会計士や財務の専門家のなかには、ここに示した定義に異議があるという人もいるかもしれないが、この単純な図が、二人の少年が堅固な金銭・財務知識の基礎を築くのに大いに役立ったことは事実だ。

十代になりたての少年に教えるために、金持ち父さんは言葉はできるだけ少なく、図をできるかぎり多くして、すべてをシンプルにしてくれた。数字が出てきたのはさらに何年かあとのことだ。

次の図①のうち上の縦長の箱が「損益計算書」と呼ばれるものだ。これには収入と支出が記録される。入ってくるお金と出ていくお金だ。下の横長の箱が「貸借対照表」だ。英語では「バランスシート」と呼ばれるが、これは左右に振り分けられた資産と負債がバランスをとるように作られているからだ。財務をちょっとかじっただけの人間の多くはこの「損益計算書」と「貸借対照表」との関係をわかっていない。ところがこれが一番重要なことなのだ。

お金に困ってあくせくする最大の原因は、資産と負債の違いを知らないことだ。この混乱は二つの言葉の定義によって引き起こされている。先ほども言ったように、頭を混乱させたい人は辞書で資産と負債の意味を確かめてみるといい。そこに書かれている定義は会計の専門家にはよくわかるかもしれないが、ふつうの人間にはまるでチンプンカンプンだ。定義の字面を追って読むことはできても理解することはできない。

金持ち父さんが二人の少年にした説明は簡単だった。「資産はきみたちのポケットにお金を入れてくれる」。これほど簡単で役に立つ定義はない。

二つの図を見て資産と負債の違いが多少わかったところで金持ち父さんのこの言葉を聞けば、それほど苦労せずにその違いが理解できるだろう。

**資産は私のポケットにお金を入れてくれる**
**負債は私のポケットからお金をとっていく**

知らなくてはいけないことは本当にこれだけなのだ。金持ちになりたいなら、ただ「資産を買うこと」に生涯を捧げればいい。中流以下にとどまっていたい人は負債を買えばいい。資産と負債の違いを知らないこと、これが多くの人がお金に困っている最大の理由だ。

　文字と数字の両方の「読み書きの能力」、これがお金に苦労するかどうかを分ける鍵だ。お金に困っている人は文字と数字のどちらか、あるいはその両方が本当には「読めない」という問題を抱えている。どこかに誤解が生じているのだ。反対に金持ちは、お金に苦労している人が持っていない「読み書きの能力」を持っているから金持ちなのだ。金儲けをして、その富を失わずに保ち続けたいという人にとっては、金銭・財務関係の文字と数字を読んで理解する力、「ファイナンシャル・リテラシー」が不可欠だ。

　図の中の矢印はお金の流れを表している。数字だけではあまり意味がないし、文字だけでもあまり意味がない。大切なのはそれらが語る「物語」だ。お金に関する報告書においては、数字を読むことはこの物語を理解することを意味する。つまりお金がどこに流れて行くかという話の筋書きだ。ふつうの家庭の八十パーセントは「お金に関する物語」と言えば、生活のためにあくせく働くことにつきる。彼らが充分な金を稼い

①資産からのお金の流れ

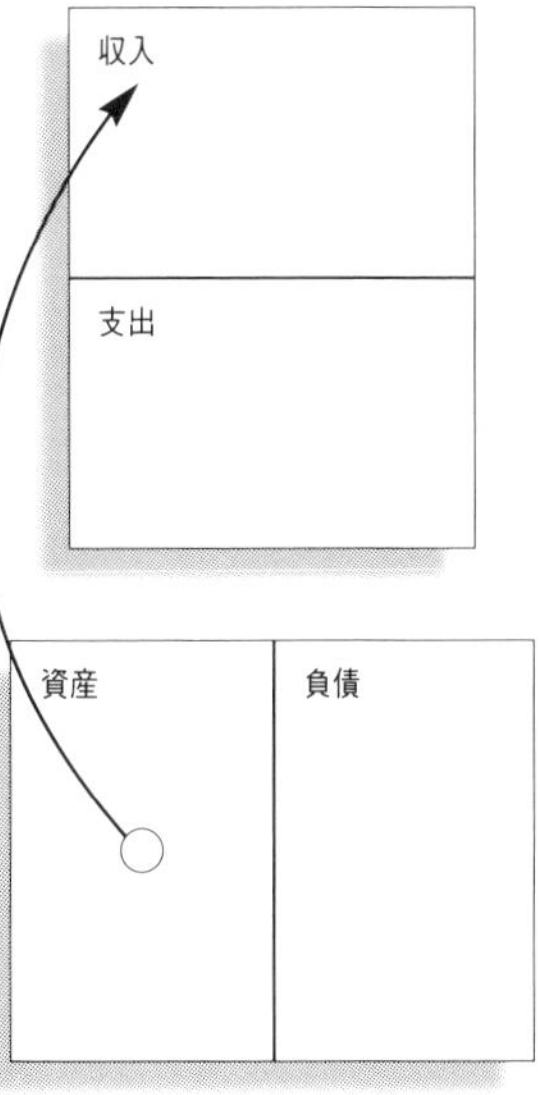


②負債からのお金の流れ

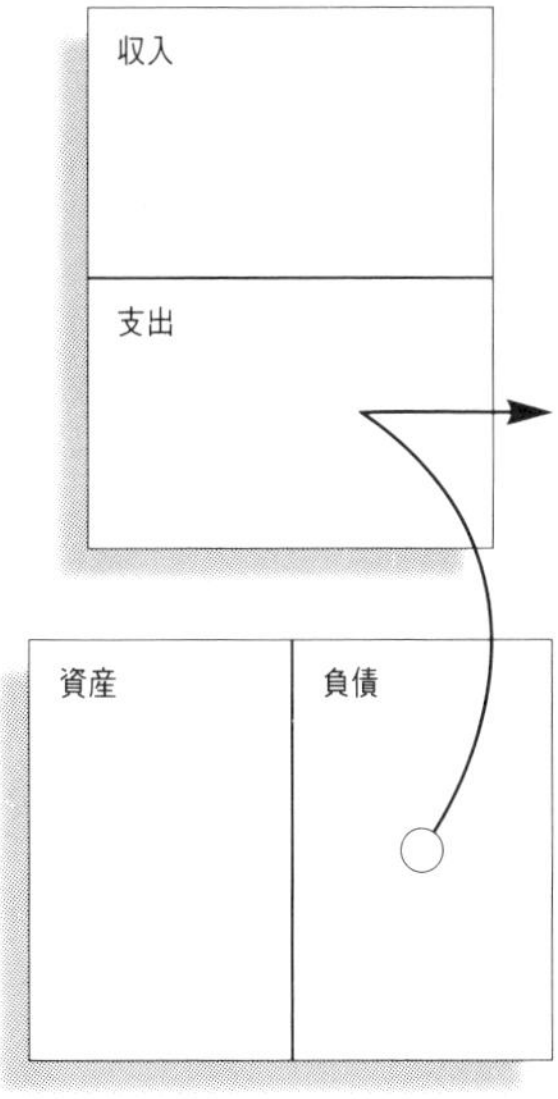

でいないというわけではない。問題は彼らが資産ではなく負債を買うために生涯を費やしていることだ。

たとえば、貧乏な人、あるいはまだ親元を離れていない若い人のお金の流れのパターンは図③のようになる。

図④は中流に属する人のお金の流れのパターンだ。

金持ちのお金の流れは図⑤のようになっている。

一見してわかるように、これらの図はどれもひじょうに単純化してある。図には示されていない場合もあるが、たとえば人には衣食住にかかる費用、つまり生活費はどんな家庭にも欠かせない。

ここでも図の中の矢印はそれぞれ貧乏人、中流の人、金持ちのお金の流れを示している。物語を語ってくれるのはこのお金の流れだ。それは、その人がどのようにお金を扱うか、つまりお金を手に入れたあとそれで何をするかの物語だ。

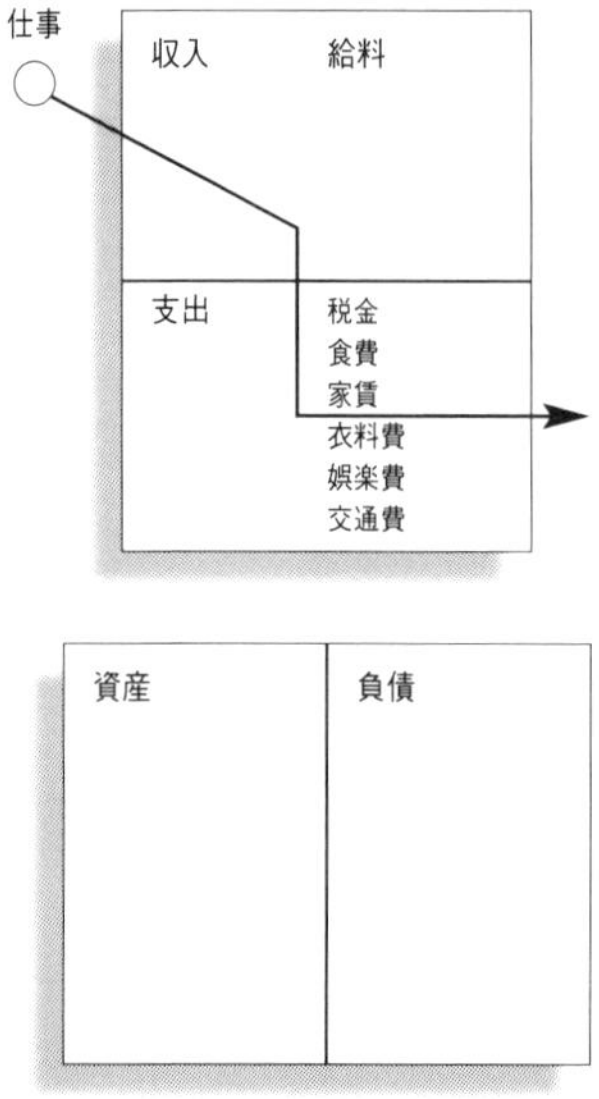


③貧乏な人や、まだ親元から離れていない若い人のお金の流れ

④中流の人のお金の流れ

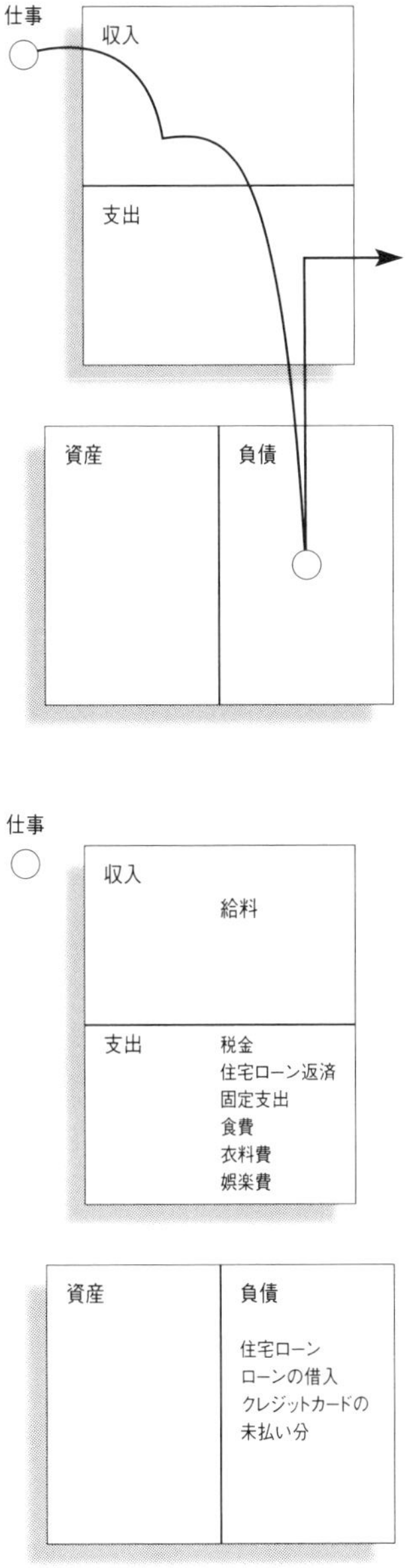


⑤金持ちのお金の流れ

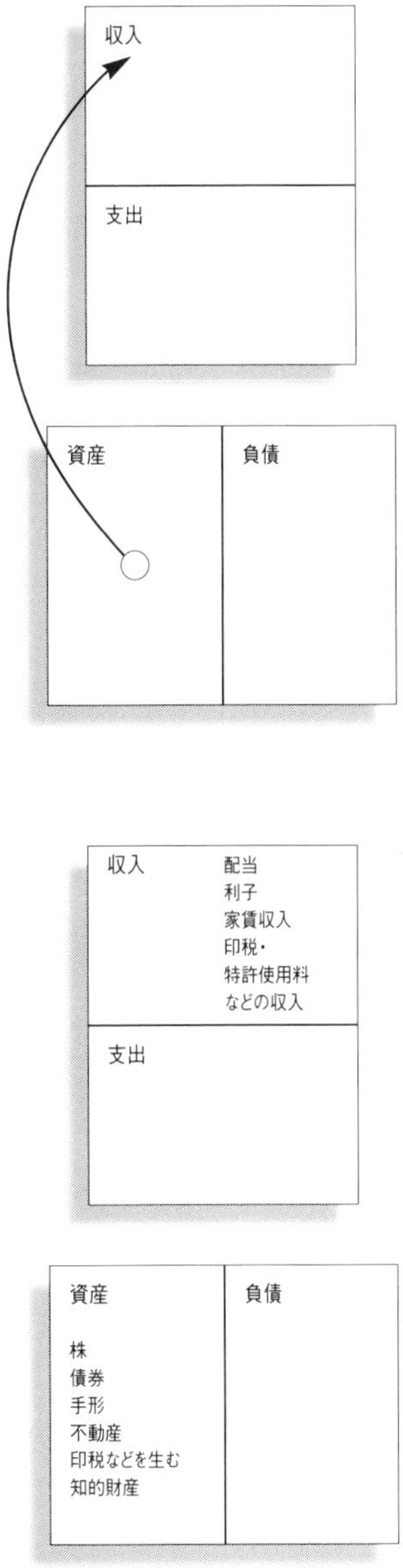

## ●お金があっても問題は解決しない

この章の最初にアメリカで最も裕福な人々の話を持ち出した理由は、多くの人の考え方に潜む「間違い」をはっきりさせるためだった。その間違いとは、「お金があればすべてが解決する」という考え方だ。てっとりばやく金持ちになる方法を聞きたがる人、あるいは「どこから始めればいい?」と聞いてくる人、「借金で首が回らないのでもっとお金が必要なんだ」という人たちに私がうんざりしている理由はここにある。

借金をかかえているからもっとお金が必要だといっても、お金が手に入ったら問題が解決するわけではない。そのために問題がさらに大きくなるという場合も少なくないのだ。お金はときとして人間の弱さを暴露する。今まで見えていなかったことを見えるようにしてくれる。遺産が入る、昇給する、宝くじにあたるといったことで突然金回りのよくなった人が、またすぐにもとの金詰り状態に戻ってしまう(もとの財政状態より悪くなるということさえある)のはそのためだ。いまより多くお金が手に入ったところで、それはその人の頭の中のお金の流れのパターンを加速するだけなのだ。そのパターンが「稼いだ金は全部使う」というものであれば、収入が増えた分、支出も増えるだけのことだ。だから「バカが金を持つとろくなことにならない」という格言があるのだ。

私はこの本の中でこれまでに何度も、私たちが学校に行くのは学術的技能や職業上の技能を身につけるためで、それはどちらも大切だという話をしてきている。私たちは学校で、職業上の技能を使ってお金を稼ぐ方法を学ぶ。私がハイスクールの学生だった一九六〇年代には、学校でいい成績をとった子供は将来医者になるのがあたりまえと思われていた。その子が医者になりたいかどうかわざわざたずねる人はあまりいなかった。当然そうなるものと思われていたからだ。当時、医者は財政的見返りが大いに期待される職業だった。

今日では医者も人並み以上の財政的苦労を抱えている。保険会社が医者の仕事に大きな影響を与え、ヘルスケアのシステムは高度化・複雑化し政府が口を出してくる、そのうえ患者からは医療過誤で訴えられる……ざっと並べただけでもこんな具合だ。現代っ子はプロのバスケットボールプレーヤーやタイガー・ウッズのようなプロゴルファー、コンピュータ業界の寵児、映画スター、ロックスター、ミス・コンテストの女王、株式ブローカーなどになりたがる。その理由は単純。そこに名声と金があるからだ。学校で子供たちを勉強させようとするのがむずかしいのはこのためだ。子供たちは、仕事上で成功するための道が、もはや昔のように学校でいい成績をとることにだけあるのではないと気づいている。

立派な教育を受けた何百万という人が、職業上はいちおうの成功は収めているのに経済的には苦労しているという事態は、ほとんどの人が金銭・財政的技能を身につけることなく学校を卒業して仕事についていることから生じている。いくら一生懸命働いても彼らの生活は楽にならない。彼らの受けた教育に不足しているのは「どうやってお金を稼ぐか」ではなく「お金をどう使うか」、つまり「お金を稼いだあとどうするか」だ。これがファイナンシャル・アプティテュード（お金に関する聡明さ）というものだ。つまり、お金を稼いだあとどうするか、人にそれをとられないようにするためにどうするか、それを長く持ち続けるにはどうしたらよいか、そのお金をどうやって自分のために働かせるかといったことを知らなければ、いくらお金を稼いでもむだだ。たいていの人はキャッシュフロー（お金の流れ）を理解していないために、なぜ自分がお金に苦労しているかすらわからないでいる。このような人は「一生懸命に働くのはいいことだ」とだけ教えられ、「自分のためにお金を働かせる」方法を知らないでいるため、必要以上に働き続けることになる。

## ●豊かさへの「夢」が「悪夢」に変わるとき

一生懸命働く人たちの人生のパターンは決まっている。高い教育を受けた若い男女が結婚し、それまで一方が暮らしていた狭苦しい賃貸アパートでいっしょに生活を始める。二人は間もなく、一人で暮らしていた頃よりお金がかからないことに気づき、お金を貯め始める。

問題はアパートが狭すぎることだ。二人は家を買い、子供を持つことを夢見てお金を貯める決心をする。一つの世帯に収入の道は二つ。二人は仕事に精を出す。

二人の収入が上がり始める。

収入が上がると、それにつれて支出も増える。このときのお金の流れは図⑥と図⑦のようになる。だれにとっても一番大きな支出は税金だ。たいていの人は一番高い税金は所得税だと思っているが、アメリカの場合、ほとんどの人にとって一番高い税金は社会保険料だ。だれかに雇われている場合、社会保障とメディケア（高齢者対象の医療保障）のための税金の合計はほぼ七・五パーセントになるが、実際は雇い主がそれと同額を政府に支払っているため、その割合は十五パーセントとなる。つまり、その分はあなたは給料としてもらうことはできない。それなのに、社会保険料として給料から控除されている分、つまり、自動的に差し引かれるため決して支払われることのない給料に対しても所得税を払わなければならないのだ。

収入が増えてくると、個人の貸借対照表の中の負債が増えていく（図⑧）。

このことは先ほどの若い夫婦の例に戻って説明するとわかりやすい。収入が増えたからそろそろ……と若い二人は夢に見た我が家を買う。家を手に入れると税の負担が増える。固定資産税だ。それから二人は新しい車を買い、家具を買い、新居に合わせて電化製品を新しくする。そして、ある日突然、住宅ローンやクレジットの支払で負債の欄がいっぱいなのに気づく。

こうなると二人はもう「ラットレース」の罠にはまったも同然だ。子供が一人生まれる。二人はさらに一生懸命働く。前と同じプロセスが繰り返される。つまり、収入が増えれば税金が高くなる。累進課税という

⑥収入が増えると……

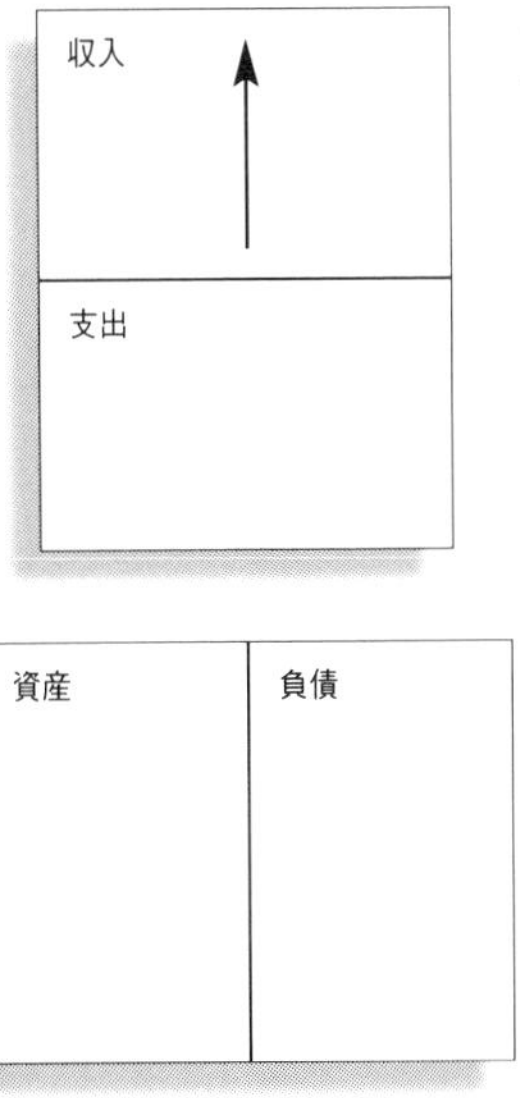


⑦支出も増える

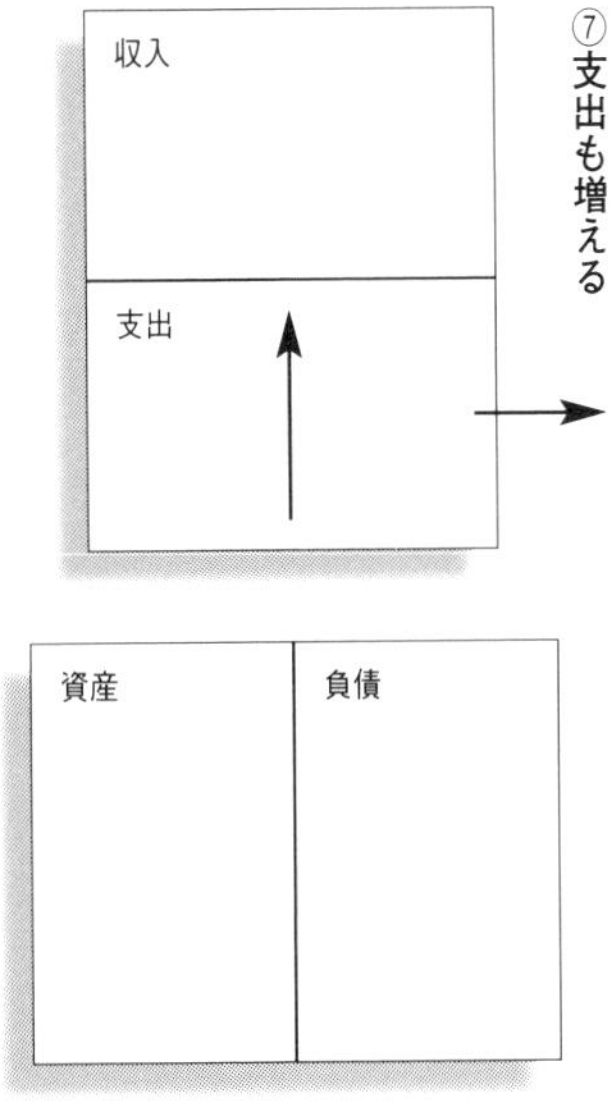


⑧そして負債も増える

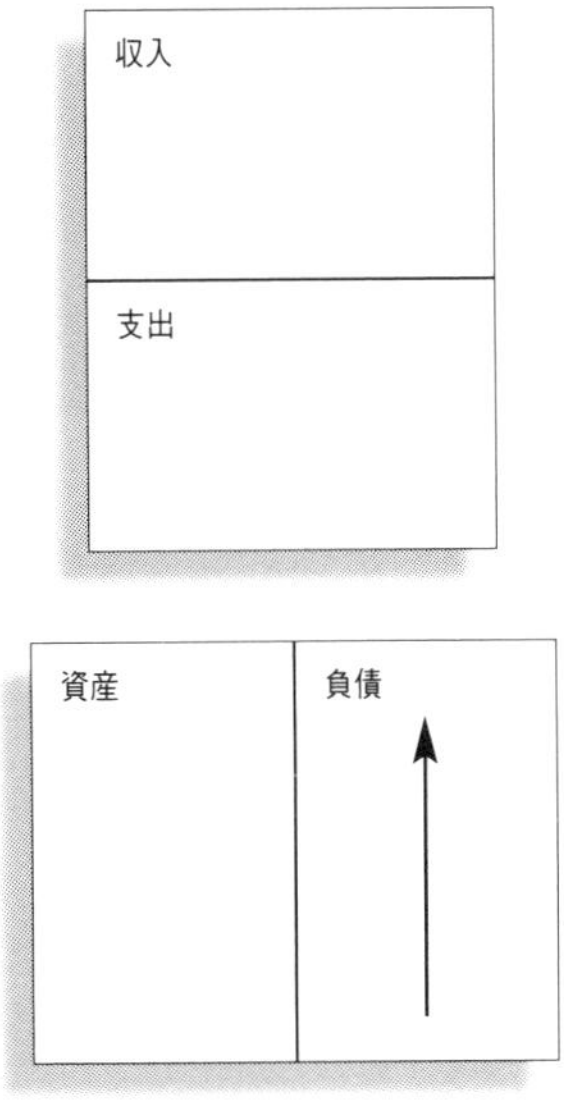

やつだ。クレジットカードが郵便で送られてくる。二人はそれを使う。限度まで使って支払がむずかしくなる。ローン会社が電話をしてきて、二人の最大の「資産」である家を評価してみたと言ってくる。そして、資産状況からして支払能力は充分あると考えられるので、支払を一本化するためのローンを組んではどうかと提案する。つまり、金利の高いクレジットカードの支払をまずすませるのが最も賢明だと言って二人を納得させるのだ。二人はその提案に従い高利のクレジットカードの支払をすませ、住宅を担保とした低利のローンに切り替える。さらに支払期間を三十年にのばせば月々の支払が減る。これはなかなか賢明なやり方に思える。

近所の人が「一緒に買い物に行こう。初夏のセールが始まったのよ。節約のチャンスだわ」と誘ってくる。二人は「何も買うつもりはないけれど、見るだけ見てこよう」と言って出かける。ただし、万が一のために……と、支払をすっかりすませたばかりのクレジットカードを財布の中につっこむ。

私はこんな若い夫婦にしょっちゅう出会う。若い二人は名前こそ違っているが、おちいっている経済的なジレンマはいつも同じだ。彼らは私の話を聞きに講演会にやってくる。そして、こう私に聞くのだ。「もっとお金を儲けるにはどうしたらよいか、教えてもらえませんか?」と。自分たちの消費癖が収入を増やす必要性を生み出していることに彼らは気づいていない。

それどころか、自分がすでに持っているお金をどのように使うか、その選択の仕方が問題で、お金に困っている本当の原因はそこにあるということすら気づいていない。彼らがお金に困っているのは、金銭的な情報を読み解く力がなく、資産と負債の違いをわかっていないからだ。

いままでより多くのお金が手に入ったからといって、お金に関する問題が解決することはほとんどない。問題を解決するのは知性だ。私の友達の一人は借金を抱えて困っている人に対して、いつもこんなふうに言っている。

「穴に落ち込んでいると気がついたら、穴を掘るのをやめなさい」

## ●鏡を見て己を知る

私が幼かった頃、父は私たち子供によく、昔、日本人が信じていたという「三つの力」の話をしてくれた。それは「刀と玉と鏡の力」だ。

刀は武器の力を象徴している。アメリカは武器のために毎年何百億ドルもの金をつぎこみ、それによって世界最強の軍事国家の地位を保っている。

玉はお金の力を象徴している。「黄金律を忘れるな。黄金を持つものがルールを作る」という格言にはたしかに一理ある。

鏡は己を知ることの力を象徴している。日本の古くからの言い伝えによれば、この「己を知る」ことこそが三つのうちで最も大きな力を持っている。

お金に困っている人や、困ってはいなくてもそこそこの収入しかない人は、たいていの場合お金に動かされるままになっている。毎朝起きて一生懸命に働くだけで、自分がいまやっていることが正しいかどうか自問しようとしない。毎日それを続けることは、自らを罠にかけているようなものだ。お金のことを充分に理解していないために、ほとんどの人が恐ろしいお金の力に身を任せてしまっている。お金の力が彼らに敵対するものとして働いているのだ。

そういう人でも、もし鏡の力を使うことができれば、きっと「これでいいのだろうか?」と自問することだろう。それなのに、多くの人は自分の内に潜む知恵、自分の中にある天賦の才能を信じることなく、みんと同じ方法を選ぶ。つまり、ほかのみんながそうしているから……という理由で行動するのだ。こういう人は疑問を持つこともなく、ただみんなと同じようにする。また、何も考えずに、自分がこれまで言われてきた通りのことをやり続けるという場合も少なくない。つまり、「リスクの分散」とか「持ち家は資産」「持ち家は最大の投資」「借金をすれば節税できる」「安全な仕事を見つけろ」「間違いをするな」「危険を冒すな」といった考え方をうのみにしてそのまま実行する。

悪い噂が立つことが死ぬより怖いという人はけっこういる。精神分析医によると、悪い噂が立つのが怖いというのは、仲間はずれにされることに対する恐怖から来ている。つまり、一人だけ孤立してしまう、一人だけみんなから後ろ指を差される、ばかにされる、村八分にされる、そういったことが怖いのだ。多くの場合、人と違ったことをするのを恐れるこのような気持ちが、問題解決のための新しい道を見つけるのをむずかしくする。

高い教育を受けた私の実の父が、日本人は鏡の力を最も重んじていると言った理由はここにある。つまり、私たち人間は鏡を見てはじめて真実を知ることができるのだ。たいていの人が「安全な方法をとるのがいい」と言う最大の理由は恐怖だ。スポーツをやる場合でも、人間関係においても、仕事の上でも、またお金の面でも、何についてもこのことはあてはまる。

人間が他人と同じことをする傾向にあり、一般に受け入れられている意見や世の中の流行にだまって従う理由もいま言ったのと同じ、仲間はずれにされることへの恐怖からだ。「持ち家は資産」「利子の低いローンを使って高利の借金を完済しろ」「もっと一生懸命働け」「昇進すれば問題は解決する」「いつか私も部長だ」「お金を節約しろ」「給料が上がったら、大きな家を買うぞ」「投資信託は安全」「その品物は在庫切れなんですが、たまたまいま一つ返品があって、予約のお客様もまだお見えになっていないので……」そんな言葉のおかげで私たちは罠にはまっていく。

お金に関する大きな問題の多くは、ほかの人と同じことをしよう、隣のうちに負けないようにしようとするところから生じる。私たちはときには鏡を見て、恐怖ではなく自分の心の声に耳を傾ける必要がある。十六歳になったマイクと私は学校の問題児になりかけていた。不良だったというわけではない。ただ、ほかの子供たちとは遊ばず、いつも二人で孤立していた。

私たちは週末はマイクの父親のところで働いた。そして、仕事のあとよく、マイクの父親の仕事机の横に座り、銀行の人や弁護士、会計士、株のブローカー、投資家、店や会社をまかせているマネジャーやそこで働く従業員などとマイクの父親がかわす会話に何時間も耳を傾けた。目の前にいるこの人は十三歳で学校をやめた。いまその人が、自分より多くの教育を受けた人たちに命令や指示をくだし、次々と質問を浴びせる……その人が一声かければだれもが飛んで来て、文句を言われるとちぢみあがるのだ。

「その人」はほかの人と同じ道を歩むことを拒否してきた人だ。自分の頭で考え、「みんながそうするから、そうしよう」という言葉には決して耳を貸さなかった。その人は「できない」という言葉も大嫌いだった。その人に何かやらせようと思ったら、「あなたにはできないと思いますよ」と言えばいい。そうすれば、その人はなんとしてもそれをやりとげる。

マイクと私はマイクの父親がいろいろな人と話をするのを見ているだけで、大学も含め、学校で何年もかかって学ぶより多くのことを学んだ。マイクの父親はきちんとした学校教育は受けていないが、お金に関する教育はしっかり受けていて、そのために成功を手に入れていた。

マイクの父親は私たちによく次のように言っていた。「頭のいい人は自分より頭のいい人を雇う」。だからこそ、マイクと私はマイクの父親が雇った「頭のいい人たち」の話を聞き、そうすることによって彼らから多くを学ぶことができたのだ。

しかし一方、そのおかげでマイクと私は学校の先生たちが教え込もうとしたごくふつうの考え方に適応できなくなった。そのためにしょっちゅう問題が起きた。たとえば先生が「成績がよくなければ、社会に出てから通用しませんよ」と言うと、マイクと私はそのたびに顔をしかめた。また、決められた手順以外のやり方をしてはいけないと先生に言われると、そのたびに私たちは学校の教育システムが創造性の芽を摘み取る以外のなにものでもないことを痛感した。そして、私たちは次第に、金持ち父さんがなぜ「学校は雇い主としてではなく、雇われる側の人間として優秀な人間を育てるための場所だ」と言ったのか、その理由を理解し始めた。

マイクと私はときどき学校の先生に向かって「学校の勉強はどんなところで役に立つんですか?」とか、「学校ではどうしてお金のことやその働きについて教えないんですか?」といったことをたずねた。この二つめの質問に対してよく返ってきた答えは「大事なのはお金じゃない」「いい成績をとれば、お金は自然と入ってくる」というものだった。

マイクと私はお金のことを知れば知るほど、学校の先生やクラスメートたちから離れていった。

高い教育を受けていた父、つまり私の実の父は「いい成績をとれ」と私にうるさくは言わなかった。私はよく、なぜ何も言わないのだろうと不思議に思ったものだ。その代わり、お金についてはよく父と議論した。十六歳になったときには、おそらく私はお金に関しては父や母よりもはるかに多くのことを知っていた。帳簿をつけることもできたし、税理士や会社の弁護士、銀行家、不動産ブローカー、投資家などの話を聞いてその話を理解することもできた。私の父が話す相手といえば学校の教師だけだった。

## ●持ち家は資産でも投資でもなく「負債」

ある日、父が、なぜ自分たちが住んでいる家が自分にとって最大の投資なのか、その理由を私に話してくれた。それを聞いた私は、なぜ持ち家がよい投資の対象とならないか、図を書いて説明した。おかげで、そのあと二人のあいだで険悪なムードの議論が始まることになったのは言うまでもない。

次にあげた図⑨は、金持ち父さんと貧乏父さんのあいだの家に関する考え方の違いを示したものだ。一方が持ち家を資産と考えているのに対し、もう一方は負債だと考えている。

次に私はさらに図⑩を描いて、父にキャッシュフローについて説明した。図には家を持っていることにともなう諸経費も付け加えた。家が大きければ大きいほど経費もかさむ。その分、支出の欄から外に出て行くお金も増える。

⑨持ち家に対する
金持ち父さんの考え方

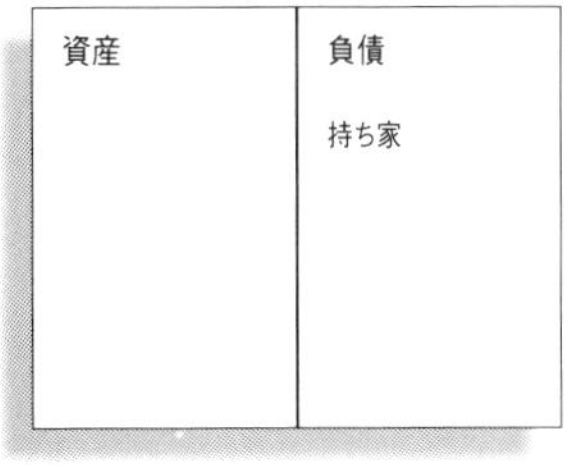


⑨持ち家に対する
貧乏父さんの考え方

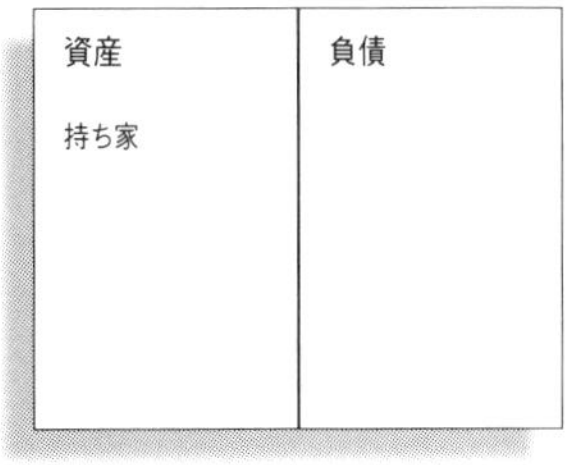


⑩持ち家はなぜ負債か

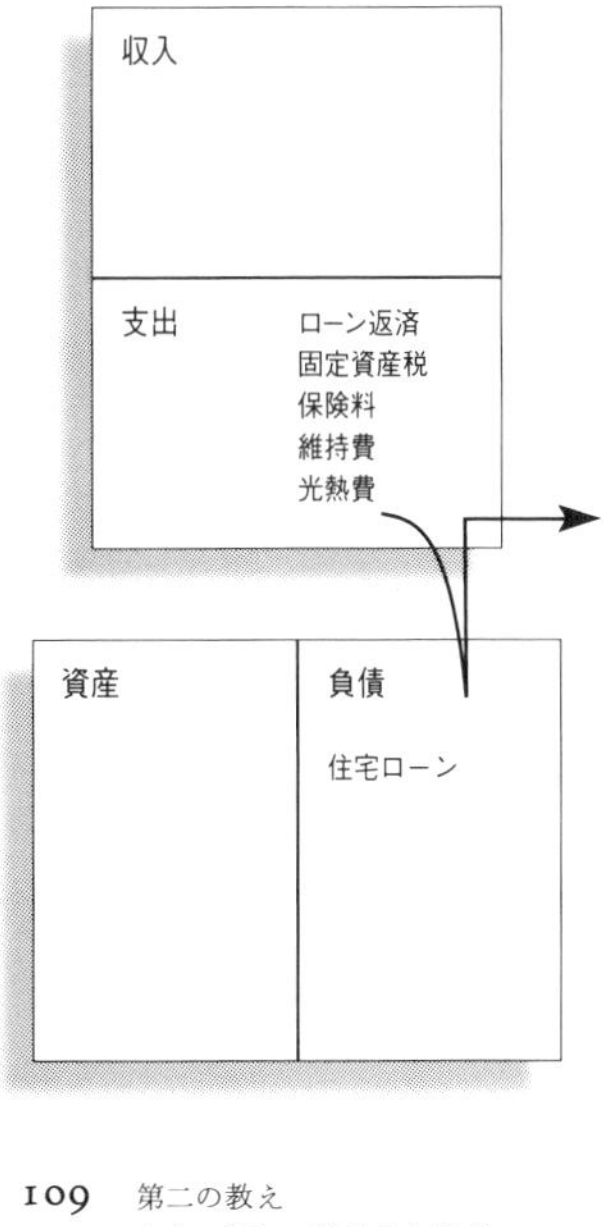

いまでも「家は資産ではない」と言うと反論されることがある。多くの人にとって家は「夢」であり、最大の投資だということは私も知っている。たしかに持ち家を持っている方が何も持っていないよりはましだ。ただ私が言いたいのは、「家は資産だ」「家は投資だ」という、よく耳にする考え方にはまったく別の見方もあるということだ。私たち夫婦にしても、もっと大きくて立派な家を建てて隣近所の人に自慢したい気持ちはある。でも、私たちは家が資産ではないことを知っている。家計からお金を吸いとっていくからには、それは「負債」なのだ。

そこで、私の考え方を紹介すると次のようになる。すべての人がこの考え方に賛成するとはかぎらないことは承知の上だ。なぜなら家というのはただの「物」ではなく、感情的な意味を持っているからだ。この感情的な要因はファイナンシャル・インテリジェンスを鈍らせることがよくある。個人的な経験から、お金にさまざまな決定を感情的なものにする力があることはよく知っている。

家を持つことに関しては次のようなことを頭に入れておかなければならない。

1．ほとんどの人は完全には自分のものにならない家のために一生お金を払い続ける。つまり、ほとんどの人は何年かおきに新しい家に買い換えるが、そのたびに前の家の支払いはすませても、たいていは前より大きな家を買うために新たな三十年ローンを組むことになる。

2．たとえ住宅ローンの返済の利子分を所得税の対象の所得から控除することができたとしても、そのほかの経費は税金を取られたあとの収入から払わなければならない。たとえローンを払い終わったところで、その経費は変わらない。

3．固定資産税もばかにならない。私の妻の両親は自分たちの家にかかる固定資産税が月額にして千ドルを越えたとき、その額にびっくりした。引退前だったので、この負担増は二人の引退後の生活設計に大きな影響を与えた。結局二人はやむなく家を手放した。

4．家の価値はつねに上がるとはかぎらない。一九九七年現在、私の友人の中には百万ドルで購入したがいまは七十万ドルでしか売れないという家を持っている人が何人もいる。

5．持ち家を所有することにともなう「損失」の中で最大のものは、それによって大切なチャンスが失われることだ。家にすべてのお金をつぎこんでしまったら、あとは前にもまして一生懸命に働くしかない。というのも、家にかかるお金が支出としてどんどん出て行く一方で、資産の欄には何も貯まらないからだ。これが中流家庭の典型的なお金の流れのパターンだ。もし、結婚したばかりの若いカップルが早い時期に資産の欄にお金を注ぎ込むようにすれば、あとあとになって楽な生活が送れる。とくに、子供を大学に送る準備ができるので楽だ。その頃には資産が充分大きくなっていて、支出をカバーするだけの収入を生んでくれるようになっているだろう。家を所有することは多くの場合、増え続ける支出のために、家屋を抵当としたローンを背負い込む原因になる。

この五番目の「損失」についてもう少し説明しよう。有価証券への投資など、資産を増やす努力を早い時期に始める代わりに、借金をしなければ買えないような家を買った場合、最終的にそれは少なくとも次のような三つの損失をその人に与える。

1．時間を失う。ほかの「本当の資産」に投資していれば、ローンをせっせと返しているあいだにその価値が上がったかもしれない。

2．投資にまわせるはずの資本が減る。家を買ったことによって、それからずっと払い続けなければならなくなる高い維持費は、本当ならほかの投資に回すことができたはずのお金だ。

3．教育を受ける機会を失う。ふつう人は持ち家や貯金、年金などを資産として考え、それをあてにする。そして、投資に回すお金はないからと言って、投資には手を出そうとしない。このことは投資の経験をのがしていることになる。このようにしてたいていの人は、「目の肥えた投資家」になるチャンスを失う。一番割のいい投資というのはこういった「目の肥えた投資家」にまず最初に売られ、次にこの投資家が一般の「安全なものだけを買う投資家」に売りさばいて利益をものにする。

## ●金持ちはこうやってどんどん金持ちになる

高い教育を受けた私の実の父の財政状態を表す財務諸表を見れば、ラットレースに巻き込まれた人間の暮らしがどんなものか一目でわかる。こういう人は収入が増加すれば支出も増加し、資産に投資するための余裕は永久に出てこない。その結果、住宅ローンやクレジットカードの支払いといった負債が資産より大きくなる。百聞は一見にしかず。図⑪を見れば一目瞭然だ。

一方、図⑫が示すように、金持ち父さんの個人的な財政状態を表す財務諸表は、負債を減らし投資をすることに全力をつぎ込んだ生き方がみごとに反映されている。

金持ち父さんの財務諸表をよく見てみると、金持ちがなぜますます金持ちになるか、その理由がよくわかる。それは、資産が大きいからそこから生まれる収入が支出を上まわり、あまったお金をふたたび資産に回すことができることだ。そうすれば、資産はさらに増え続け、収入も増え続ける。

その結果は簡単明瞭。図⑬のように、金持ちはますます金持ちになる。

中流以下の人はいつもお金に困っている（図⑭）。彼らの主な収入源は会社からの給料だ。給料が上がると税金も上がる。支出の方も給料と足並みをそろえて増えるのがふつうだ。だから結果として永遠に終わる

⑪貧乏父さんの財務諸表

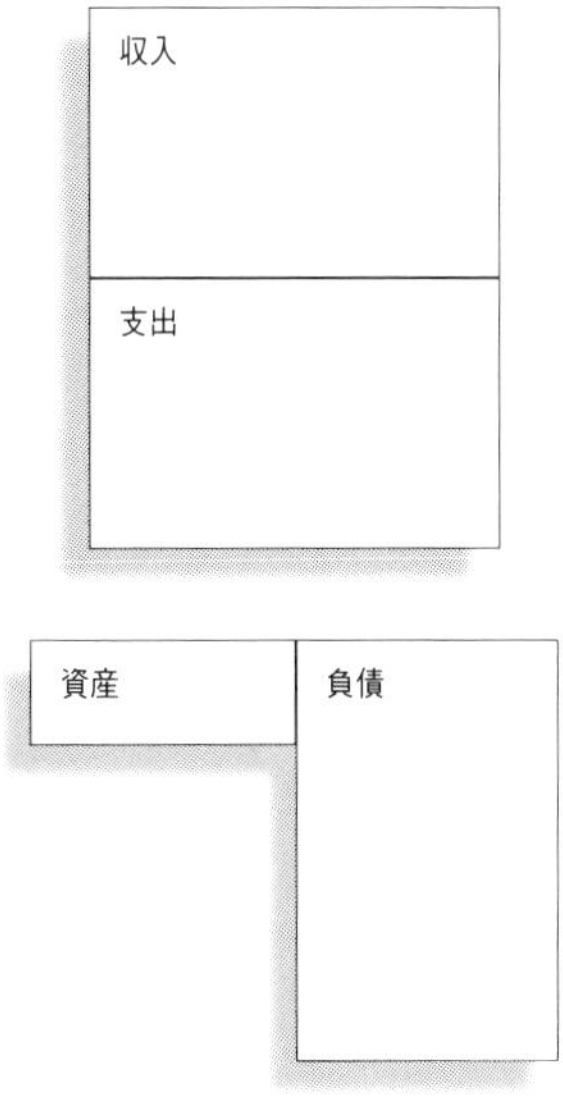


⑫金持ち父さんの財務諸表

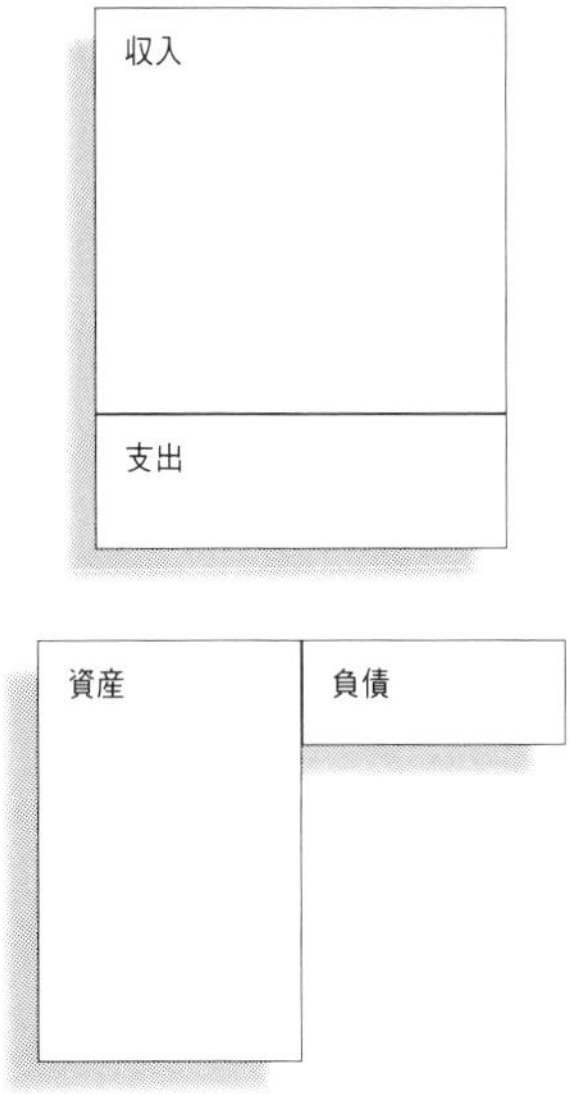


⑬金持ちがますます金持ちになる理由

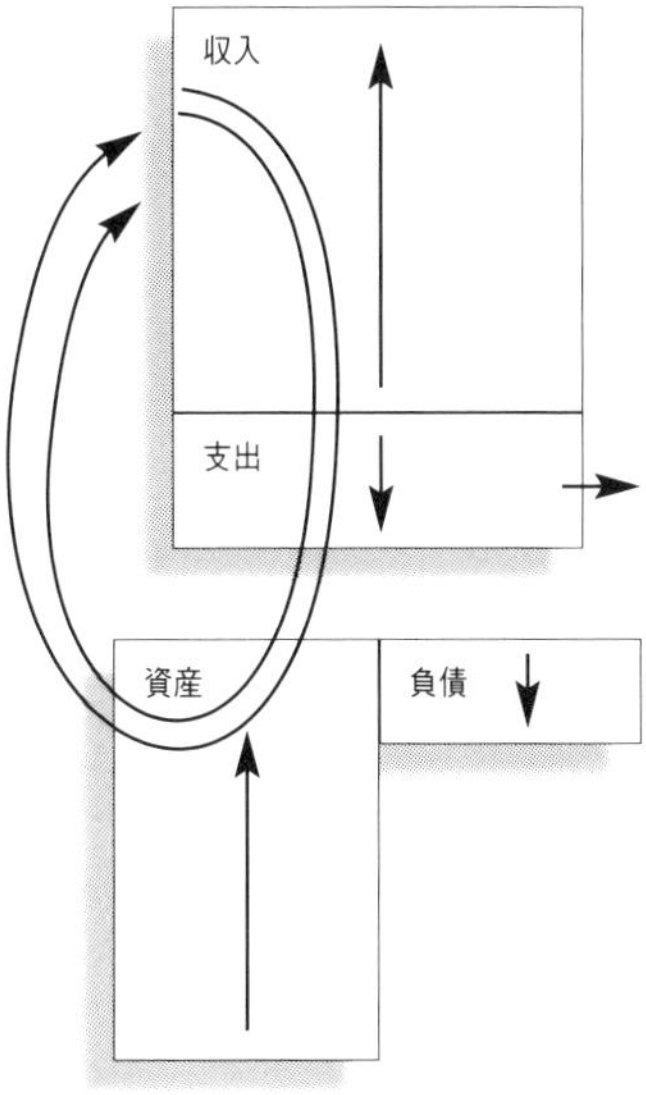


⑭中流の人の暮らしが楽にならない理由

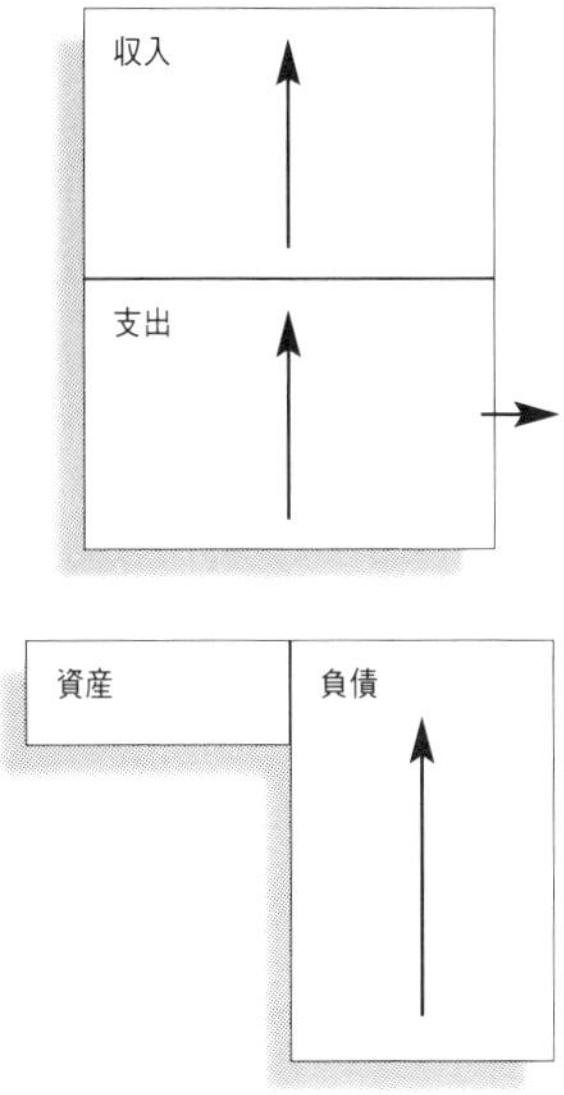

ことのないラットレースを続けることになる。こういう人はたいてい、収入を生む本当の資産にお金を投資する代わりに家を買い、それを最大の資産と考えている。

借金に依存した現代社会の根底には、自分の持ち家を資産とみなし、給料が上がればもっと大きな家が買える、もっとお金を使うことができると考える、この「中流パターン」が横たわっている。収入の増加とともに支出がどんどん増えていくこのようなプロセスが働いているかぎり、たとえ昇進し続け、給料が上がり続けたとしても、ますます多くの借金をかかえるだけで、家計の不安定さは増すばかりだ。これこそが、お金に関する教育の不足から生まれる、高いリスクをともなった生き方だ。

企業のダウンサイジングなどのために一九九〇年代には多くの失業者が生まれたが、そのおかげで中流の家庭が実はどんなに財政的に不安定な状態にあるかが浮き彫りにされた。会社が一生面倒を見てくれるはずの年金プランが突然水の泡と化し、政府による税優遇措置を利用した個人的な年金プラン（４０１ｋ）に頼らなければならなくなったのだから。それに、社会保障制度が大きな問題を抱えているのは明らかで、引退後の収入源としてはまったくあてにならない。まさに中流家庭にパニックがしのびよっていると言ってよいだろう。いまの唯一の救いは、このような人のうち多くが、こういった問題が起こることに以前から気づいていて、投資信託などを買い始めていたことだ。最近の投資の増大は、株式市場で見られた株価の大きな盛り返しによるところが大きい。今日では、中流の一般投資家のニーズにこたえて、以前より多くの投資信託が用意されている。

投資信託が人々に人気があるのは、安全性を売り物にしているからだ。投資信託を買う人のほとんどが、税金や住宅ローン、クレジットカードの支払いに追われ、子供の教育資金を貯めるのに一生懸命で、自分でちゃんと調べて投資をするだけの時間的余裕がない。だから、証券会社の投資信託運用の腕を信じてそれを買う。また、投資信託には種類の違う投資が組み合わされているので、「リスクが分散されている」から安全だろうと考えて買う人もいる。

高い教育を受けた中流の人たちは、投資信託を勧めるブローカーやファイナンシャル・プランナーが唱える「リスクの分散」のお題目を信じて投資する。つまり、彼らにとっては安全に、危険を避けて投資をすることが一番の関心事なのだ。

ところが皮肉なことに、この平均的な中流の人たちは、自分たちが若い頃にお金に関する教育を受けなかったために、避けよう避けようとしているリスクにかえって遭遇することになる。そもそも安全策をとらざるを得なかった理由は、彼らの経済状態がせいぜいよく言ってもぎりぎりの状態だったからだ。つまり、貸借対照表がバランスをとっているとは言えない状態だ。収入を生み出す資産はなく、負債の欄ばかりが大きい。それに、たいていの場合は収入の道は給料だけだから、家計はすべて雇い主に依存していることになる。だから、たとえ「一生に一度のチャンス」が来たとしても、こういう人たちはそのチャンスを活かすことができない。精いっぱい働いていて、税金も最大限まで支払い、借金で首が回らない、だから当然「安全策」をとるしか道はないのだ。

この章のはじめに書いたように、一番大切なことは資産と負債の違いを知ることだ。その違いが分かったら、次は収入を生む資産を買うことだけに努力を集中する。これが金持ちになるための道を歩み始める最善の方法だ。この方法を実行し続ければ資産の欄が大きくなっていく。その一方で、負債と支出は低く抑えるように努力する。そうすれば資産の欄につぎ込むお金を増やすことができる。資産の基礎は意外と早く作れる。そうしたらもっと投機性の高い投資に目を向ける余裕ができる。投機性の高い投資というのは二倍から無限大の成長の可能性を持つ投資だ。五千ドルの投資が百万ドルになるにもそう時間はかからない。つまり、中流の人間が「危険が多すぎる」と呼ぶような投資だ。だが実際は、投資そのものが人を危険にさらすことはない。人を危険にさらすのはお金に関する知性の不足だ。ファイナンシャル・インテリジェンスの第一段階はお金の流れを読む力にある。だからこそ、この章ではぜひそのことをマスターしてもらいたい。

## ●「裕福度」はこうやって測る

もしあなたが人と同じことをやりたいというタイプだとしたら、あなたの財務諸表は図⑮のようになっているはずだ。

会社に勤めていて持ち家を持っている人が「働いている」という場合、それは簡単に言うと次の三つのことを意味している。

1. 他人のために働く。

たいていの人は会社に勤めて給料をもらう。こういう人はその会社のオーナーあるいは株主を金持ちにするために働いている。あなたの努力と成功は、結局はオーナーの成功と引退後の生活を助けるだけだ。

2. 政府のために働く。

政府はあなたの給料から分け前を差引く。だから、給料の全額をあなたは拝むことすらできない。一生懸命に働けば働くほど、税金を多く払わなければならない。たいていの人は年に五カ月は政府のため、税金を払うためだけに働いている。

3. 銀行のために働く。

税金を引かれたあとの支出で一番大きいのは、たいていの場合、住宅ローンの返済とクレジットカードの支払だ。

一生懸命働くだけではだめだというのは、増えた収入のうちの大部分がいまあげたような仕組みで他人のふところに入ってしまうからだ。一生懸命働いたらその努力した分がそのまま自分や自分の家族の利益になるための方法を学ぶ必要があるのはこのためだ。

働いた分がそのまま自分の利益になるように、自分自身のビジネスと呼べるものを持とうと決心した人は、次に、どうやって目標を立てたらいいかという問題にぶつかる。たいていの人はいまの仕事はやめずに、そこからの給料を貯めて資産に回すことになる。

そのうち資産が増えてきたとして、その成功の度合いはどのようにして測ったらいいのだろう? 自分を金持ちと呼べるのはどの段階からだろう? 「富」を築いたと言えるのは?

私は資産と負債についてはっきりした定義を持っているが、それと同じように富についてもはっきりした定義を持っている。もっとも、この場合はバックミンスター・フラーという人からの受け売りだ。

フラーのことは変人と呼ぶ人もいれば、天才だと言う人もいる。一九六一年、フラーはジオデシックドー

**⑮だれのために働いているか**

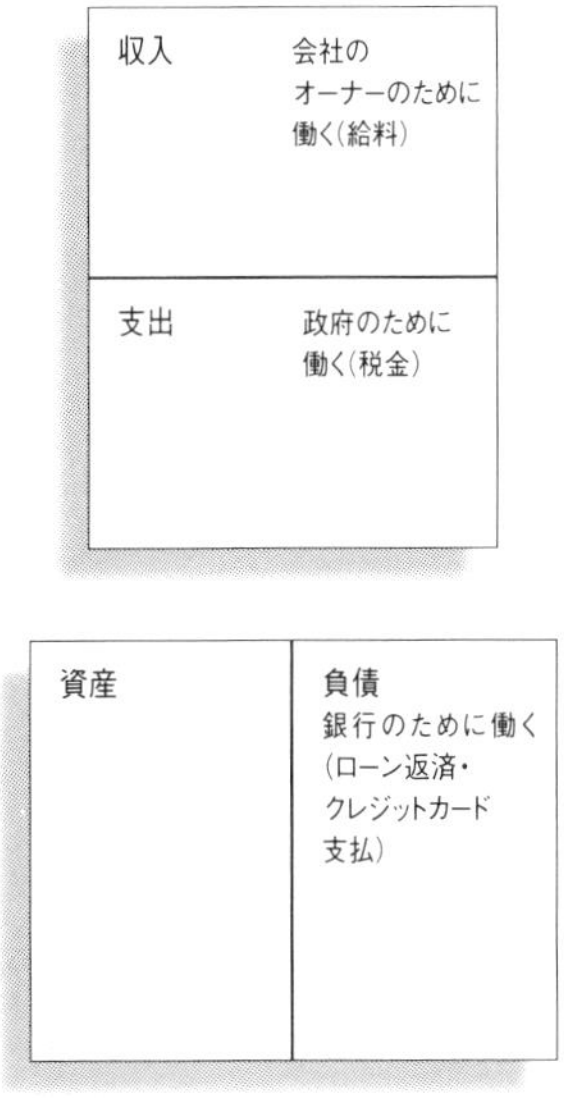

ムと名づけられた建築物に関する特許を申請して、建築家たちのあいだに物議をかもしだした。その申請書の中で、彼は富について書いている。はじめてこれを読んだときはずいぶんわかりにくいと思ったが、何度か読んでいるうちになるほどと思うようになった。フラーの考えによると、富というのはあと何日間その人が生き残ることができるか、つまり、今日仕事をやめたとして、あとどれくらい生きていけるか、その能力を指す。

資産と負債の差が純資産だが、そのもととなる資産には、高価だが本当には価値のないものや、本人にとって価値があるだけで実際は安物だというものも含まれていることがよくある。この「純資産」を富の基準として採用せず、フラーの考え方に従うと、正確で現実に即した判定をすることができる。実際、この考え方を採用すれば、他人に依存することなく経済的に自立した状態を確立するという目標に自分がどれくらい近づいているかが正確に測れる。

いまも言ったように、純資産の中には、せっかく買ったのにいまではガレージに眠っているガラクタのように、現金を生まない資産が含まれていることがよくある。一方、フラーや私が考える富はそれとは異なり、所有しているお金がどれだけのお金を日々生みつつあるかを測る、つまりその人の金銭的な耐久力を測るわけだ。

フラーの言う富は、資産欄からのキャッシュフローと、支出欄からの支出を比較した測定方法だ。

例をあげてみよう。たとえば資産からのキャッシュフローが毎月千ドルだとしよう。それに対し毎月の支出が二千ドルだとすると、私の「富（あるいは裕福度）」はどうなるだろうか？

ここでフラーの定義に戻ってみよう。彼の定義を使った場合、私は何日生き延びられるだろうか？　一カ月を三十日とすると、フラーの定義によれば、私には十五日間生きられるだけのキャッシュフローがあることになる。

つまり、この考え方でいくと、資産からのキャッシュフローが二千ドルに達して、はじめて私は富を手にしたことになる。

でも、富を手にしたからといって、この状態ではまだ金持ちではない。資産から生み出される収入が毎月の支出よりも多くなったというだけのことだ。もしこの裕福度を維持したまま支出を増やしたいと思ったら、資産からの現金の流れを増やさなければならない。ここで注意してもらいたいのは、資産からのキャッシュフローが支出よりも多くなった時点で、私は給料に依存することがなくなったということだ。今日仕事をやめたとしても、資産からのキャッシュフローで毎月の支出をまかなうことができる。

次の私の目標は、資産からのキャッシュフローのうちあまった分をふたたび資産に組み込むことだ。資産につぎ込むお金が多くなればなるほど資産が増え、資産が増えれば増えるほど、そこからのキャッシュフローが多くなる。そして、支出が資産からのキャッシュフローを越えない状態を続けているかぎり、私はどんどん金持ちになる。つまり、実際にその場にいて物理的に労働をすることなしに、入ってくる収入を増やすことができるのだ。

あまったお金を資産につぎ込むこの再投資のプロセスが軌道に乗れば、私は金持ちになるためのベルトコンベアーに乗ったも同然だ。ただし実際には金持ちの定義は他人がするものだ。本人にしてみれば、いくらお金があっても「ありすぎる」と思うことは決してない。

富を築くための第一歩として次の三つのことをしっかりと心に刻んでおこう。この章をしっかり読んできた読者にはもうあたりまえに思えることばかりだ。

**金持ちは資産を買う**
**貧乏人の家計は支出ばかり**
**中流の人間は資産と思って負債を買う**

では、自分自身のビジネスを持つためにはどうしたらいいだろう?　その答を見つけるために、まずマクドナルド社の創始者の話を聞いてみよう。

第三の教え
# 自分のビジネスを持つ

## ●マクドナルド社のビジネスは不動産業

一九七四年、私の親友キース・カニンガムがテキサス大学オースティン校のMBA講座をとっていたとき、講座の一環としてマクドナルド社の創始者レイ・クロクが招かれて講演を行った。レイ・クロクはマクドナルドの前身となったドライブイン・レストランの営業権をリチャード・マクドナルドから購入し、全米から世界へとフランチャイズ化した人物だ。

ひじょうにためになり大いに刺激となったその講演のあと、学生たちはレイを行きつけの店に誘った。レイは喜んで誘いを受けた。

「私のビジネスは何だと思うかい?」みんなにビールが行き渡ったところでレイが聞いた。

「ぼくらは笑ったよ。そこにいた学生のほとんどが、レイは冗談を言っているのだと思っていた」キースは私にそう話してくれた。

だれも答えないのを見て、レイはもういちど同じ質問をした。

「私のビジネスは何だと思うかね?」

学生たちはまた笑った。しばらくしてから学生の一人が思いきって大声で言った。「レイ、あなたがハンバーガーを売っていることは世界中の人が知っていますよ」

レイはにやりとした。「そう言うだろうと思ったよ」わずかに間をおいてからレイは続けた。「いいかい、私のビジネスはハンバーガーを売ることじゃない。不動産業だよ」

キースの話では、そのあとレイはゆっくりと時間をかけて、自分の考え方を学生たちに説明したそうだ。たしかに会社の経営戦略上のビジネスの基盤はハンバーガーを売ることにあるが、レイはそれと同時にいつも店舗の立地のことを考えていた。店舗のある建物、その立地条件こそが、その店の成功を左右する重要な要因であることを彼は知っていた。基本的には、マクドナルドのフランチャイズ権を買った人は、レイ・クロクの会社がその店舗のある土地を買うための代金を代わりに支払っているのと同じことをしている。

現在、マクドナルド社は一つの会社としては世界最大の不動産を所有している。その総面積は世界中のカトリック教会を合わせたものより大きい。同社はそれに加え、アメリカをはじめとする世界各国で、最も地価相場の高い交差点の土地を複数所有している。

キースは、レイ・クロクの話は自分の人生で最も重要な教えの一つとなったと話してくれた。現在キースはいくつもの洗車場を所有しているが、彼の本当のビジネスは洗車場のある土地をもとにした不動産業だ。

前の章の終わりに、一般の多くの人が自分のためでなく他人のために働いていることを説明する図を示した。このような人たちは、まず会社のオーナーのために働き、次に税を納めることで政府のために働き、あとの残りは抵当権を持っている銀行のために働いている。

私たちが子供の頃には近所にマクドナルドなどなかった。だが金持ち父さんは、レイ・クロクがテキサス大学の学生たちに話したのと同じことをすでに知っていて、それをマイクと私に教えてくれた。それが次にお話しする金持ちになるための第三の秘訣だ。

第三の秘訣とは、自分の「ビジネス」を持つことだ。多くの人がいつもお金に苦労している直接の原因はたいていの場合、一生他人のために働いていることにある。世の中には、毎日いくら働いても結局は何も自分の手元には残らないという人がどんなに多いことだろう。

百聞は一見にしかず。ここでもう一度、レイ・クロクがテキサス大学の学生たちにした話をわかりやすく説明するために損益計算書と貸借対照表をお見せすることにしよう（図⑯）。

今日の教育制度は、いい成績をとって安定した仕事につくための準備を若者にさせることに焦点を合わせている。そのレールに乗ったまま就職した若者たちの人生は、会社からもらう給料、つまり、前に説明した損益計算書の「収入」の欄を中心に展開される。学校で学ぶことのできる技術をマスターした若者の中にはその後、専門技術を高めるためにさらに高いレベルの教育を受ける者もいる。彼らはたとえば技術者、科学者、コック、警察官、画家、作家などになるために学ぶ。そして、このような専門技術を身につけた人間もいずれ「労働者」となって賃金のために働くようになる。

ここで注意してほしいのは、職業（プロフェッション）とビジネスには大きな違いがある、ということだ。

⑯自分の「ビジネス」を持つとこうなる

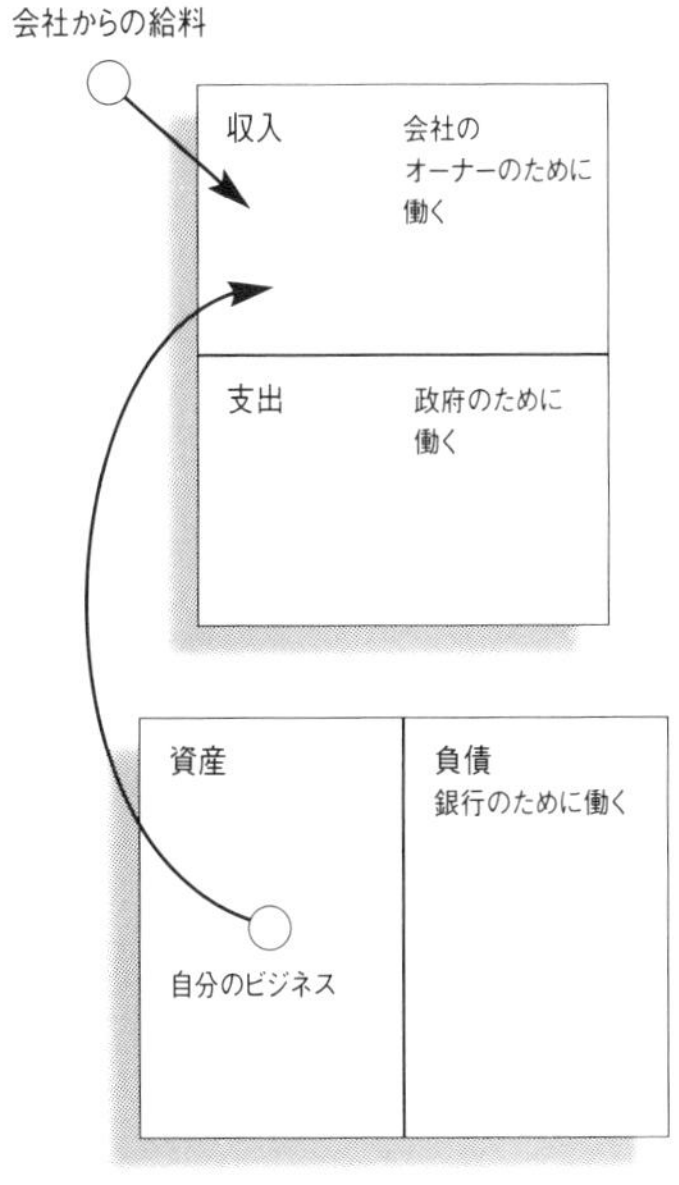

私はよく人にこうたずねる。「きみのビジネスは何だい?」すると相手はこう答える。「銀行だ」私が「銀行を経営しているのか」と聞き返すと、たいてい「いや、銀行で働いているんだ」という答えが返ってくる。

この人の中では職業とビジネスが混同されている。職業として銀行に勤めていても、そのほかに自分自身のビジネスが必要だということをこの人は知らない。レイ・クロクはこの職業とビジネスの違いをはっきりと知っている。レイの職業はいつも変わることはなかった。彼はずっとセールスマンとして働いてきた。ミルクシェーク用のミキサーを売っていたこともある。それからまもなくして、ハンバーガーのフランチャイズ権を売るようになった。だが、たしかに彼の職業はハンバーガーのフランチャイズ権を売ることではあったが、その一方で彼はビジネスとして、収入を生み出す不動産を着々と蓄えていったのだ。

### ●自分のビジネスを持つ=本当の資産を持つ

学校教育の問題点は、そこを卒業した人間が、学校で習得した能力を使った仕事につくことが多いという点だ。たとえば、料理の勉強をした人はコックになる。法律を学んだ人は弁護士、自動車整備の資格を取れば整備士になる。習得した学問をもとに職業につくことに問題があるのは、そうすることで自分自身のビジネスを持つことを忘れてしまう人が多いからだ。そういう人は自分の人生を、他人のビジネスのために心をくだき、その人を金持ちにさせることに費やしているようなものだ。

経済的な安定を確保しようとするなら、自分のビジネスを持つことが必要だ。図⑯で言うと、自分のビジネスは「収入」ではなく、「資産」を中心に展開する。前に言ったように、金持ちになるための第一の秘訣は、資産と負債の違いを知り、資産を購入することだ。金持ちは資産につねに注目し、そうでない人間は給与明細表の数字ばかりを気にする。

次のような言葉をよく耳にするのは、いま言ったような違いが大きな原因だ――「給料が増えないとやっていけない」「給料が増えさえすればなあ」「もっといい仕事につくためにまた学校に通おう」「残業してもっと稼ごう」「どこかでアルバイトでもするかな」「あと二週間で辞めるよ。もっと給料のいい仕事を見つけたから」

このような言葉に代表される考え方が賢い選択につながる場合もないわけではない。だが、レイ・クロクの話からわかるように、こんなことを言っている段階ではまだ自分のビジネスを持つことに考えが至らない。頭の中にあるのは給与明細表の数字ばかりだ。さまざまな支払をすませたあとのお金を収入を生み出す資産にまわし、そこから充分な収入を得られるようにならないかぎり、給料はその人の経済的安定には少しも役立たない。

中流以下の人の大半がお金について保守的である理由、つまり「余裕がないから危険は冒せない」と言って安全策をとりがちな最大の理由は、彼らの財産の基盤が整っていないことだ。だからいまの仕事にしがみついているしかない。安全な道を選ぶしかないのだ。

企業のダウンサイジングが盛んに行われるようになると、何百万人もの労働者が、自分たちが最大の資産と呼んでいる持ち家が自分たちの首をしめていることに気がついた。つまり、「資産」であるはずの家のおかげで、毎月支出を強いられている。もう一つの「資産」である自家用車も家計を圧迫している。おまけに車庫にしまってある千ドルもしたゴルフ用品は、いまではそれだけの価値はなくなっている。安定していると思っていた仕事を失った彼らには、ほかに頼るものはなにもない。いざ財政難におちいってみると、それまで自分たちが資産だと思っていたものは何の役にも立たなかったのだ。

家や車を買うために銀行のローンの申込をしたことがある人は多いと思うが、あの申込書の「純資産」の欄をながめるのはなかなかおもしろい。というのは、銀行や会計の業務上、資産として計上することが許されているものに意外なものがあったりするからだ。

あるとき、財政状態があまりかんばしくなく、ローンが組めるか心配だった私は、資産品目を増やすために、ゴルフ用品、絵画、書籍、ステレオ、テレビ、アルマーニのスーツ、腕時計、靴などの身の回りの品を加えた。

結果としてローンの申込は断られたが、その理由は不動産への投資額が多すぎるからということだった。貸付をするかどうかを決定する会議で、私がアパートからあまりに多くの収入を得ているのが問題になったのだ。銀行はなぜ私が給料をもらえるふつうの仕事につかないのか、その理由を知りたがった。アルマーニのスーツやゴルフ用品、絵画については何も聞かれなかったのにだ。「ふつう」の枠に入っていないと、人生がめんどうなことになることがあるものだ。

私は、自分の純資産が十万ドルだとか百万ドルだとか言っている人を見るとうんざりする。純資産額が正確ではない大きな理由の一つは、単純な話だが、資産を売ったときに利益が出ればそれにはすべて税金がかかるということだ。

収入が減ったときに経済状態がひどく悪くなる人はおおぜいいる。そういう人は、現金を得るために資産を売る。このときまず問題なのは、たいていの場合こういった「資産」は個人の貸借対照表に記載されている価格のほんの何分の一かの値段でしか売れないことだ。おまけに、資産を売却して利益が生じた場合はその利益に対して税金がかかる。ふだんの収入からだけでなく、ここでも政府は自分の取り分を差し引く。そして、人々が借金返済に利用できるはずのお金を目減りさせるのだ。純資産がその人が思っているよりも価値が低いことがよくあると私が言う理由はここにある。

だから、自分のビジネスを持つことを考え始めることが大事だ。これまでやってきた昼間の仕事はそのまま続けながら、本当の資産、つまり自分では資産と思っていても実際は負債だったり、買った時点で大きく価値が減少してしまうような消費財ではなく、利益を生む本当の資産を買い始めることだ。新車の値段は車がディーラーの手を離れ、あなたが道路を走らせた瞬間にもとの四分の三近くになってしまう。たとえ銀行が資産に含めることを認めたとしても、こんなものは本当の資産とはいえない。四百ドルもした私のチタンのドライバーにしたところで、ティーショットを打った瞬間にその価格は百五十ドルになってしまう。

仕事を持って独立している成人には、支出を低く押さえ、負債を減らし、確実な資産の基盤を築くように努めることをお勧めする。まだ親から独立していない若者の場合は、親が資産と負債の違いを子供に教えることが重要だ。子供たちが親から独立し、結婚して新居を構え、子供を作り、一つの仕事にしがみつく一方でひたすらクレジットカードで物を買いまくるような危険な財政状態におちいる前に、彼らに確実な資産を築き始めさせることが大切だ。結婚して一生借金に追われる生活に自分を追い込んでいる若い夫婦がどんなに多いことだろう。

たいていの場合、一番下の子供が独立すると同時に、親たちは自分の定年後の準備が充分にできていないことに気づき、あわててお金を貯め始める。それから、自分たちの老いた親が病気になり、また新たな責任が自分たちの肩にかかっていることに気づく。

## ●本当の資産とは何か?

では、私があなたやあなたの子供たちに買うように勧める資産とはどんなものだろうか。私が考える「本当の資産」を次にあげてみよう。

1. 自分がその場にいなくても収入を生み出すビジネス。私は会社を所有しているが、実際の運営は他人がやっている。もし、自分がその場にいて働かなければいけないのならば、それはビジネスとは言えない。自分の「仕事」だ。
2. 株
3. 債券
4. 投資信託
5. 収入を生む不動産
6. 手形、借用証書
7. 音楽、書籍などの著作権、特許権
8. その他、価値のあるもの、収入を生み出すもの、市場価値のある物品など

私が子供の頃、高い教育を受けた父は、いつも私に安定した仕事につくように勧めた。金持ち父さんの方は、自分が一番好きな資産を手に入れるように励ました。「好きでなかったら、きちんと世話ができないからね」というのが金持ち父さんの口癖だった。私が不動産を買い集める理由は、建物や土地が好きだからだ。購入するためにあちこち回るのも大好きだし、一日中見て回っても疲れない。どんな問題が起きても、不動産に対する私の愛情は変わらない。反対に不動産がきらいな人は、それに手を出すべきではない。

私は株も好きだ。とくに、株式公開したばかりの小さな会社の株を買うのが大好きだ。理由は、私自身が起業家で、大会社を好むタイプではないからだ。若い頃はカリフォルニア州のスタンダード石油、海兵隊、ゼロックスといったいわば「大企業」で働いたことがある。それはそれで楽しかったし、いい思い出もたく

さんある。だが、私は自分が本当は会社人間でないということを知っている。私が好きなのは事業を立ち上げることで、経営をすることではない。だから私が買う株はたいてい小さな会社の株だし、時には自分で会社を作って株を公開することもある。新しく株が発行されるときは大儲けのチャンスだ。私はこういうゲームが大好きだ。たいていの人は小さな会社の株を買うのを怖がり、危険が多すぎると言う。実際たしかに危険は多いが、投資が大好きで、それを理解するために勉強し、ゲームのやり方を心得ていればその危険は回避できる。小さな会社の株に私が投資する際のコツは一年以内に売却することだ。不動産投資の方のコツはこれと異なり、まず小さい物件を購入し、それをどんどん大きな物件に買い替えるやり方だ。こうすれば売買によって得た利益に対する税金の支払を遅らせることができ、結果としてその物件の価値を何倍にも増やすことができる。私が一つの不動産を所有し続ける期間は長くて七年だ。

**●いまの仕事を続けながら、資産を蓄える**

海兵隊にいた頃やゼロックスに勤めていた頃も含めて、私はずっと金持ち父さんの教えを守り続けた。つまり、昼間の仕事は続けながら、自分のビジネスを築くことを忘れなかった。私はいつも資産を増やすことを心がけ、不動産や小型株を売ったり買ったりした。金持ち父さんはいつもファイナンシャル・リテラシーの大切さを私に説いた。会計の仕組みや現金の運用の仕方についてよく理解すればするほど、投資の際の分析能力が高まり、ひいては自分の会社を興すことにつながるというのが金持ち父さんの持論だった。

私は本当にやる気がある人でないかぎり、会社を興すことを勧めない。会社を運営するのはたいへんだ。その苦労は誰にでも勧められるものではない。仕事が見つからなくて、自分で会社を興すことが一つの解決法として考えられる場合もよくある。だが、そんなふうにして始めた会社の成功率は低い。十社中九社は五年でつぶれ、五年間生き残った企業も十社のうち九社は遅かれ早かれつぶれる。だから、「会社を始めたい」とよほど強く思っていないかぎりそんなことはしないほうがいい。それよりも、いまの仕事を続けながら、その一方で自分のビジネスを持つことを考えるべきだ。

「自分のビジネスを持つ」とは、本当の意味での資産を増やし、それを維持することを意味している。一度手にしたお金は二度と出て行かないようにする。あなたの貸借対照表の資産欄に入ってきたお金は、あなたのために働いてくれる労働者だと考えるといい。お金のいいところは人間の労働者と違って二十四時間働いてくれるし、次の世代へ受け継ぐこともできる点だ。あなたは昼間の仕事をやり続けてかまわない。一生懸命働き立派な会社員でいるのもかまわない。ただ、それと同時に資産を増やすことを忘れないようにすることだ。

キャッシュフローが増えてくれば、ぜいたく品を手に入れることも可能だ。金持ちと中流以下の人間の大きな違いは、中流以下の人間がお金を手にするとまずぜいたく品を買おうとするのに対して、金持ちはぜいたく品を最後に回すことだ。中流以下の人間は、自分にお金があることを見せびらかすために大きな家を買ったり、ダイヤモンドや毛皮、貴金属といったぜいたく品を購入する。彼らはたしかにお金があるように見えるかもしれないが、現実には借金地獄へと深くはまりこむだけだ。親代々の資産家、長い間裕福な状態を続けている金持ちたちは、まず最初に資産を築く。そのあとで、資産から生み出された収入でぜいたく品を買う。中流以下の人間は、自分の血と汗の結晶と子供へ相続すべき財産とを使ってぜいたく品を買う。

本物のぜいたくは、本当の資産に投資し、資産を増やした結果与えられるいわば「ご褒美」だ。私の妻の場合を例にお話しよう。アパートからの家賃収入としてよぶんなお金が手に入ったとき、私の妻は自分用のベンツを買った。その代金は「アパートが払ってくれた」わけだから、妻自身がよけいに働いたり、とくに危険な投資に手を出す必要もなかった。その代わり、妻はアパートからの収益が増えて車を買うのに充分な現金を生むようになるまで四年間待った。だがそのおかげでベンツというぜいたく品が本当の「ご褒美」となったとも言える。なぜなら、よぶんな利益をあげたことで、妻は資産を増やす方法をマスターしたことを実証したのだから。妻にとってこのベンツは単なる新車以上の意味を持っていた。それは、妻が自分のファイナンシャル・インテリジェンスを使って得たものだからだ。

多くの人がよくやる間違いは、クレジットカードやローンを使って新車やぜいたく品を衝動買いしてしまうことだ。いま持っているものに飽きてくると新しいおもちゃがほしくなって物を買う。だが、借金をしてぜいたく品を買った場合、その借金が経済的な負担となり、そのあげくその物を見るのもいやになるというのはよくあることだ。

じっくり時間をかけて投資をして自分自身のビジネスを築き上げたら、いよいよそれに魔法の杖を一振りする準備が整ったことになる。金持ちと貧乏人を分ける最大の秘訣とも言えるこの魔法が、次にお話しする第四の教えだ。この秘訣のおかげで、金持ちはどんどん金持ちになる。自分のビジネスを築き上げるためにしっかりと時間をかけ、努力を続けてきたあなたにはそのご褒美として、この秘術を受ける資格がある。

# 第四の教え　会社を作って節税する

## ●税金は本来は貧乏人のためのもの？

いまでもよく覚えているが、子供の頃、私は学校でロビン・フッドとその手下たちの話を聞かされた。話をしてくれた担任の先生は、金持ちからお金をとって貧乏人に分け与えたというロビン・フッドの話を、ケビン・コスナーが演じるような痛快なヒーローの話だと思っていた。だが、金持ち父さんの考えは違った。金持ち父さんにとってロビン・フッドはヒーローなどではなく、単なる「盗人」だった。

ロビン・フッドの話は遠い昔のことだが、彼をヒーローと思う人たちはいまもたくさんいる。「なぜ、金持ちは税金を払わないのだ？」とか「金持ちは金に困っている人を助けるためにもっと税金を払うべきだ」と言う人たちだ。彼らはみなロビン・フッドの信奉者だ。

中流以下の人間にとって一番の頭痛の種である税金は、このロビン・フッド的な考え方、つまり「金持ちからお金を取って貧しい人に与える」という考えに由来している。つまり、中流家庭に重い税金が課せられているのは、このロビン・フッド的な理想論のせいなのだ。金持ちには税金は課されない。実際に貧しい人のために税金を払っているのは中流に属する人たちで、とくに、充分な教育を受け高い収入を得ている中流の人たちが払っている。

なぜそんなことになっているのか、それを理解するためには歴史を振りかえる必要がある。私の父は高い教育を受け教育史の専門家になったが、金持ち父さんの方は独学で税金の歴史の専門家になった。

金持ち父さんはマイクと私に、アメリカとイギリスには本来税金というものがなかったと話してくれた。ただし、戦争のために一時的に税金が取り立てられるといったことはあった。そんなときは、国王や大統領が国民に「お触れ」を出して、みんなに少しずつお金を出すよう要求した。たとえば、イギリスでは一七九九年から一八一六年にかけて、ナポレオンとの戦いのために税金を取り立てた。アメリカでは一八六一年から一八六五年のあいだ、南北戦争のために税金が課された。

イギリスで所得税が国民から毎年取り立てられるようになったのは一八七四年のことだ。アメリカでは、一九一三年の米国憲法修正十六条の採択と共に所得税が毎年取り立てられるようになった。アメリカ国民はかつて税金制度に激しく反対をしたことがある。独立戦争のきっかけともなったかの有名な「ボストン茶会事件」の原因となったのは、紅茶にかけられていた重すぎる税金だった。アメリカでもイギリスでも、所得税を毎年課税するという考えを定着させるのに五十年かかった。

歴史の授業でこれらの年号を覚えるのも大切なことだが、それだけでは見えてこないことがある。それは、アメリカでもイギリスでも、所得税が導入された当初は金持ちだけを対象としていたことだ。金持ち父さんがマイクと私に教えたかったのはそのことだった。そもそも税金が多くの人に受け入れられるようになったのは、政府が中流以下の人たちに「税金とは金持ちを罰するために課す制度である」という考えを吹き込んだためだった。国民の多数が税法に賛成の票を入れ、税の取り立てが憲法上認められるようになった背景には、このような事情があった。だが、本来は金持ちを罰することを目的として作られたこの税金が、実際は税の法制化を支持した当の本人である、中流以下の人々を罰するものになってしまった。

「ひとたびお金の味を味わった政府の食欲は大きくなる一方だった」金持ち父さんはそう説明した。

「きみのお父さんと私は正反対だと言っていい。きみのお父さんは政府のために働く官僚で、私は資本家だ。二人とも給料をもらっているが、実績の評価のもととなる行為はまったく反対だ。きみのお父さんはお金を使い、人を雇うという仕事に対して給料をもらっている。たくさんお金を使って、たくさんの人を雇えば雇うほどお父さんの勤めている組織は大きくなる。政府の中では組織が大きくなればなるほど、そのために貢献した人が高い評価を受けるんだ。反対に、私が所属する組織では、できるだけ雇う人を減らし、使うお金を減らすと、投資家からの評価が高くなる。私が政府の役人というのをあまり好きじゃないのは、こういう違いがあるからだ。政府の人間はビジネス界の人間とは違う目的を持っている。政府が大きくなれば、それを維持するためにより多くの税金が必要になる」

高い教育を受けた私の父は、政府は国民の助けとなるものと心から信じていた。ジョン・F・ケネディーを敬愛し、彼の提唱する「平和部隊」の考え方はとくに気に入っていた。そのため、母とともに平和部隊のボランティア訓練のために働き、マレーシア、タイ、フィリピンへ行ったほどだ。州教育局の仕事でも、この平和部隊での仕事でも、父はいつも助成金の増額のために奔走し、もっと人を雇うことができるように予算を増やすことに懸命だった。それが父の仕事だったのだ。

十歳頃から私は、金持ち父さんからは「政府で働いている人たちは怠け者の泥棒だ」と聞かされ、貧乏父さんからは「金持ちは欲の皮のつっぱった詐欺師だ。もっと税金を払わせるべきだ」と聞かされた。二人の言い分はどちらもそれなりの根拠がある。町一番の資本家のもとで仕事をしたあと、政府の役人、しかもお偉方の一人である父親のいる我が家へと帰るのは、当時の私にはなかなかたいへんなことだった。どちらの言うことを信じたらよいか見きわめるのはたやすいことではなかったからだ。

## ●金持ちは会社を利用して自分を守る

税金の歴史を学ぶと興味深い側面が見えてくる。税の法制化が可能だったのは、金持ちからお金を取ってほかの人にそれを分け与えるというロビン・フッド的な経済論を大衆が信じていたからだ。そうでなかったら決して大衆の支持は得られず、法制化されることもなかっただろう。問題は、ひとたびお金の味を味わった政府の食欲がとどまることを知らず、いくらもたたないうちに中流階級からも税を取りたてなければならなくなり、そのあと、なし崩し的に次々と課税対象が広がっていったことだ。

一方、金持ちはそこにうまい儲け口を見つけた。前にも言ったように、金持ちは中流以下の人間と同じルールではゲームをしない。彼らは大航海時代に普及し始めた「会社」について熟知していた。金持ちたちは、航海に際してのリスクを、それぞれの航海の資金範囲にとどめるための手段として会社という制度を作り出した。彼らは会社に出資し、そのお金を航海の資金にあてた。会社はその資金をもとに船員を雇い、新世界へ宝を探しにでかけた。こうすれば、船が行方不明になった場合、船員は命を落とすが、金持ちが受ける損害はその航海に出資したお金だけにとどめることができる。次の図⑰は、会社を作った場合、その会社が個人の損益計算書と貸借対照表とは別のところでどのように機能するかを示したものだ。

金持ちと中流以下の人間を分け、金持ちをはるかに有利な地位に立たせているのは、会社という法的な組織が持つ力についての知識だ。社会主義者と資本主義者の二人の父からいろいろ教えられていた私は、お金の運用に関しては、資本主義的な考えの方が一理あるということに早いうちに気づき始めた。私には、社会主義者たちはお金に関する教育が不足しているために、結局は自分で自分の首をしめているように思えた。「金持ちから取り立てろ」とがなりたてる連中がどんな手段を使ってこようと、金持ちはいつもそれを出し抜く策を見つける。結局、中流家庭から税金をしぼり取ることになった理由はここにある。金持ちが頭のいいだけの連中を出し抜いたのだ。金持ちにそんなことができた理由はただ一つ、彼らは学校では学ばないお金の力を習得していたからだ。

次に、金持ちが高い教育を受けた連中をどのようにして出し抜いたかをお話ししよう。

「金持ちから取り立てる」という名目で税が法制化されると、現金が政府のふところに流れ込み始めた。はじめはみんな満足していた。だが実際は、税金は政府で働く人たちと金持ちの手に渡っていた。つまり、政府の役人のもとには給料や年金という形で渡り、金持ちのもとには、彼らが所有する会社に政府が仕事を発注するという形で渡っていた。こうして政府は巨大な現金の受け皿となっていった。それはそれでいいのだが、問題はそのお金の毎年の運用の仕方だった。一度割り当てられたお金を再利用するというシステムはここにはない。つまり、「お金をあまらせない」というのが政府の方針なのだ。あなたが政府の官僚で、割り当てられた予算を使い切らなかったとすると、次の年度にはその分予算が削減されるおそれがある。それに、あなた自身も決して有能とは見てもらえないだろう。ビジネスの世界ではその反対に、あまりを出せば報酬を与えられ、有能と評価される。

こうして政府の支出が雪だるま式に増えていくにつれお金がもっと必要になり、「金持ちから税金を取る」という考え方が、もっと収入の低い層にまで広げられていった。つまり、税制に賛成票を投じた当の本人たち、中流以下の人たちにまで課税の手が及ぶようになったのだ。

一方、本当の資本家たちは、お金についての知識を大いに利用して、さっさと逃げ道を見つけた。そして、自分たちを守ってくれる会社の陰に身を隠した。会社は金持ちを守るものなのだ。ここで注意したいのは、会社は実際に形のある「物」ではないということだ。会社を設立したことがない多くの人には、このことがよくわかっていない。会社というのは、実質的には弁護士事務所のファイルキャビネットに入っている、何枚かの法的書類をとじ込んだ一通のファイルにすぎない。会社の名前をかかげた巨大な建物を示すわけでも、工場や従業員を示すわけでもない。会社とは、生命のない法的実体を創るための法定書類にすぎない。

ここで税金の歴史に話を戻そう。課税の対象が広げられたときも金持ちの財産は守られた。このときも前の時代と同様、会社が隠れみのとなった。おかげで会社を利用する方法がさらに普及した。というのも、所得税法が成立し、その蓋を開けてみると、会社の所得税率が個人の所得税率よりも低かったのだ。さらに、前にも説明したように、会社の場合、支出の一部は経費として、税を払う前の収入から差し引くことができた。

「持てる者」と「持たざる者」の間のこの戦いは何百年も前から続いている。これは「金持ちから取り立てろ」と叫ぶ集団と金持ちの戦いだ。なにか新しい法律ができるたびに行われるこの戦いは、決して終わるこ

⑰金持ちのゲームのしかた

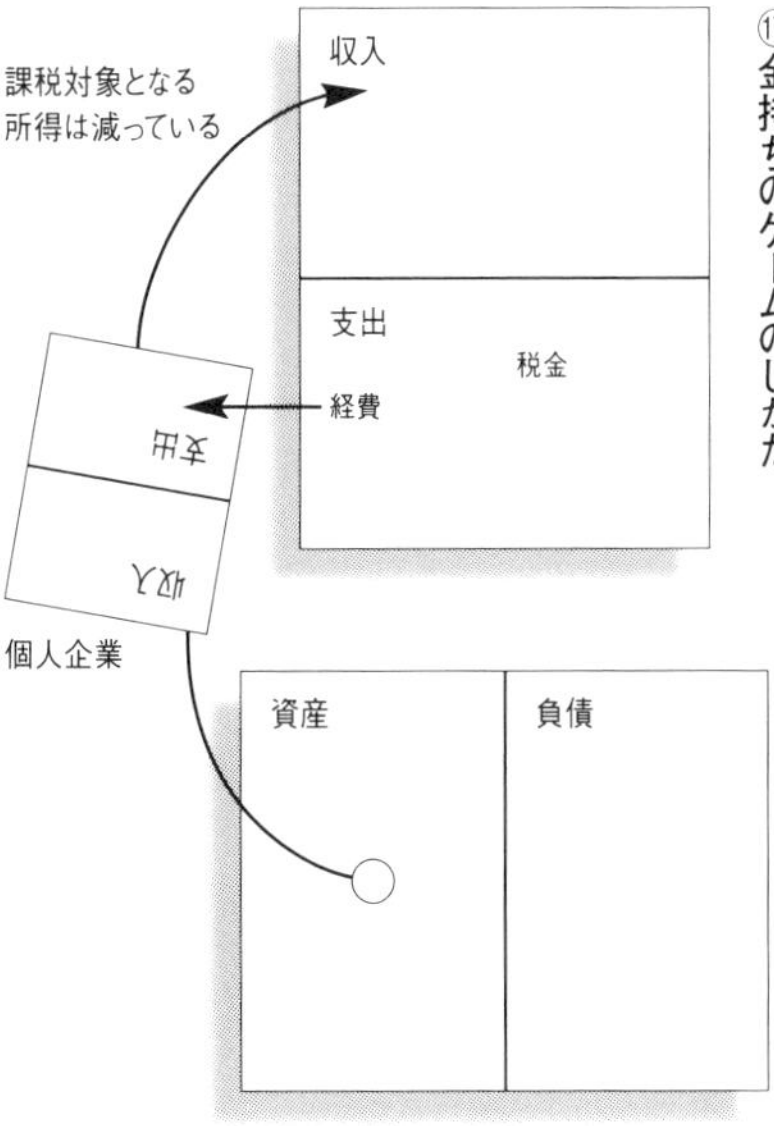

とはない。問題は、いつも戦いに負けるのが知識を持たない人たちであることだ。つまり、毎朝早くからせっせと仕事をし、きちんと税金を払っている人たちがいつも負ける。こういう人たちも、金持ちがどんなふうにゲームをしているか、そのやり方を知ってさえすれば勝つチャンスがある。そして、人に頼らずに経済的に自立する道を歩み始めることができるはずだ。親が子供に、「きちんと学校に行きなさい。そうすれば安定した職につけるから」と言い聞かせているのを聞くたび、私がうんざりするのはこのような理由からだ。お金に関する知識を持たずに安定した職についている人間には逃げ道は見つからない。

今日の平均的なアメリカ人は、一年のうち五カ月から六カ月は税金のため、つまり政府のために働く。私に言わせれば、これはずいぶんと長い期間だ。それにいまの所得税のシステムでは、一生懸命働けば働くほど政府に払うお金も多くなる。「金持ちから取り立てろ」という理論が、結局はその考えを支持した当の本人たちにはねかえって逆効果となったと私が考えている理由はここにある。

人々が金持ちを罰しようとすると、金持ちは決しておとなしくその罰を受けようとはしない。いつもなんらかの反撃を試みる。彼らには物事を変えるために必要なお金も、力も、そして強い目的意識もある。ただだまって、増えた税金を自分から進んで払うなどということはしない。税金を最小限に押さえる方法をさがすのだ。有能な弁護士や会計士を雇い、政治家たちに働きかけて法律を変えさせたり、合法的な抜け道を作らせたりする。金持ちには変化を導くだけの財的・人的資源がある。

アメリカの税法にはほかにも節税の道が残されている。その方策のほとんどが、金持ち、貧乏人に関わりなく利用できるものだ。だが、それを見つけ出し、利用するのはたいてい金持ちだ。なぜかというと、金持ちはつねに自分のビジネスのことを第一に考えているからだ。

たとえば、一般に「一〇三一」と呼ばれている内国税法第一〇三一条を利用すれば、一つの不動産をより高い別の不動産に買い換えた場合、もとの不動産を売ってキャピタルゲイン（資本利得）を得たとしても、それに対する税金の納付を先延ばしすることができる。不動産はこのような大幅な節税を適応できる投資方法の一つだと言える。つまり、この法律を利用すれば、価値の高い不動産への買い換えを続けているかぎり、もとの不動産を売って得た利益に対して税金を払わなくてすむ。つまり、最終的に不動産を売って現金化するまで税金を払わなくてよいのだ。合法的に与えられているこのような節税対策を有効に利用していない人たちは、資産を築くための絶好のチャンスを見逃していると言っていいだろう。

中流以下の人たちは金持ちのような財的・人的資源は持っていない。だから自分の腕に政府が注射針をつきたて、献血用の血を吸い取って行くのをだまって見ているだけだ。私に言わせると、ただ政府が怖いからというだけの理由でよけいな税金を払っている人、あるいは、収入から充分な控除を行っていない人があまりに多すぎる。税務署の取り立てがどんなに厳しく、容赦のないものかは私もよく知っている。私の友人の中には、税金が払えなかったために会社をたたむはめになったというのに、あとで税務署の間違いだったことがわかったなどという人間がたくさんいる。私には税務署に脅されてあわてふためいて会社をたたんだ友人たちの気持ちがよくわかる。一月から五月の半ばまでの労働によって得た金は、そんな屈辱と引き換えに支払うにしては高すぎる。貧乏父さんはそんな政府の仕打ちに一度も反抗したことがない。金持ち父さんもそんなことはしたことはない。金持ち父さんはただもっと頭を使ってゲームをしたのだ。彼が使った手段は「会社」だ。これこそ金持ちになる最大の秘訣だ。

## ●法律を知らないと高くつく

金持ち父さんが私に教えてくれた一つめの教えはまだみなさんの記憶に新しいと思う。「金持ちはお金のためには働かない」という教えだ。

当時、私はわずか九歳の少年だったが、金持ち父さんと話すときはいつも、順番が来るまでただじっと座って待っていなければならなかった。オフィスの椅子に座り、金持ち父さんが私を選んでくれるのをずっと待っていたことが何度もある。金持ち父さんはわざと私を無視していた。自分が持っている力がどんなものか私に見せつけ、私がそれをいつか自分のものにしたいと願うようにしむけていたのだ。金持ち父さんは何年もかけて私にいろいろなことを教えてくれたが、そのあいだいつも言っていたのは「知識は力だ」ということだ。お金と同時に大きな力も手に入るが、それを維持し、何倍にも増やすためには、適切な知識が必要だ。その知識がなければ人生につつきまわされるだけだ。金持ち父さんはいつもマイクと私に、「一番のいじめっ子は社長でも部長でもなく税務署だ」と言っていた。税務署はだまっていると取れるだけ取っていく。「お金のために働くのではなく、お金を自分のために働かせる」という一つめの教えは、実は力関係のことを言っている。お金のために働いている場合、力は雇い主の手の中にある。反対にお金を自分のために働かせている場合は、力はあなたの手の中にあり、それをどう使おうがあなたの勝手だ。

自分のために働いてくれるお金の力に関するこの知識をマイクと私に教えたあと、金持ち父さんが私たち二人に求めていたのは、お金に関して賢くなり、「いじめっ子」にこづきまわされないようにすることだった。そのためには法律を知ることと、システムがどのように働くか、その仕組みを知る必要がある。なにも知らないでいると、いじめっ子のいい標的になってしまう。自分がやっていることが本当にわかっていれば、戦うチャンスが得られる。金持ち父さんがあんなにたくさんのお金を払って有能な税理士や弁護士を雇っていたのはそのためだ。税理士や弁護士に高いお金を払ったとしても、そうしなかったときに払うはずの税金より安くすむ。

金持ち父さんが教えてくれたたくさんのことのうち一番私の役に立ったのは、「賢くなれば、それほど人生につつきまわされなくなる」ということだ。私はこれまでつねにこの教えを守ってきた。

金持ち父さんが法律についてよく知っていたのには理由が二つある。一つは、法律をきちんと守るよき市民だったから。もう一つは、法律を知らないと「高くつく」ことを知っていたからだ。「自分が正しいとわかっていれば、反撃するのを恐れることはない」金持ち父さんはよくそう言っていた。自分が正しいことをしているとわかっていれば、たとえロビン・フッドとその仲間たちを相手に一戦交えようと、恐れることはなにもない。

高い教育を受けた私の実の父はいつも、安定した会社でいい仕事を見つけるようにと私に言い聞かせた。父は、会社でこつこつ働き、昇進の階段を一段ずつのぼっていくことがどんなにいいことか話してくれた。雇い主からの給料だけに頼っているのは、ミルクを搾り取られるのをおとなしく待っている雌牛になるようなものだということが父にはわかっていなかった。

貧乏父さんのアドバイスを私から聞いた金持ち父さんはにやりとして、「会社そのものを自分で持てばいいのに」とだけ言った。

「自分の会社を持つ」という金持ち父さんの言葉の真の意味は、子供の私にはわからなかった。そんなことはとうてい不可能に思え、こわい気がした。たしかに考えるとわくわくしたが、幼い私には、いつの日か大人たちが「ぼくの会社」で働くことになるなどとは想像もつかなかった。

もし金持ち父さんがいなかったら、たぶん私は何の疑問もなく実の父のアドバイスを聞いていただろう。金持ち父さんがそばにいて、自分の会社を持つという考えを繰り返し聞かせてくれたからこそ、私はその考えを持ち続け、人とは違った道を歩むことができたのだと思う。十五か十六になる頃には、自分は高い教育を受けた方の父が勧める道は歩まないのだということを、私ははっきり知っていた。それをどうやって実現するかはまだわからなかったが、ともかく、クラスメートのほとんどが進もうとしていた道には進まないと心に決めていた。この決意が私の人生を変えた。

### ●会社を作ってビジネスを持つ

金持ち父さんが言っていたことの意味がよくわかってきたのは、二十代半ばになってからのことだった。そのころ私は海兵隊を除隊し、ゼロックスで働き始めた。給料はかなりよかったが、給与明細書を見るたびに私はがっかりしていた。給与からの控除がひどく多かったからだ。そして、働けば働くほどその額は大きくなるしくみになっていた。仕事がもっとできるようになると、上司が昇進と昇給の話を持ちかけてきた。自分の能力が認められてうれしかったのは事実だが、私には金持ち父さんが耳元でささやく声が聞こえた。その声は「だれのために働いているんだ？　だれを金持ちにしているんだ？」と私に聞いてきた。

一九七四年、まだゼロックスで働いているときに、私は最初の会社を作り、金持ち父さんの言っていた「自分のビジネスを持つ」ことを始めた。すでに私の資産欄にはいくつかの資産が並んでいたが、このとき私は、これからはこの資産を増やすことに神経を集中するぞと決心を固めた。基本給からの控除ばかりが並んだ給与明細書を毎月ながめているうち、それまでずっと金持ち父さんが言っていたことがよくわかってきた。高い教育を受けた父のアドバイスに従ったらどうなるか、自分の将来の姿が手に取るようにわかってきたのだ。

人を雇う立場にある人間の多くは、従業員に「自分のビジネスを持つことを考えろ」とアドバイスをしたりすると、自分のビジネスに影響が出て損をするのではないかと思っている。もちろんそういう場合もあるだろうが、私の場合は、資産を増やし、自分のビジネスを持つことに精を出そうと決めたことで、かえってよい従業員になったと思う。なぜかというと、目的ができたからだ。私は不動産に投資するお金を貯めるために、朝早く会社に出かけ一生懸命に働いた。当時のハワイは好景気が始まりかけていて、金儲けのチャンスがごろごろしていた。景気が上昇しつつあることがはっきりしてくると、私はさらに一生懸命に働き会社のコピー機を売りまくった。それにつれて私の給料は上がったが、もちろん給料から引かれる控除額も増えた。それでも怠ける気はなかった。会社のために働き続けるという「落とし穴」から出たくてしかたなかったから、せっせと働いてそのためのお金を貯めた。一九七八年を迎える頃には、私は営業成績トップファイブの常連になっていた。ナンバーワンになったことも何度もあった。そうなったのは、ラットレースから抜け出したいという気持ちが強かったおかげだ。

三年もたたないうちに、ゼロックスからの給料よりも、自分で開業した小さな会社——不動産保有会社——からの収入の方が多くなった。私の資産欄、つまり私の会社の資産欄に入ってくるこの収入はお金が私のために働いてくれた結果得られたお金だった。つまり、自分で会社を何軒も訪ね歩いてコピー機を売って得たお金ではない。この頃になると、金持ち父さんの教えの本当の意味がさらによくわかるようになった。それからまもなく、この不動産からのキャッシュフローが多くなったおかげで、私は会社名義でポルシェを買うことができた。ゼロックスの同僚たちは、私がコピー機を売って得た歩合給をどんどん使っていると思っていたようだが、実際はそうではなかった。私は資産を増やすために給料を「投資」していたのだ。

私のお金はさらに多くのお金を生むために一生懸命働き続けた。資産欄にあるお金はすべて優秀な「従業員」で、仲間の従業員をさらに増やし、税金を払う前の収入から引くことのできる経費で、ボス専用の新しいポルシェを手に入れるためにせっせと働く。一方、私はゼロックスでの仕事にさらに馬力をかけた。計画は思い通りに進んでいたし、その証拠にポルシェまで手に入ったのだから……。

## ●ファイナンシャル・インテリジェンス

金持ち父さんから教えてもらった教えに従ったおかげで、私は若くして、他人に雇われている人間がおちいるラットレースの罠から抜け出すことができた。そうすることができたのは、金持ち父さんからの教えを通して私がそれまでに身につけていた、金銭に関する知識のおかげだった。お金に関するこの知識——私はこれをファイナンシャルIQと呼んでいる——をもし持っていなかったら、経済的な自立への道はもっとけわしいものになっていただろう。いま私は、セミナーなどを通してお金についていろいろ教えているが、それは、私の持っているこの知識をもっと多くの人と分かち合いたいと願っているからだ。セミナーなどの場で話をするときいつも私は、ファイナンシャルIQというのは次のような四つの専門的分野の知識から成り立っていると説明する。

1．会計力

私はこれをファイナンシャル・リテラシーと呼んでいる。自分の「帝国」を築きたいと思っている人には不可欠の技能だ。扱うお金の量が多くなればなるほど、その扱いに正確さが要求される。そうしなければ築いた城は崩れてしまう。この技能に必要なのは左脳の働きだ。あるいは細かいところに気を配る能力と言ってもいいだろう。これは具体的には、貸借対照表や損益計算書といった財務諸表を読んで理解できる能力を示す。この能力を使えば、どんな種類のビジネスにおいてもその強みと弱みを見極めることができる。

2．投資力

投資とは「お金がお金を作る科学」だ。投資には戦略と方式が必要とされる。この技能には右脳の働き、つまり想像的な能力が必要だ。

## 3．市場の理解力

これは需要と供給の科学だ。市場を理解するには、市場の「人為的」側面を知る必要がある。つまり、人間の感情によって左右される側面だ。一九九六年のクリスマスに爆発的に売れたエルモ人形は、この人為的、あるいは人間の感情的側面が市場に働きかけたいい例だ。市場の理解に必要なもう一つの要因は、基本的な投資のセンス、つまり投資に関する経済的感覚だ。たとえば、そのときの市場の動向を見て、いま投資するのが適切か、あるいはそうでないかを判断できる「感覚」が必要だ。

多くの大人が、投資の概念や市場の理解といったことは子供にはむずかしすぎると思っているが、そういう大人たちは、子供が投資や市場といったことを直感的に理解しているのを見落としている。エルモ人形についてご存知ない方のために説明するが、これはテレビの人気子供番組「セサミストリート」のキャラクターをもとにした人形で、この年のクリスマスの直前に子供のあいだで爆発的な人気を博した。子供はみなこの人形をほしがり、クリスマスにほしいプレゼントのリストの一番上に持ってきた。この人形を買うためにあちこち走りまわらなければならなかった親のなかには、人形の製造元が子供の所有欲をそそるためにクリスマスをねらって広告を出し続ける一方で、商品の出荷をわざと遅らせているのではないかと疑った人もたくさんいた。需要が増え続けるのに在庫は少なく、パニックに拍車がかかった。店頭で人形が売り切れになると、とほうにくれた親たちを相手にひと儲けしようとプレミアムつきで転売する者まで登場した。運悪く人形を買えなかった親たちは、ほかのおもちゃを買うしかなかった。エルモ人形のこの想像を絶する人気は私には理解しがたいが、需要と供給の経済論を説明するにはいい例だと思う。株、債券、不動産、ベースボールカードなどの市場でも同じような現象が起こる。

4．法律力

会計、投資、市場に関する専門知識のまわりを「会社」という殻で包むと、資産を大幅に増やすのに役立つ。会社を持つことによって得られる税の優遇措置や、保護といったことに関する知識を持っている人間は、会社に勤めていたり、小さな事業を個人で営む人たちに比べて速く金持ちになれる。その違いときたら、歩くのと飛ぶのとの違いほどもある。長期的に見た場合、その違いはひじょうに大きい。

この税の優遇措置と、会社によって与えられる保護について、次にくわしく説明する。

## ●会社を持つとこんなふうに法律を「利用」できる

1．有利な税金対策

個人ではできないが会社ならできる、ということはたくさんある。たとえば、税金を払う前に収入から経費を支払うといったことだ。税金に関する専門知識はそのすべてがひじょうに興味深く、知って驚くことばかりだが、資産やビジネスの規模がかなり大きい場合以外はそのすべてを知る必要はない。

会社に雇われている人は、稼いだ収入から税金を引かれ、残ったお金で生活をやりくりする。一方「会社」は収入を得たら、そこから経費を差し引き、残ったお金に税金が課される。これが金持ちが利用する最大の合法的な税法の抜け道の一つだ。このしくみを利用するのは簡単で、適度なキャッシュフローを生む投資をしていればよぶんなお金も大してかからない。

会社を作るとこんなに得をする。たとえば、休暇旅行のついでにハワイで重役会をすれば、その費用は経費にできるし、会社の車の購入代金、保険料、修理代も会社の経費にできる。また、スポーツクラブの会員権だって会社の経費にすることが可能だし、接待や打ち合わせを兼ねてレストランで食事をした場合は会社の経費にできる。ほかにも経費として落とせる支出はたくさんあるが、そのどれもを合法的に、税金を支払う前の収入から落とすことができるのだ。

2．訴訟から自分を守る

アメリカは訴訟社会だ。だれもが訴訟を起こしたがる。

金持ちは、債権者から資産を守るために会社や信託といった仕組みを利用して財産の大部分をうまく隠している。だから、たとえ金持ちを相手に訴訟を起こしても、彼らは合法的な保護によって何重にも守られているため、むだ手間になることが多い。せいぜい、相手はたしかに金持ちだが「実際にはなにも持っていない」ということがわかるくらいだ。

金持ちはすべてを動かしているが、所有しているものは何もない。反対に、中流以下の人間はすべてを所有しようとして、結局はそのすべてを政府や、自分と同じ中流以下の人間への支払のために失う。彼らは金持ちを相手に訴訟を起こすのが好きだが、それは「金持ちから取り立てて貧しい人に与える」というあのロビン・フッドの経済論をまだ信じているからだ。

会社経営のノウハウを詳しく教えることがこの本の目的ではないが、もしあなたが本当の資産と呼べるものをすでに持っているとしたら、できるだけ早く、会社によって与えられる利益と保護についてくわしく調べてみることをお勧めする。このことに関して書かれた本はたくさんあるし、中には会社を立ち上げるまでの手順をていねいに教えてくれる本もある。とくにお勧めできる本はC・W・アレンの"Incorporate and Grow Rich"（会社を作って金持ちになれ）だ。個人で会社を持つことに関しての彼の洞察にはすばらしいものがある。

実際は、ファイナンシャルＩＱにはひじょうに多くの技能と才能の相互作用が関わっている。だが、基本的なファイナンシャル・インテリジェンスにかぎって言うなら、前に述べた四つの専門分野における技能を組み合わせたものだと言うことができる。金持ちになりたいと心から願っている人は、この四つの技能をうまく組み合わせて、ファイナンシャル・インテリジェンスを大きく伸ばすことが大切だ。

これまでの話をまとめると次のようになる。

**会社を持っている金持ちは**

1. 稼ぐ
2. お金を使う
3. 税金を払う

**会社のために働いている人々は**

1. 稼ぐ
2. 税金を払う
3. お金を使う

あなたの経済状態を改善するための戦略の一つとして、会社を所有し、自分の資産をすっぽりおおってしまうことを強くお勧めする理由がわかっていただけただろうか?

# 第五の教え
# 金持ちはお金を作り出す

## ●度胸が大切

昨夜、私は執筆の手を休めてテレビを見ることにした。そのときやっていたのはアレクサンダー・グラハム・ベルという若い男の伝記だった。ベルは電話の特許をとったばかりで、自分の発明品に対する需要があまりに多く、悩み始めているところだった。この製品の販売にはもっと大きな会社が必要だと感じたベルは、当時、全米で最大級の企業だったウェスタン・ユニオンを訪れ、自分の持っている特許と小さな会社を買いとってくれないかと持ちかけた。ベルが提示した値段は二つまとめて十万ドルだった。ウェスタン・ユニオンの社長はそんな法外な値段では話にならんと、ベルの話を鼻先で笑い飛ばした。そのあとの話はみんなよく知っての通り――何十億ドルの規模の新産業が出現し、AT&Tが生まれた。

ベルの話のあと、夜のニュースが始まった。ダウンサイジングを行った地元の会社についてのニュースで、従業員たちは会社の決定は不当だとして怒っていた。解雇を申し渡されたという四十五歳くらいの工場長は、妻と二人の赤ん坊を連れて工場に押しかけ、解雇の決定をくつがえしてくれるよう掛け合いたいから会社のオーナーたちに会わせてくれと言って守衛にすがっていた。この元工場長は家を買ったばかりで、それを手放すことになるのではと心配していた。テレビカメラはこの男の必死な姿を捉え、全国に放映した。このニュースが私をテレビに釘付けにしたのは言うまでもない。

私は一九八四年からずっと、人にものを教える仕事をしている。これはすばらしい経験で、得られるものも大きい。だが、同時にやっかいな仕事でもある。その理由はこうだ――私はこれまでに何千人もの人を教えてきているが、私も含めてそのすべての人に共通していることが一つある。それは、私たちはだれもが大きな可能性を持っていて、たくさんの才能を内に秘めていることだ。それなのに、それを充分に発揮できないでいる。それがことを面倒にしているのだ。才能を充分に発揮できない理由の一つは自分に対する疑いの気持ちだ。専門的な知識の不足などは障害にはならない。それよりも、人によって影響の大きさは異なるが、自信のなさが私たちの足をひっぱる。

学校教育を終えるとたいていの人は、大切なのは大学の卒業証書や成績ではないことに気がつく。学校の外の実社会では、いい成績以外の何かが必要だ。それを「ガッツ」と呼ぶ人もいれば、「ずぶとさ」「やる気」「大胆さ」「はったり」「ずるがしこさ」「世渡りの技術」「ねばり強さ」「頭の切れ」などと呼ぶ人もいる。呼び名はなんであれ、この「何か」が、最終的には学校の成績などよりもその人の将来に決定的な影響を与える。

私たちのうちだれもが、いま言ったような勇気、才気、大胆さといった特質のうちどれか一つは持っている。またそれと同時に、その性格とまったく反対の面も持っている。つまり、必要とあればひざまずいて相手にすがることができるという側面だ。海兵隊のパイロットとしてベトナムで一年を過ごしたあと、私は自分の中にこの二つの性質が存在することを身をもって知った。ただし、この二つはどちらかがよくてどちらかが悪いというわけではない。

人間にそなわった「弱い面」がいちがいに悪いと言えないのはたしかだが、人に教えるようになってさらに次のようなことに気づいた。それは、個人の才能の開花を邪魔する最大の要因が、過度の「恐怖心」と

「自信のなさ」にあるということだ。答えはわかっているのに行動する勇気がない生徒をみると、私は悲しくなる。現実にはほとんどの場合、頭がいい人よりも「度胸のある」人の方が成功への道を先へ進んでいく。

私の経験から言わせてもらうと、お金についての才能を開花させるには、専門知識と同時に「度胸」が必要だ。その理由は、恐怖が強すぎると才能が萎縮してしまうからだ。私はクラスで生徒に次のようなことを学ぶように何度も言う。それは、リスクを負うこと、大胆になること、恐怖を力と知恵とに変えることだ。私の言葉を聞いてすぐやる気になる人もいれば、最初から怖がって後ずさりしてしまう人もいる。これも経験からわかったことだが、たいていの人は、お金のことになると安全な道を歩みたがる。だからいつも私は、「なぜ、リスクを負うのですか?」「なぜ、ファイナンシャルIQをわざわざ伸ばさなければいけないんですか?」「なぜ、ファイナンシャル・リテラシーなんてものを身につけなければいけないのですか?」というような質問攻めにあうことになる。

こういった質問に対する私の答えはこうだ。

「ただ選択肢を増やすためですよ」

## ●変化の時代を生きる

私たちの未来には大きな変化が待っている。これから先、この章のはじめに登場した若き発明家アレクサンダー・グラハム・ベルのような人物が次々と現れるだろう。世界中でビル・ゲイツのような人間が何百人と出現し、マイクロソフトのような大成功を収める会社が毎年いくつも設立されることだろう。また、それと同時に、倒産、レイオフ、ダウンサイジングの数も増していくことだろう。

「そんな時代が来るならなおさらだ。なぜわざわざファイナンシャルIQなんてものを高めなければいけないんだ?」そう疑問に思われる方もあるかもしれない。この問いに答えられるのはあなた自身だけだが、私の場合はどうしてなのかを次にお話ししよう。

私がファイナンシャルIQを高めるのは、これからの時代ほどおもしろい時代はないと思っているからだ。私は変化を恐れない。むしろ大歓迎だ。昇給のことを心配するなんてまっぴらだ。それより大金を作り出すことに胸をときめかしていたい。私たちはいま、歴史上かつてなかったほど興奮に満ちた時代に生きている。後世の人たちはこの時代を振り返り、なんて活気に満ちあふれた時代だったことかとためいきをつくに違いない——あの時代こそ、古きものの死と新しきものの誕生の時代だった。混乱に満ち、だからこそ興奮に満ちた時代でもあったと。

なぜこの時代にわざわざファイナンシャルIQを高めなければいけないのか? それは、そうすれば大きな成功が手に入るからだ。そうしなければ、このチャンスの時代が恐ろしい時代となってしまう可能性がある。これからの時代は、大胆に前に進んで行く人と、腐りかけた救命浮き輪にしがみついたままの人とが同居する時代となるだろう。

三百年前には土地が財産だった。だから土地を持っている人が金持ちだった。次に工場や製品が土地にとって代わり、アメリカは経済大国に成長した。そして、産業資本家たちが金持ちになった。いまは情報が財産だ。タイムリーな情報を持っている人が金持ちになる。問題は、情報が光速で世界中を飛びまわることだ。この新しい「富」は土地や工場のように境界線や国境の中に閉じ込めておくことはできない。情報の発達により、時代の変化はもっと速く、もっと劇的になっていくだろう。そして、億万長者の数も劇的に増えるだろうが、それと同時にあとに取り残される者もたくさん出てくる。

現在、経済的な苦境に悩む人(それを解消しようと一層仕事に精を出している多くの人も含めて)の中には、昔の考え方に固執しているというだけの理由でそうなっている人がおおぜいいる。このような人たちは、何もかも昔のままであってほしいと望む。つまり、変化に抵抗するのだ。仕事や家を失いかけて、それを技術革新のせいや、不況、あるいは経営者のせいにしている人が私の知っている人の中に何人もいる。彼らの不幸は、自分自身が問題なのかもしれないと気づいていないことだ。古い考え方は彼らにとって最大の「負債」だ。その理由は簡単だ。そういった考え方や古いやり方は昨日の「資産」で、昨日という日はすでに過ぎてしまっているからだ。

### ●ゲームは人生の即席フィードバックシステム

ある日の午後、私は『キャッシュフロー』を教材にして投資について教えていた。このクラスには友人と、そのまた友人という女性が出席していた。この女性は最近離婚したが、離婚調停でかなりの痛手を受けていて、回復のための治療薬になるものをさがしているところだった。私の友人は、彼女の役に立つかもしれないと思って、私のクラスにつれてきたのだ。

『キャッシュフロー』は、お金がどのように働くかをやさしく学ぶために作られたゲームだ。ゲームをやっているうちに、損益計算書と貸借対照表の相互関係が自然にわかってくる。つまり、この二つの表のあいだをどのようにお金が流れるかがわかり、資産からの月々のキャッシュフローを増やして支出を上回るようにすることで富への道が開けるのだということがわかってくる。この道が開ければしめたものだ。「ラットレース」から抜け出て「ファースト・トラック」へ移ることができる。

前にも言ったように、このゲームをひどくいやがる人もいれば、とても気に入る人もいる。また、肝腎なことがどうしてもわからない人もいる。離婚したばかりの例の女性は最後のタイプだった。何かを学ぶチャンスが目の前にあるのに、彼女はそれをつかむことができなかった。

一巡目でこの女性は、「ボートを買う」と指示された「ドゥーダッド（ガラクタ）」カードを引きあてた。最初、この女性は「やったわ。ボートがあたったわ」と喜んでいた。ところが、そのあと私の友人が、損益計算書と貸借対照表の上で数字がどのように働くか説明しようとすると、彼女は「数学は昔からきらいなのよ」と言って腹を立て始めた。一緒のテーブルでゲームをしていたほかの人たちは、友人が彼女に損益計算書、貸借対照表と毎月のキャッシュフローの関係を必死で説明をしているあいだ待っていた。しばらくして数字がどのように働くかがわかってくると、このボートが自分の生活を食いつぶしているということが彼女にもはっきり見えてきた。さらにゲームを続けるうち、彼女は会社のダウンサイジングにひっかかってリストラされ、子供もできてしまった。結局この日のゲームは、彼女にとって悪夢以外のなにものでもなくなってしまった。

クラスが終わったあと、友人が私のところへ来て、この女性がひどく気分を害していると告げた。投資について学びに来たのに、ばかげたゲームにばかり長い時間を費やしたことが気に入らなかったのだ。

友人は、ゲームと自分自身とを照らし合わせて思い当たることはないか考えてみるように説得しようとしたが、その話を聞くと、女性は受講料を返してほしいと言い出した。そもそも、自分自身の姿がたかがゲームに反映されているなど、考えるだけでもばからしいというのが彼女の言い分だった。この女性はその場で受講料を返してもらうとさっさと帰っていった。

一九八四年からいままでに、私は学校がやらないことをする、ただそれだけで何百万ドルというお金を作り出した。学校では教師はたいてい教室で講義を行う。学生時代、私は講義が大嫌いだった。すぐあきてしまって、気が散ってしまうのだ。

一九八四年、私はいろいろなゲームやシミュレーションを使ってお金について教え始めた。クラスではいつも、大人の生徒相手に、たかがゲームとばかにせずに「自分の知っていることがゲームに使えないだろうか」「ゲームの中になにか学ぶべきものが隠されていないか」を考えながらやるように勧める。ゲームを通して学ぶ際に最も重要なのは、ゲームで学んだことを今度は実際の自分の行動に反映させることだ。ゲームはいわば即席のフィードバックシステムを備えている。講師からの一方的な講義を聞くのとは異なり、参加者それぞれの状況に合った講義をフィードバックしてくれるのだ。

しばらくして私の友人が電話をくれ、さっさと帰ってしまった例の女性がその後どうなったか話してくれた。彼女は元気でやっていて、気持ちも落ち着いてきたようだった。離婚から時間がたち、だんだん頭が冷えてくると、自分の人生とクラスでやったゲームのあいだに関係があるということがわずかながらわかってきたのだ。

この女性と元の夫はボートこそ持っていなかったが、ほかにはありとあらゆるものを持っていた。離婚後、彼女はひどく腹を立てていたが、それには二つ理由があった。一つは、夫が若い女と出ていったこと。もう一つは、二十年間の結婚生活で資産らしい資産はほとんど蓄えられていなかったことだ。離婚の際の財産分与といっても、そもそも財産がほとんどなかったのだ。二十年間の結婚生活は申し分なく快適だったが、二人がそのあいだに蓄えたものといったらガラクタの山だけだった。

この女性が、損益計算書や貸借対照表に並んだ数字を使って考えることにあんなに腹を立てたのは、それが理解できないことが恥ずかしかったからだ。彼女はお金の管理は男の仕事と信じていた。結婚していたあいだ、彼女は家事をこなし、来客をきちんともてなすことが自分の役目と思っていた。家計の管理は夫の役目だった。いま考えてみると、離婚する五年ほど前から、夫は彼女に隠れてお金を貯めていたに違いなかった。彼女は、夫に他の女がいたことに気がつかなかった自分にも腹が立ったが、お金がどう使われているのか気をつけていなかった自分にも腹が立った。

ゲーム盤を使ったゲームと同様に、現実の世界も即席のフィードバックシステムとしての役目をつねに果たしている。学ぶことにもっと真剣になって耳をすませば、たくさんのことが学べる。先日、私はクリーニング屋からもどってきたズボンを見て、「クリーニング屋のせいでズボンが縮んだ！」と妻に文句を言った。すると妻はにっこり笑いながら私のお腹をつつき、ズボンが縮んだのではなくて、ほかの何かが膨らんだのだと教えてくれた。実際その通りだった。私のお腹が膨らんでいたのだ。

## ●選択肢をたくさんもつことが鍵

『キャッシュフロー』はゲームの参加者全員に、それぞれの状況に合ったフィードバックがなされるように作られている。このゲームの目的は、参加者に複数の選択肢を与えることにある。「ボート」のカードを引き、そのせいで負債をかかえるようになったら、「さて、これに対して何ができるか？」と考える。解決策をいくつ思いつくことができるだろうか？　このようにして、プレーヤーに何通りもの新しい解決策を考えさせ、作り出させることを教えるのがこのゲームの目的なのだ。

私はこれまでに千人以上の人がこのゲームをするのを見てきた。その経験から言うと、ゲームでいち早くラットレースから抜け出すのは、数字を理解していて、お金に関して創造的な考え方のできる人たちだ。そういう人たちはお金に関して問題が起きたとき、解決法としていろいろな選択肢を考えつく。反対にラットレースから抜け出すのに一番時間がかかるのは数字が苦手な人で、そういう人は投資の持つ力を理解していないことが多い。金持ちはたいてい創造的で、しっかりと先を読んだうえでリスクを冒す。

このゲームをする人の中には、たくさんお金を手に入れたのはいいが、それを使って何をしたらよいかわからないという人がけっこういる。このような人はたいてい、実生活でもあまり経済的に成功していない人だ。ゲームでは、彼らよりお金を持っていないほかのプレーヤーたちがどんどん追い抜いていく。実生活でも同じことだ。世の中には、お金を山ほど持っているのに、経済的な成功を収められないという人がたくさんいる。

選択の幅をせばめることは、古い考え方にいつまでもしがみついているのと同じことだ。ハイスクールの同級生で、いま三つの仕事をかけ持ちしている人がいる。彼は二十年前は同級生の中で一番の金持ちだった。地元のサトウキビ農園が閉鎖されると同時に、彼が働いていた会社もつぶれた。そのとき、彼の頭にはたった一つの選択肢しかなかった。つまり「一生懸命働くこと」、昔のままの選択肢だ。問題は、元の会社での地位に見合った仕事が見つからなかったことだ。その結果、自分の能力を充分に発揮できない仕事をするしかなかった。もちろん、給料も前より少ない。だから生活を維持するために三つの仕事をかけ持ちしているのだ。

『キャッシュフロー』をしていて、いいチャンスカードが自分に回ってこないと不満ばかり言う人もいる。こういう人は、いつまでたってもいまの状態から抜け出せない。実社会にも、同じような人がいる。いいチャンスが訪れるのをひたすら待っている人だ。

また、チャンスカードを引いたのはいいが、それを活かすのに充分なお金を持っていないという状況にぶつかるプレーヤーも多い。こういう人の多くは「もっとお金があればラットレースから抜け出せるのに」と文句を言う。いずれにしても前の人と同様、いつまでたってもいまの状態から抜け出せない。現実の社会にも同じような人がいる。有利な取引が目の前にあるのに、お金がないという人だ。

また、絶好のチャンスカードを引き、大声で読み上げるまではいいが、それが絶好のチャンスだとわからない人もいる。資金もある、タイミングもいい、チャンスカードも手に入れた、それなのに、目の前にチャンスがぶらさがっていることに気がつかない。そのチャンスを活かしてお金の運用プランを立てればラットレースから抜け出すことができるのに、そのことがわからないのだ。ゲームを見ていて私が一番多く見かけるのはこのタイプの人だ。実生活でも同じだ。ほとんどの人が、人生最大のチャンスを目の前にしながらそれを見過ごしてしまい、一年たってほかの人が金持ちになってからそのチャンスに気がつく。

ファイナンシャル・インテリジェンスはむずかしいことでもなんでもない。より多くの選択肢を持つこと、それがファイナンシャル・インテリジェンスだ。チャンスがやってこなかったとき、自分の経済状態を好転するにはほかになにができるだろうと考えること、チャンスがめぐってきたのに充分なお金がなく銀行も見向きもしてくれないとき、それでもなんとかそのチャンスを活かすにはほかになにができるだろうと考えること、予想がはずれ、あてにしていたことが起こらなかったとき、残ったはずれの景品をどうやって百万ドルに変えるか、それを考えるのがファイナンシャル・インテリジェンスだ。それはなにも複雑なことではない。はずれの景品を大金に変えるためにいくつの解決法を思いつくか、お金に関する問題を解決する際にどれくらい創造力を発揮できるか、それがファイナンシャル・インテリジェンスなのだ。

たいていの人は一つしか解決法を思いつかない——一生懸命働いてお金を貯める、それでも足りなければ借金をする。

一つにしろ解決法はあるのだから、それでいいじゃないか？　ファイナンシャル・インテリジェンスを高めたいなんて、なぜ思うのだ？　そう思う人もいるかもしれない。私の場合、その理由は、チャンスを自ら作り出すような人間になりたいからだ。何が起ころうとそれをつかんでチャンスに変えていく。そういう人間になりたいからだ。チャンスは作り出すものだということを知っている人は少ない。お金は作り出すものだということを知らない人が多いのと同じだ。ただ一生懸命働くのではなく、もっとたくさんのチャンスを手に入れお金を作り出したいと思っている人にとって、ファイナンシャル・インテリジェンスは重要な意味を持つ。「なにかいいことが起こらないかな……」と待っているタイプの人は、いつまでも待ち続けることになりかねない。なぜなら、そんなふうに待っているのは、五マイル先までの信号が全部青になるのを待ってドライブに出かけようとしているようなものだからだ。

### ●お金は実際には存在しない

金持ち父さんはまだ子供だったマイクと私に、いつも繰り返し「お金は実際には存在しない」と言っていた。また、マイクと私がいっしょに石膏ではじめて「お金を作った」日、二人がどんなに「お金の秘密」に迫っていたか話して聞かせてくれることもあった。金持ち父さんは「中流以下の人はお金のために働き、金持ちは自分のためにお金を働かせる。お金が実際に存在すると思う気持ちが強ければ強いほど、お金のために一生懸命に働く。お金は実際には存在しないものだとわかれば、速く金持ちになれる」とよく言っていた。「じゃあ、お金ってなに?」「もし存在しないんだったら、お金って何なの?」マイクと私はたいていこんなふうに聞き返した。

「『これがお金だ』ってみんなが同意して決めたものだ」金持ち父さんの答えはいつもこれだけだった。

私たちだれもが持っている唯一の強力な「資産」は、私たちの頭だ。頭をうまく鍛えれば、あっというまに富を作り出すことも可能だ。それも、三百年前の国王や女王たちが手に入れたいと願った富をはるかにこえる富を……。反対に頭を鍛えなくてもそれはそれで役に立つ。つまり、一生ひどい貧乏にあえぎ、「頭を鍛えなければこうなるのだぞ」ということを子供たちに教えるのに役立つ。

情報時代のいま、お金は爆発的に増える。ほんの一握りの人間が、まったく何もないところから、アイディアと「同意」だけを武器に信じられないほどの大金持ちになっていく。株などの投資で生計を立てている人たちに聞いてみれば、「そんな話はあちこちにころがっている」と教えてくれるだろう。何もないところから何百万ドルというお金を一瞬にして作ることも可能だ。可能どころかそれはよくある話なのだ。この「何もないところから」というのは、実際にお金が動いているわけではないことを意味している。つまり、すべて「同意」をもとに行われているのだ。たとえば、株式取引所で交わされる手サイン、リスボンの業者のコンピュータ画面とトロントの業者のコンピュータ画面のあいだで交わされる売買指示の信号、秒きざみで売買を指示するブローカーへの電話……こういった実体のないものからお金が作られている。お金が実際に動いたのではなく、「同意」が動き回ったにすぎない。

ここでまた最初の疑問に戻ろう。

なぜファイナンシャル・インテリジェンスを高めるのか？

前にも言ったとおり、この問いに答えることができるのはあなただけだ。ただ、私自身がなぜこの分野の知性の開発に努力してきたかをお話しすることはできる。私がファイナンシャル・インテリジェンスを高めるのは、お金を速く作りたいためだ。ここで注意してもらいたいのは、お金を速く作る「必要」があるからではなく、「そうしたいから」という点だ。それだからこそ、学習の過程はつらいどころか楽しくてたまらないものになる。

私はいま目の前で繰り広げられている、世界中で一番スピードの速いゲーム、一番大きなゲームに参加したい。だから、ファイナンシャル・インテリジェンスを伸ばす。そして、人類の歴史が始まって以来はじめてと言っていいこの進化の時代、人類が身体でなく百パーセント頭を使って働く時代にわずかでもかかわっていきたい。ほかにも理由はある。つまり、このゲームの中にこそいきいきとした活動があり、これこそが胸躍らせてくれるものだからだ。それに参加することは時代の波に乗ることを意味する。たしかに不安もある。だが、おもしろいことであるのはまちがいない。

私がファイナンシャル・インテリジェンスを高めることに投資し、自分にとって一番強力な「資産」を増やすのは以上のような理由からだ。私は勇気を持ってどんどん前へ進む人たちと共にいたい。あとに残された人間の一人にはなりたくないのだ。

### ●お金を作り出す

次に、「お金を作り出す」というのはどういうことか、その簡単な例をお話ししよう。一九九〇年代のはじめ、フェニックスの経済状況はひどかった。『グッドモーニング・アメリカ』というテレビ番組にファイナンシャル・プランナーが出演し、フェニックスの今後の経済状況を予想していたとき、私はちょうどこの番組を見ていた。その人は「お金を貯める」ようにアドバイスをしていた。毎月百ドル貯め続ければ、四十年後は億万長者になれると言うのだ。

なるほど毎月貯蓄をするのはけっこうな考えだ。選択肢の一つではある——おそらく多くの人がこの選択肢を選択する。問題は、それをやると、本当に何が起こっているかが見えなくなってしまうことだ。もっと大きくお金を増やす絶好のチャンスを見逃してしまい、世の中の動きに取り残されるばかりとなる。

前にも言ったように、当時のフェニックスの景気はひじょうに悪かった。投資家にとって、これは市場の条件としては最高だ。私はお金のほとんどを株式とアパートの購入にあてたので、現金はほとんど持っていなかった。みんな物を売りたがっていたので、私は買いまくった。お金を貯めるのではなく、投資したのだ。妻と私は、急騰しつつある株式市場に百万ドル以上のお金をつぎ込んだ。投資には絶好のチャンスだった。世の中の景気は悪かった。私はあちこちにころがる小さな成功のチャンスを逃すわけにはいかなかった。

少し前までは十万ドルした家が、いまでは七万五千ドルで売られていた。私は地元の不動産屋に出向く代わりに、破産・倒産処理を専門にやっている弁護士事務所や、裁判所の玄関の前に足を運んだ。そういった場所では、七万五千ドルの家を二万ドル、ときにはそれより安い価格で買うことができた。たとえば二万ドルで家を買ったとしよう。私は九十日で二百ドルの利子を払う約束で友人から二千ドル借りる。そしてそのお金を小切手にして、頭金として弁護士に渡す。弁護士のもとで売買契約が処理されているあいだに、私は七万五千ドルの価値のある家を六万ドルで売り出す広告を新聞に出す。破格の値段に問い合わせの電話がひっきりなしにかかる。見込みのある買い手を選び出しておき、家が法的に私のものとなったら、買い手に家を見せる。みんな掘り出し物には目がない。家はあっというまに売れる。私は買主に手続き等の費用として二千五百ドルを請求する。みんな大喜びでそれを払ってくれる。そのあとは、売買契約が完全に終了するまで代金を預かってくれたり、権利移転手続きをやってくれる専門会社にすべてを任せる。私は二千ドルに二百ドルの利子をつけて友人に返す。これで友人も大喜び、買主も大喜び、弁護士も大喜び、私も大喜びというわけだ。私は二万ドルで買った家を六万ドルで売った。その結果、資産欄に、買主から受け取った四万ドルの手形が増えた。このお金を生み出すための私の実働時間は全部で五時間だ。

いまお話しした例がなぜ「お金を作り出した」例となるのか、その理由を図で説明しよう。お金の流れを読むことができるようになり、数字の読み方がわかるようになった人は次の二つの図⑱⑲をじっくり見れば納得がいくだろう。

経済低迷のこの時期に、妻と私は余暇を使うだけでこのような単純な取引を六回行った。私たちが持っていたお金の大部分は、もっと大きい不動産や株式につぎこんでいたが、その一方で、このような小さな取引を繰り返すことで資産を十九万ドル以上（しかも利息十パーセントの手形で）増やした。この資産は年におよそ一万九千ドルの収入を生むが、会社組織を利用すればその収入の多くを税務署の手から守ることができる。この一万九千ドルの収入は会社の車、ガソリン、旅行、保険、顧客を招待しての夕食……などに使われ、政府が税金を取り立てるころには、そのほとんどが、法律的に許された経費として使われていることになる。

これはごく単純な例だが、ファイナンシャル・インテリジェンスを使ってお金を作り出し、それを保護するにはどんなふうにしたらよいか、少しわかっていただけたろうか？

**⑱税金を払わずに4万ドルの資産を作り出す**
**年利10パーセントなら年間のキャッシュフローは4千ドル**

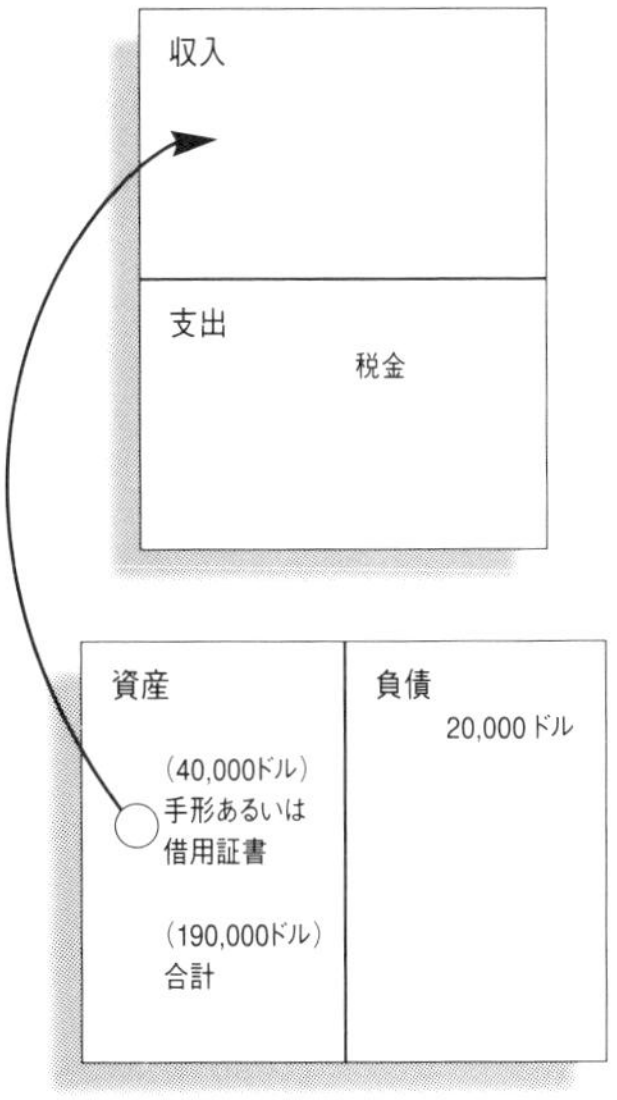


**⑲貯蓄だけで4万ドル貯めるのに**
**どれくらいの時間がかかるか、**
**そのためにどのくらい税金を払わなければならないか？**

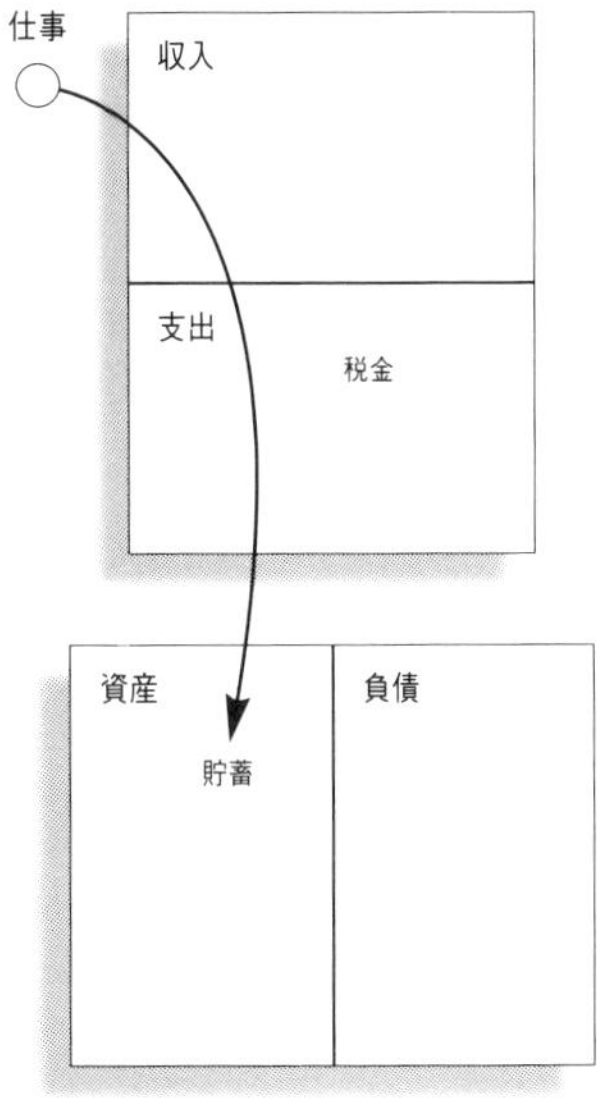

一方、十九万ドルを貯めたとしたらどれくらい時間がかかるか考えてみてもらいたい（図⑲）。銀行は十パーセントもの利息をあなたに払ってくれるだろうか？　それに、手形は三十年間有効だ。私は手形の元金が完済されないよう願っている。なぜなら、元金を返してもらったら税金を払わなくていけないし、毎年一万九千ドルの利子を三十年間受け取り続ければ五十万ドル以上もの収入になる。

「もし、買い手が支払わなかったらどうするのか？」という質問をする人がいるが、たしかにそういう場合もある。だが、そうなったらそうなったで私は得をする。一九九四年から一九九七年のフェニックスの不動産市場は全国でも人気の市場の一つだった。買い手が支払わなければ、あの六万ドルの家は再び私のものとなり、今度は七万ドルで売られていただろう。そしてまた新しい買い手が二千五百ドルの「ローンの手続き費用」を支払ってくれる。それを払ったところで、買い手にしてみれば頭金なしの買い物であることに変わりはない。そのあとははじめに売ったときと同じプロセスが繰り返される。

頭の回転の速い読者にはもうおわかりと思うが、最初に家を売ったとき、私は友人から借りた二千ドルをすぐに返している。だから、実質的には私はこの取引にまったくお金を使っていない。つまり、もとはゼロなのだから、投資収益は無限と言える。これがゼロから大金を作るという例だ。

二回目の取引で家を再び売るときには友人から借金する必要はないので、その分の二千ドルを自分のふところに入れて、新しい買い手とのあいだに新たに三十年の貸付を設定することになる。つまり、お金を作るためにお金をもらえるということだが、この場合、私の投資収益はどうなるのだろう？　ゼロからのスタートより割がよいわけだから、いったいどうなるのか私にはわからない。だが、毎月百ドル貯金するよりましなことはたしかだ（この貯金は元の収入で計算すると百五十ドルにあたる。なぜなら貯金は税金を支払った後の収入からするからだ。つまり、貯金したお金に五パーセントの利子がつくとすると、四万ドルを四十年間で貯めるには月々百五十ドル相当の収入を貯蓄にあてなければならない。もちろん、五パーセントの利子にも税金がかかる……こう考えると、こういった貯蓄法は安全かもしれないが賢い運用法とは言えない）。

この本を書いているいまは一九九七年だが、現在の市場は五年前とはまったく逆だ。フェニックスの不動産市場は全国の垂涎の的だ。私たちが六万ドルで売った家はいまでは十一万ドルの価値がある。抵当流れの物件を扱うチャンスはまだ残っているが、数がひじょうに少なく、適当な物件を探すには「自分の時間」という貴重な資産を多量に費やさなければならない。それなのに、いま何千人もの買い手が有利な取引を求めて市場に群がっている。有利な物件などほんの少ししか残されていないというのに……。市場の状況はすでに変わっている。いまは、この市場を離れ、資産を増やすためにほかのチャンスをさがす時期だ。

## ●必要なのは基礎的なファイナンシャル・インテリジェンス

ここで必要なのはごく単純な計算だけだ。代数や幾何は必要ない。取引の法律的手続きや代金支払に関しては、売買契約が完全に終了するまで代金を預かり、権利移転手続きを代行する専門会社がすべてやってくれる。だから私自身が記入する書類もたいしてない。屋根やトイレの修理は家の元の所有者がやってくれるから私がやる必要はない。支払をしない人が出てきても、それはそれで大いにけっこう。支払が遅れれば遅滞料が入るし、どうしても支払えなければ買い手は立ち退くしかない。そして、物件はまた売られる。そうなったときには裁判所がそのプロセスの処理を助けてくれる。

「ここではそんなことはできない」「それは法律違反だ」「あなたの言っていることはうそだ」

こんな言葉を私はよく耳にする。実際のところ、「どのようにするのか教えてくれませんか」という質問より、こんな質問の方が多いくらいなのだ。

たしかにあなたが住んでいるところでは私と同じやり方はできないかもしれない。市場の動きも違うだろう。だが、先ほどお話しした私の体験は、単純なお金の操作によって、少ない資金でしかも低いリスクで、何十万ドルものお金を作ることができることを示す例として、かならず参考になるはずだ。言い方を変えれば、この例は、「同意」によるお金の作り方を示した例と言える。ハイスクールを出ていればだれにだってこれくらいのことはできる。

それなのに、ほとんどの人がそれをしようとしない。みんな「一生懸命働いてお金を貯めなさい」という型どおりの忠告に従うばかりだ。

私は、およそ二十時間の労働で約十九万ドルを資産として作り、税金は一銭も払わなかった。

次の二つの選択肢のうち、どちらがあなたにとって大変なことだろうか、考えてみていただきたい。

1．一生懸命働いて五十パーセントの税金を払い、残りを貯蓄する。貯金には五パーセントの利息がつくがそれにも税金がかかる。

2．ファイナンシャル・インテリジェンスを高めることに努め、頭脳と資産の力を利用する。

選択の際には次のこともぜひ考慮していただきたい。それは、選択肢の1を選んだ場合に、十九万ドル貯めるのに、あなたにとって最も大事な資産の一つである時間をどれくらい費やさなければならないかということだ。

ここまで読めば、親が「うちの子は学校でいい成績をとっているし、いい教育を受けています」と言うのを耳にすると、なぜ私がだまって頭を振るかおわかりになることだろう。いい成績をとり、いい教育を受けるのはたしかにいいことかもしれないが、それはいまの時代「適切なこと」と言えるのだろうか？

先ほど例としてあげた投資のやり方はごく規模が小さい。それは私にもわかっている。あの話は、小さいものが大きなものに育つ一つの例としてあげただけだ。前にも言ったように、私が成功したのは、お金に関するしっかりした基礎の重要性をはっきりと認識し、それを確実に築き上げたからだ。この基礎作りはお金に関する教育から始まった。前にも書いたが、繰り返すだけの価値があるので、もう一度ここに「ファイナンシャル・インテリジェンス」を形作る四つの主な専門知識をあげておく。

1. 会計力……ファイナンシャル・リテラシー（お金に関する読み書き能力）。数字を読む力。
2. 投資力……投資（お金がお金を作り出す科学）を理解し、戦略を立てる力。
3. 市場の理解力……需要と供給の関係を理解し、チャンスをつかむ力。アレクサンダー・グラハム・ベルは市場がほしがっていたものを市場に与えた。ビル・ゲイツもそうだった。二万ドルで買った七万五千ドル相当の家を六万ドルで売るというのも、市場によって作られたチャンスをつかんだ結果だ。買う人がいて売る人がいる。これが市場の基本原理だ。
4. 法律力……会計や会社に関する法律、国や自治体の法律に精通していること。合法的にゲームをするのが一番だ。

その対象が小さな家であれ、大きなアパートであれ、また株であれ、債券、投資信託、貴金属であれ、はたまたベースボールカードであれ、物を売って富を築こうとするときに必要なのは、いまあげた四つの技術を組み合わせた「基本的な土台」だ。

## ●市場の動向に合わせて投資の対象を変える

一九九六年までに不動産市場はすっかり隆盛を取り戻し、みんなこの市場に殺到し始めた。それと同時に、株式が高騰し、ここにもみんな乗り込んできた。アメリカの経済は回復の兆しを見せ始めた。私は一九九六年に株や不動産を売り始め、ほかのみんなが市場に入ってきた頃には、ペルー、ノルウェー、マレーシア、フィリピンなどを旅行して回っていた。投資の風向きがすでに変わっていたからだ。私たちは買うことに関しては不動産市場から手を引いた。いまは、資産として持っているものの価値が上がるのを見物しているだけだ。そして、おそらくはもう少ししてからそれらを売り始めることになるだろう。実際にどうなるかは、法の改正案が議会を通るかどうかによって変わる。いまのところの予想としては、六つの小さい家のうちいくつかを売り、四万ドルの手形は現金に換えることになるだろうと思う。この現金の税金対策は会計士に電話して相談するつもりだ。

ここで私が言いたいのは、投資の対象は刻一刻変わっていくということだ。市場は上下し、経済はよくなったり悪くなったりする。世界は、ビッグチャンスを毎日私たちの目の前にぶらさげてくれる。それなのに、私たちはそれを見逃してばかりいるのだ。でも、私たちの目には見えなくてもチャンスはかならずそこにある。世界が大きく変われば変わるほど、また、テクノロジーが発達すればするほど、あなたとあなたの家族が何世代にもわたって経済的に安定するチャンスもどんどん増える。

ここでもう一度はじめの質問に戻ろう。

なぜファイナンシャル・インテリジェンスを高めるのか？

前にも言ったとおり、この問いに答えることができるのはあなただけだ。私がなぜ学び続け、知識を増やし続けるのか、私にはわかる。それは、変化の時代が来ることを私が知っているからだ。私は過去に執着するよりも、むしろ未来の変化を歓迎する。これから先にも市場の高騰や暴落があることは百も承知だ。私がファイナンシャル・インテリジェンスを養い続けたいと思うのもそれだからだ。つまり、市場が変動するたびに、仕事を失い、新しい仕事のために頭を下げて回る人がいる一方で、人生が与えてくれた「ちょっとしたもの」(だれだって一生に何度かはこんなチャンスが与えられる)を見逃さずにつかまえ、そこから大金を作り出す人が出てくる。それを可能にするのがファイナンシャル・インテリジェンスだ。

私が大金を作ったその「もと」となった「ちょっとしたもの」が何だったのか聞きたがる人は多いが、自分の個人的な投資の成功例を並べあげるのはあまり気持ちが乗らない。自慢話のようになってしまうし、それがこの本を書いた目的ではない。私が自分の例をあげてお話しするのは、実際にあった単純なケースを使って、数字的なことや物事の展開の順序などを説明したいからだ。それ以外の理由はない。みなさんに、お金を作るのがどんなに簡単なことかわかっていただきたいのだ。ファイナンシャル・インテリジェンスを支える四つの柱についてよく知れば、お金を作るのは本当に簡単だ。

私はお金を増やすために不動産と小型株の二つを運用している。資産の基盤は不動産だ。不動産は毎日私のために働いてくれ、キャッシュフローをもたらしてくれる。そして、ときには資産価値の上昇ももたらしてくれる。一方、小型株は速くお金を増やすためのものだ。

私は自分のやってきたことも含めて、特定の投資方法をみなさんにお勧めする気はない。私がやってきたことはあくまでも例にすぎない。投資のチャンスがあってもそれがひどく複雑で、自分でよく理解できないときは、私は手を出さない。お金を増やすために必要なのは、簡単な算数と常識。それがすべてだ。

私がこれまでにいろいろ例をあげてきた理由は五つある――

1. みなさんに刺激を与え、もっと学んでもらうため。
2. 基盤がしっかりしていれば簡単だということをわかってもらうため。
3. だれでも大きな富を得ることができることをわかってもらうため。
4. 目標を達成するには何万通りもの方法があるということをわかってもらうため。
5. ロケット工学のような複雑なものではないということをわかってもらうため。

### ●不動産の買い換えのしくみを利用する

一九八九年、オレゴン州のポートランドに住んでいた頃の私の日課は、近所をジョギングすることだった。そこはおとぎ話に出てくるお菓子の家のような、小さくてかわいらしい家が建ち並ぶ郊外だった。私はときどき、おばあさんの家へスキップしていく赤ずきんちゃんに出会うのではないかと思ったほどだ。

その当時、この一帯には「売家」の看板が出ている家がたくさんあった。材木市場は最悪で、株式市場も大暴落したばかり。経済も落ち込んでいた。

ジョギングでいつも通る道に、ずっと「売家」の看板を出している古い家が一軒あった。ある日、その家の前に差しかかると、家の持ち主が困り顔で通りに立っていた。

「いくらでこの家を売りに出しているんですか?」私はその人にそうたずねた。

家の持ち主は私を見て、元気のない笑みを浮かべて言った。「そちらの買値を言ってくださいよ。この家を売りに出して一年以上になるんです。もう中を見せてくれという人もいません」

「私が見ますよ」それから三十分後、私は売値よりも二万ドル安い値段でこの家を買った。

それは寝室が二つある小さな家で、どの窓にもお菓子の家のような窓枠がついていた。一九三〇年に建てられたその建物は、淡い青を基調に灰色がアクセントとして使われていた。家の中には小さな寝室のほかに石造りのみごとな暖炉があり、借家としては申し分ない家だった。

結局私は、本来六万五千ドルの価値がある家を四万五千ドルで買い、五千ドルの頭金をこの家の持ち主に渡した。そして一週間後、やっと自由になれたと大喜びで元の持ち主が出て行くとすぐに、私の最初の借家人である地元の大学教授が引っ越してきた。そして、毎月のローンの返済、諸費用や管理費を差し引いても、月末には四十ドル近い小遣いが私のポケットに入ることになった。

一年後、落ち込んでいたオレゴン州の不動産市場が好転し始めると、少し前から好調を続けていたカリフォルニア州の不動産市場で儲けた金の勢いを借りて、同州の投資家たちが北へと移動して来て、オレゴン州やワシントン州の不動産の買い占めを始めた。

私はカリフォルニア州から来た若夫婦に、この小さな家を九万五千ドルで売った。この値段でも二人にとっては掘り出し物だった。この取引によって約四万ドルのキャピタルゲインを得た私は、前に説明した内国税法第一〇三一条を利用することにして、さっそくこのお金を注ぎ込む新たな「場所」をさがし始めた。そして、一カ月ほどのちに、オレゴン州ビーバータウンにあるインテルの工場のとなりに、十二世帯用アパートを見つけた。このアパートの所有者はドイツに住んでいて、その物件にどれほど値打ちがあるかまったくわかっていなかった。ただ、「お菓子の家」の持ち主同様、早く処分してしまいたいと思っていた。私は四十五万ドルの価値のあるこのアパートに対し二十七万五千ドルで買付申込をした。結局持ち主は三十万ドルで売ることに同意した。

アパートを買ってから二年後、また内国税法第一〇三一条を利用して、このアパートを四十九万五千ドルで売り、そのお金でアリゾナ州のフェニックスにある三十世帯用アパートを購入した。そのときまでには私たちは雨の多いオレゴン州からフェニックスに移り住んでいたので、いずれにしても元のアパートは売る必要があった。このとき、フェニックスの不動産市場は以前のオレゴン州の市場と同じように落ち込んでいた。三十世帯用のそのアパートは、頭金二十二万五千ドル、総額八十七万五千ドルで買った。このアパートからの毎月のキャッシュフローは五千ドルあまりだった。一九九六年になるとアリゾナ州の不動産市場が好転し始め、コロラド州の投資家がこのアパートに百二十万ドルの買値をつけてきた。

妻と私はその申し出を受けて売却することも考えたが、キャピタルゲインに関する法律の改正案が議会を通るかどうか、それを見極めるために待つことにした。もし、法律が改正されればこの物件はあと十五パーセントから二十パーセント値上がりすると思われたからだ。それに、毎月五千ドルのキャッシュフローがあるというのはなかなか捨てがたい。

いまお話ししたのは、どうやったら少ない資金から大金を作ることができるかという例の一つだ。ここでも、その鍵は財務諸表を理解する能力、投資戦略、市場の動向を読む能力、法律の知識の四つだ。このような知識が豊富でない人は、昔ながらの定石に従うしかない。つまり、安全策をとること、投資を分散し、安全な投資だけをするという方法だ。この「安全な」投資というのが問題なのは、「消毒されすぎている」場合が多いことだ。つまり、安全にばかり重点がおかれているため、儲けが少ない。

大手不動産仲介業者の多くは、自分と顧客を守るために、投機的で危険がともないそうな物件は扱わない。たしかにそれはそれで賢明なやり方ではある。

本当の掘り出し物はしろうとには話がいかない。たいていの場合、最高の物件はゲームのやり方を知っている人間に話が行き、金持ちをさらに金持ちにさせるようになっている。このような投機的な物件の話を

「見る目のない」人間に持っていくのは、厳密には法律違反だ。しかし、もちろん、そういったケースも起こりうる。

いわゆる「見る目」を肥やせば肥やすほど、チャンスは増える。ファイナンシャル・インテリジェンスをつねに高めることのもう一つの効能は、ごく単純に「チャンスが増える」ということだ。ファイナンシャル・インテリジェンスが高くなればなるほど、その取引が有利かどうか見分けるのが簡単になる。ファイナンシャル・インテリジェンスを使えば、不利な取引を見極める、あるいは不利な取引を有利なものに変えることができる。学ぶべきことはいくらでもあるが、学べば学ぶほど、より多くのお金を作り出すことができる。なぜならば、年月がたてばそれだけ経験も知恵も増すからだ。私の友達の中にも、安定した職業につき、一生懸命に働きながら安全にお金を貯めることだけを考えている人がいる。彼らはその一方でお金に関する知恵を身につけるチャンスを逃している。なぜなら、この知恵を身につけるには時間がかかるからだ。彼らはその時間をとろうとしない。

お金に関する私の哲学の基本は、資産欄に種をまくことだ。これは、お金を作るための「公式」と言ってもいい。はじめは少ない額で種をまく。何粒かの種は育つが、育たない種もある。

妻と私がやっている不動産会社は、数百万ドルの値打ちのある不動産を所有している。これが私たちにとっての「不動産投資信託」だ。ここで注意してもらいたいのは、この数百万ドルのうちほとんどは五千ドルから一万ドルほどの少額の投資からスタートしているということだ。少額ではあるが、それを頭金として高騰する市場の波をタイミングよくとらえ、その後数年のうちに売買を繰り返すことで、税金を払うことなくこの初期投資を増やすことができた。

## ●不動産と株を組み合わせた資産作り

私たちは不動産のほかに、各種有価証券を組み合わせたポートフォリオも持っている。このポートフォリオを妻と私は「パーソナル投資信託」と呼んでいる。

私たちには、私たちのように毎月投資のためのよぶんなお金が手に入るという投資家をとくに選んで取引する株式ブローカーの友人が何人かいる。私たちが買うのは、アメリカかカナダで株式を公開する直前の私企業の株で、けっこうリスクが高く、投機的な要素を持つ株だ。どんなに短期間で利益を出すことができるか、その例を一つお話ししよう。たとえば、株式公開前の会社の株十万株を二十五セントで買ったとしよう。六カ月後にその会社の株が公開され、株価が二ドルに上がる。もし、会社の経営がそのままうまくいけば株価はさらに上昇し、一株二十ドルかそれ以上になるかもしれない。二万五千ドルが一年以内に百万ドルになったなどということが何度あったことだろう。

自分がやっていることがちゃんとわかっていれば、リスクを冒したとしてもそれはギャンブルではない。わけもわからないまま取引にお金を注ぎ込んで、あとは天に任せるとしたら、それはギャンブルだ。どんなことにも言えるが、大事なのは自分の持てる専門的知識、知恵、その「ゲーム」を愛する気持ち、それらを総動員して、リスクを減らすことだ。もちろん、リスクはどんな場合もつきものだ。だが、ファイナンシャル・インテリジェンスを使えば勝率を上げられる。だからこそ、ある人にとってリスクがあることが、別の人にとってはそれほどリスクがないということがあるのだ。私がいつもみんなに、「株や不動産やそのほかのマーケットに投資するよりも、まずお金に関する知識を習得するために投資しなさい」と忠告する大きな理由はここにある。賢くなればなるほど、リスクを跳ね飛ばして勝利を手にするチャンスは増える。

私が個人的に投資している株はふつうの人にとってはかなりハイリスクで、だれにでもお勧めできるものではない。私はこの「ゲーム」を一九七九年からやっていて、これまでにたっぷりと授業料を払ってきた。だが、このような投資がどうしてふつうの人にとってハイリスクな投資になるのか、その理由をもう一度読んでもらえば、あなたも人生設計を立て直し、二万五千ドルを一年で百万ドルにする投資をあなたにとってリスクの低い投資にすることができるかもしれない。

前にも言ったが、私がこの本の中で書いていることはどれも、「こうしてみたらいい」という提案ではない。私の経験をもとにした話は、お金を作ることがどれほど簡単で可能性のあることか、それをお見せする例として取り上げたにすぎない。私がやっていることはそれほどたいしたことではないが、それでも、ふつうの人間にとっては、何もせずに一年に十万ドル以上がふところに入るというのは悪くないし、そうするのがさほど難しくないとなればなおさらだ。これは、市場の動きやファイナンシャル・インテリジェンスの高さにもよるが、五年から十年かければ達成可能な目標だ。ひどくぜいたくな生活を望まなければ、十万ドルのよぶんな収入はなかなかいいものだ。たとえ仕事についていなくてほかに収入がなくてもなんとかなる。もし働きたければ働けばいいし、いやならば休みをとればいい。そして、税金に悩まされるのではなくそれを利用するようにすればいいのだ。

私の資産の基盤は不動産だ。不動産は安定していて値動きがゆっくりなので気に入っている。資産の基礎はしっかりしたものにしておきたい。それに、不動産はそこからのキャッシュフローもけっこう安定しているし、うまく管理すれば価値が上がるチャンスもある。不動産によってしっかりした資産の基盤を持つことの利点は、そのおかげで、もっと投機的な要素の高い株式を思いきって買う余裕が与えられることだ。

株で大儲けをしたときは、キャピタルゲインにかかる税金を払ったあと、残りを不動産にまた投資して資産の基盤をさらに安定させる。

不動産投資について最後に一言。私は世界中で投資について教えてきたが、大都市に行くといつも「不動産は高いから簡単に買えない」という言葉を聞かされる。私の経験はそれとはちょっと違う。ニューヨークや東京のような大都市にも、あるいは都心を少し離れた郊外にも、たくさんの人が見逃している掘り出し物がいくらでもある。シンガポールでは、いま不動産の高騰期に入っているが、まだ掘り出し物が町の中心からそう遠くないところにころがっている。だから、誰かが「そんなことは、ここではできない」というのを耳にするといつも私は、その人が本当に言いたいのは、「どうやったらここでそれができるかわからない……まだいまのところは」ということなのではないかと指摘して、考え直させることにしている。

大きなチャンスは目に見えない。頭を使って感じ取るものだ。たいていの人はお金に関する訓練を受けていないため、目の前のチャンスを見逃してしまう。

「どうやって始めたらいいのか?」という質問もよく耳にする。

本書の「実践その二」では、私が経済的な自由を手に入れるまでにたどった道筋を、十のステップにまとめて紹介してあるが、その実践にあたって、いつも覚えておいてほしいことが一つある。それは「楽しむこと」だ。これは単なるゲームにすぎない。勝つこともあれば、負けてそこからなにかを学ぶということもある。でも、どんなときにも楽しむことだ。勝ったことが一度もない人のほとんどは、勝つことを望む気持ちより負けるのを恐れる気持ちが大きいから勝てないのだ。

私が現在の学校教育がばかげていると思う理由はここにある。学校では、まちがえるのは悪いことだと教えられ、まちがえると罰を受ける。だが、実際に人間がどのように学ぶかを考えてみればわかるが、人間はまちがえることで学ぶ。私たちはころびながら歩くことを学ぶ。もし、まったくころばなければ、歩くことはできないだろう。自転車の乗り方を習うのも同じだ。私の膝にはいまも、小さい頃に自転車に乗る練習をしてできた傷跡が残っているが、いまでは考えなくても自転車に乗れる。金持ちになるのも同じだ。残念ながら、大部分の人が金持ちでないのは、みな損するのを恐れているからだ。勝者は負けを恐れないが、敗者は負けを恐れる。失敗は成功に至るプロセスの一部だ。失敗を避ける人は成功も避けている。

私はお金のゲームもテニスの試合と同じようなものだと思っている。一生懸命プレーし、ミスをし、それを直す。そして、さらにまたミスをして、またそれを直す。それを繰り返すうちにうまくなっていくのだ。そして、たとえ負けても、試合をしたあとはネットに近づき、相手のプレーヤーと握手を交わし「また来週の土曜日に」と言う。

## ●投資家には二種類ある

投資家には次の二種類がある。一つめは一番よく見かけるタイプの投資家で、あらかじめパッケージ化された投資を買う人たちだ。こういう人たちは、不動産ブローカーや株式ブローカー、ファイナンシャル・プランナーといった「小売り業者」に電話をかけ、投資対象を買う。それは投資信託だったり、不動産投資信託だったり、あるいは株式や債券だったりする。このタイプの投資家をたとえていうなら、コンピュータの店へ行って棚に並んでいるコンピュータをそのまま買う人にあたる。

二番目のタイプの投資家は投資を自分で作り出す人たちだ。このタイプの投資家は取引をゼロから作り出す。同じたとえを使うなら、コンピュータの部品を買ってそれを組み立てるタイプの人だ。特別仕立ての投資をするというわけだ。私はコンピュータを組み立てることはできないが、ばらばらになっているチャンスを組み合わせることはできる。あるいは、それができる人を知っている。

プロの投資家と呼ばれる人は、この二番目のタイプの投資家だ。このタイプの投資家の場合、すべての部品を組み立てるのに何年もかかることもあれば、どうしても完成しないこともある。金持ち父さんが私に教えようとしたのは、この二番目のタイプの投資家になることだった。ばらばらになったものを集めて組み立てる方法を学ぶのは重要なことだ。なぜなら、大きな勝利はそういうところにこそあるからだ。ただし、風向きが悪ければ大きな損をすることもある。

二番目のタイプの投資家になりたい人は、次の三つの技術を伸ばす必要がある。これらの技術は、前にお話ししたファイナンシャル・インテリジェンスを高めるために必要な技術に加えて学ぶべきことだ。

1．ほかの人が見過ごすチャンスを見つける技術

チャンスを見つけるには、ほかの人の「目」には見えないことを「頭」で見るようにすることが大切だ。一つ例をお話ししよう。あるとき、友人の一人が古くていまにもくずれそうな家を買った。見るからに薄気味悪い家で、だれもが「なぜあいつはあんな家を買ったのだろう?」と不思議に思った。そのとき私たちには見えず彼に見えていたものは、この家に四区画の更地がついていたことだった。彼は土地の権利関係を調べに行ってそのことを知ったのだ。この友人は買った家をすぐ取り壊し、五区画の更地を、解体費用も含めて自分が支払った額の三倍もの値段で建築業者に売った。そして、たった二カ月で七万五千ドルを作ったのだ。これは大金ではないかもしれないが、確実に給与の最低基準は上回っているし、技術的にさほど難しいことでもない。

2．資金を集める技術

資金繰りをするとなると、ふつうの人は銀行に行く。だが二番目のタイプの投資家になるには、資金を増

やすためには銀行だけでなく、何通りもの方法があることを知らなくてはならない。私の場合はまず手始めに、銀行を利用しないで家を買う方法を学んだ。そのとき買った家はたいしたものではなかったが、資金集めの方法を学ぶことはお金に換えられない価値がある。

私は「銀行がお金を貸してくれない」とか「自分にはそれを買うだけのお金はない」といった言葉を耳にたこができるほど聞かされる。二番目のタイプの投資家になりたい人は、お金の集め方を学ぶ必要がある。たいていの人はその前にやめてしまう。つまり、たいていの人は、お金が足りないからという理由で、その取引から手を引いてしまう。もし、そういった考え方をやめることができれば、あなたは、お金を集めるための技術を学ぼうとしない人よりも何百万ドルも多くのお金を手に入れることができるようになるだろう。

私は銀行に一セントもないときに家や株やアパートを買ったことが何度もある。あるときなど、百二十万ドルのアパートをそうやって買った。このときは、売り手とのあいだで契約書を取り交わし、「売買を固定する」方法を使った。その取り決めをしたあと、私は頭金の十万ドルを作った。その結果、残金は九十日以内に作ればいいということになった。なぜ私がそんなことをしたか不思議に思われる方もあるかもしれないが、理由は簡単、そのアパートに二百万ドルの値打ちがあることを知っていたからだ。結局私は残金を集めることとすらしなかった。十万ドルの頭金を貸してくれた人が私に五万ドルをくれ、新たな買い手をさがすように話を持ちかけてきたのだ。私はアパートの所有権をこの人に譲り、取引からは手を引いた。ここでも大事なのは、何を買うかということより、何を知っているかだ。投資は「買う」ことではない。「知っている」ことの方が大きな役割を果たす。

3．頭のいい人間を集めて組織する技術

賢い人間というのは、自分より賢い人間と仕事をするか、またはそういう人間を雇う。アドバイスを誰かからもらいたいときは、正しい相手を選ぶことが大切だ。

学ぶことはたくさんあるが、そこから得られるものは計り知れないほど大きい。このような技術を学ぶのがいやだと言う人は、一番目のタイプの投資家になればいい。

あなたにとって最大の財産は、あなたの知識、「知っていること」だ。反対に最大のリスクは「知らないでいること」だ。

どんなことにもリスクはつきものだ。だからこそ、それを避けるよりもうまく乗り越える方法を学ぶことが大切だ。

# お金のためではなく学ぶために働く

第六の教え

## ●才能だけでは成功しない

一九九五年に、シンガポールの新聞社からインタビューを受けた。若手の女性レポーターが待ち合わせ時刻ぴったりに現れ、インタビューがすぐに始まった。私たちは豪華なホテルのロビーでコーヒーを飲みながら、私がシンガポールを訪れた目的について話をした。私はジグ・ジグラーとともに講演に招かれていて、ジグラーは「向上心」について、私は「金持ちになる秘訣」について話をすることになっていた。

「私もいつか、あなたのようなベストセラー作家になりたいのです」女性レポーターはそう言った。彼女の記事はすでに読んだことがあったが、なかなかのものだった。切り口の鋭い、要点のはっきりした文章を書いていた。読者の関心を引きつける記事だった。

「あなたの文章はすばらしいじゃないですか」私は彼女に答えて言った。「ベストセラー作家になる夢の実現をさまたげているのはいったいなんですか?」

「仕事をしていても、この先どうにかなると思えないんです」女性レポーターは静かに話し始めた。「小説を書いても、みんな『きみの小説は素晴らしい』と言うだけです。何がどうなるってわけでもありません。だから結局、新聞に記事を書く仕事を続けるしかないんです。少なくとも収入にはなりますから。こんな私に、何かいいアドバイスはありませんか?」

「ええ、ありますとも」私は明るく答えた。「私の友人が、ここシンガポールでセールスの訓練をする学校をやっています。大企業の社員もおおぜいこのコースをとっています。あなたも一回それを受けてみたら、キャリアをさらにのばすのにとても役立つと思いますよ」

女性レポーターは身体を固くした。「あなたは、私にセールスを習いに学校へ行くべきだとおっしゃるんですか?」

私はうなずいた。

「冗談ですよね? それとも本気ですか?」

また私はうなずいた。それから、「何かいけないことでもありますか?」と聞いた。心の中では「まずかったかな」と思い始めていた。相手が何かに腹を立てているのはわかった。何も言わなければよかったと思った。この女性レポーターにアドバイスをするつもりでいた私が、いまは自分の言ったことの弁解をしなければならなくなったのだから。

「私は英文科の修士号を持っています。その私がセールスマンになるための学校へなぜ行くんですか? 私はプロの物書きです。セールスマンになんてならなくてすむように、そのための技術を身につけるために学校に行ったんです。セールスマンは大きらいです。お金のことしか頭にないんですから。ですから、なぜ、私にセールスを勉強する必要があるのか教えてください」女性レポーターはテーブルの上に出ていた物を乱暴にブリーフケースにしまい込んだ。インタビューはそれで終わりだった。

テーブルの上には、私の最初の著書“If You Want to Be Rich and Happy, Don't Go to School?”(お金としあわせを手に入れたかったら、学校に行くな?)がのっていた。私はその本と、レポーターが書いたメモの束を手に取った。

「これが見えますか?」私はメモを指しながら言った。

女性レポーターはメモを見て、「何のことですか?」と当惑した様子で私に聞き返した。

私はよくわかるようにもう一度メモを指さした。メモ用紙には、「ロバート・キヨサキ　ベストセラー作家」と彼女自身が書きつけた文字があった。

「見てごらんなさい。『ベストセラー作家』で、『最優秀作家』ではないでしょう?」

女性レポーターは目をまるくした。

「私が書く文はひどいが、あなたの文はすばらしい。私はセールスを学ぶ学校へ行った。あなたは英文科の修士号を持っている。この二つの力を合わせれば、『ベストセラー作家』と『最優秀作家』の両方になれますよ」

女性レポーターは目から火花を散らして怒った。「私はセールスを学ぶほど落ちぶれてはいません。あなたのような人たちには物を書くってことがどういうものかわかっていません。私はプロの物書きで、あなたはセールスマンです。こんなの不公平です」

メモの残りをバッグにしまうと、女性レポーターは大きなガラスの扉を抜けて、蒸し暑いシンガポールの朝へと早足で去っていった。

翌朝の新聞で、この女性レポーターは、私について少なくとも公平で良心的な記事を書いてくれた。

世界には生まれつき頭がよかったり、才能を持っていたり、高い教育を受けていたりする人がおおぜいいる。そういう人は私たちのまわりのどこにでもいて、私たちは毎日そういう人に出会っている。

二、三日前に車が故障したので修理屋に車を持っていくと、若い整備士がわずか五分ほどでなおしてしまった。この若い整備士はエンジンの音を聞いただけで、どこが故障しているかわかったのだ。私はただ感心するばかりだった。

残念ながら実際の社会で成功するには、すぐれた才能だけでは不充分だ。才能のある人間の収入がどんなに少ないか、私はいつも驚かされる。先日、年に十万ドルの収入があるのはアメリカ国民の五パーセント以下だと聞いたが、高い教育を受け才能があるのにもかかわらず、年二万ドル以下しか稼いでいない人はいくらでもいる。医療関係を専門とするビジネスコンサルタントから、たくさんの医師、歯科医、カイロプラクターがお金に苦労しているという話を聞いたこともある。その話を聞く前はずっと、こういう人たちは大学を卒業すれば自動的にお金が儲かるものだと思っていた。このビジネスコンサルタントは、「彼らが大金持ちになるにはあと一つ技術が必要だ」と言っていた。

このビジネスコンサルタントの言葉を言いかえると、ほとんどの人がもう一つ技術を習得しさえすれば、収入を大幅に増やすことができるということだ。私は前に、ファイナンシャル・インテリジェンスは会計、投資、市場、法律という四つの分野の知識の相互作用から生まれると書いた。この四つの技術を組み合わせれば、お金でお金を作ることが簡単にできるようになる。それなのに、お金に関することになると、ほとんどの人が持っている唯一の技術は「一生懸命働くこと」だけなのだ。

先ほど女性レポーターの話を紹介したのは、この四つの技術が相互に作用してどれほど威力を発揮するか、よい例になると思ったからだ。

もし、この女性レポーターがセールスとマーケティングをしっかり学べば、彼女の収入は大幅に増えるだろう。私が彼女なら、セールスのほかに広告のコピーライティングのコースも受講する。そして、新聞社で働く代わりに広告代理店での仕事を探す。たとえ給料が下がったとしても、そこでなら、すぐれた広告の中で使われているコミュニケーションの「近道」の仕方を学ぶことができる。また、もう一つ大事な技術であるPR力を身につけることもできるだろう。つまり、お金をかけないで宣伝する方法、そしてそれによって何百万ドルものお金を手に入れる方法を学ぶことができる。そして、夜や週末には自分が書きたい名作を書く。作品が完成する頃には、うまく自分の本を売る技術も身についているはずだ。そうなれば、「ベストセラー作家」への道もそう遠くはない。

私が最初の著書“If You Want to Be Rich and Happy, Don't Go to School?”を書き上げたとき、出版社は書名を“The Economics of Education”（教育の経済学）に変えたほうがいいと言った。私は出版社に、「そんなタイトルをつけたら、売れるのはたった二冊、私の家族と親友に売るのがやっとだ」と答えた。その二冊にしたところで問題がなかったわけではない。家族と親友はたしかに私の本をほしがってはくれるだろうが、ただでもらうことを期待していたからだ。

結局この過激なタイトルが採用されることになったが、私がこのタイトルにこだわったのは、これに大きな宣伝効果があることを知っていたからだ。私は教育の大切さを知っているし、教育改革の必要性を信じている。そうでなければ、どうして時代遅れの教育システムを変えたいなどと思うだろうか。だから私はこのタイトルを選んだ。理由は簡単だ。テレビやラジオで取り上げられ、論議をまきおこすといいと思っていたからだ。私のことを頭がおかしいんじゃないかと思った人は多かったが、この本は爆発的に売れた。この本が発売と同時に「ベストセラー」入りしたのにはこういういきさつがあったのだ。

## ●広く浅く学ぶ

一九六九年に私が合衆国商船アカデミーを卒業したとき、高い教育を受けた実の父は大喜びした。そのとき私はすでにカリフォルニア州のスタンダード石油に就職することが決まっていた。仕事はオイルタンカーの三等航海士で、給料はアカデミーの同窓生と比べると安かったが、大学卒業後最初の仕事としてはまあまあだった。初任給は残業を入れて年間四万二千ドルから始まり、年に七カ月だけ働いてあとの五カ月は休暇がとれた。それに、私さえそうしたければ、五カ月の休暇を取る代わりに、子会社の船にのってベトナムに行けば簡単に給料を倍にすることもできた。

この会社での将来は約束されたようなものだったが、それにもかかわらず私は六カ月でこの仕事を辞め、海兵隊に入って飛行機の操縦を習った。高い教育を受けた私の父はがっかりした。金持ち父さんは私のために大いに喜んでくれた。

学校や仕事の場では「専門化」という考え方が一般に浸透している。つまり、もっとお金を稼ぎたい、あるいは昇進したいと思ったら、専門を持つ必要があるという考えだ。だから、医者はすぐに整形外科や小児科のような専門分野に進みたがる。会計士、建築家、弁護士、パイロットなども同じだ。

高い教育を受けた父はこの一般的な考え方と同じ考えを持っていた。だから、自分が博士号をもらうときには大喜びだった。父は、学校は狭い範囲のことを深く追求する人間を高く評価するところだとよく言っていた。

金持ち父さんが私にやれと言ったのはそれとはまったく反対のことだった。「広く浅く知る」というのが金持ち父さんのアドバイスだった。だから私は、何年かのあいだ、金持ち父さんの持っていた複数の会社でいろいろな分野の仕事をした。経理課で働いていた時期もあった。私が将来会計士になる可能性はまずなかったが、金持ち父さんは、私に会計のことを吸収させたかったのだ。経理課で働けば、会計の専門用語も自然と身につくし、なにが重要でなにが重要でないかを見分ける感覚も養われる。このほかにも私は皿洗いもしたし、工事現場でも働いた。また、営業、予約受付、マーケティングといった仕事もした。金持ち父さんはそうやってマイクと私を鍛えたのだ。金持ち父さんが銀行家や、弁護士、会計士、ブローカーといった人たちと話をするときに、私たちを同席させたのも同じ理由からだ。自分の帝国のさまざまな側面を少しずつ教えたかったのだ。

かなりの給料をもらっていたスタンダード石油を私が辞めたとき、高い教育を受けた父と私は腹を割って話をした。父はひどく当惑していた。高給で、年金などの福利厚生もしっかりしていて、休みも多く、昇給のチャンスも充分ある理想の職場を私がなぜ辞めたのか、父にはどうしても理解できなかったのだ。ある晩、父が「なぜ、会社を辞めたんだ?」と私にたずねたとき、私はどうにかわかってもらおうと必死で説明した。でも、結局理解してもらえなかった。私の理屈は父の理屈とは違っていたのだ。一番大きな問題は、私の理屈が、金持ち父さんの理屈だったことだ。

高い教育を受けた父にとっては「安定した仕事につくこと」がすべてだった。一方、金持ち父さんにとっては「学ぶこと」がすべてだった。

高い教育を受けた父は、私が商船の高級船員になるために学校へ行ったと思っていた。金持ち父さんには、私が国際貿易の勉強をするために学校へ行ったことがわかっていた。だから私は学生時代に貨物の輸送を学び、大型貨物船やオイルタンカー、客船を極東や南太平洋へと航海させた。金持ち父さんは、これから有望なのはヨーロッパではなくアジアの国々だと気づいていて、私にも、ヨーロッパ行きの船に乗るのではなく、太平洋にとどまるよう強く勧めた。大学のクラスメートや親友のマイクが学生社交クラブでパーティを楽しんでいた頃、私は日本や台湾、タイ、シンガポール、香港、ベトナム、韓国、タヒチ、サモア、フィリピンといった国々の貿易、そこに住む人々、ビジネスのやり方、文化などを必死で勉強していた。私もたくさんの人と出会い話をしたが、ほかの学生がパーティで出会う相手とは違っていた。そのおかげで私は短期間に成長した。

高い教育を受けた父は、なぜ私が会社を辞めて海兵隊に入ったのか、どうしても理解できなかった。私は父に、飛行機の操縦を習いたいのだと言ったが、本当は軍隊での指揮のやり方からリーダーシップを学びたかったからだ。金持ち父さんは、会社を経営するにあたって一番むずかしいのは従業員を管理することだと私に教えてくれた。

金持ち父さんには三年間の陸軍経験があった。実の父の方は徴兵を免除されていた。金持ち父さんは、危険な状況の中へと人を引っ張っていく方法を学ぶ大切さを私に説明してくれた。「きみが次に学ばなくてはいけないのはリーダーシップだ。有能なリーダーでなければ、銃で背中から打たれる。ビジネスの世界でも同じだ」

飛行機の操縦はとても好きだったが、一九七三年にベトナムから帰国後、私は海兵隊を辞めた。それから、ゼロックスで仕事を見つけた。ゼロックスに入った理由はたった一つ、それは会社の福利厚生がしっかりしていたからではなく、アメリカで最も優れたセールス・トレーニング・プログラムがあったことだ。私はその頃ひどく内気で、物を売ることは私にとってこの世で最も恐ろしいことの一つだった。

金持ち父さんはこんなふうにして進路を変えた私を立派だと思ってくれたが、高い教育を受けた父は私のことを恥ずかしく思ったようだった。インテリの父には、セールスマンが自分より劣る人間に思えたのだ。

私は、見知らぬ人の家のドアを叩き、お客に断られることに対する恐怖心が抜けるまで、四年間ゼロックスで働いた。そして、売上トップファイブの常連になると、また「すばらしい会社でのすばらしい地位」に背を向け、ゼロックスを辞めて先へと進んだ。

一九七七年に私は一つめの会社を設立した。金持ち父さんはマイクと私を、自分で会社を手に入れることができるように鍛えてくれた。今度は、会社を実際に作り、実際に運営する方法を学ばなければならない。私の最初の商品「マジックテープ付きの財布」は極東で製造し、ニューヨークにある私が通った学校の近くの倉庫へ船で運んだ。金持ち父さんからの正式な教育は終了し、自分の力を試す時が来たのだ。もし失敗すれば私は破産する。金持ち父さんは、失敗するなら三十前がいいと考えていた。「まだ立ち直る時間が充分あるから」金持ち父さんはよくそう言っていた。三十歳の誕生日の前日の夜、商品を積んだ最初の船が韓国からニューヨークへと向かった。

## ●学ぶために働く

私はいまでも、国際的にビジネスを手がけている。そして、金持ち父さんの忠告に従い、これから有望そうな国をつねに探している。私の投資会社は現在、南アメリカ、アジア、ノルウェー、ロシアに投資している。

昔からよく言われる言葉に「Job は『Just Over Broke（まさに破産しそう）』の頭文字」というのがある。残念ながら、この言葉通りの人がなんとたくさんいることだろう。学校がファイナンシャル・インテリジェンスを知性の一つと考えていないために、たいていの人が「なんとかそれなりに暮らしている」。「なんとかそれなりに」というのは、働いてお金をもらい、それでどうにかこうにか請求書の支払をすませ、また働く……というパターンを意味する。

マネージメントに関してよく言われる言葉の中には、このほかにもひどいものがある。それは「従業員は首にならない程度に一生懸命働き、経営者は従業員が辞めない程度に給料を与える」というものだ。どの会社の給与体系を見ても、この言葉に真実が含まれていることがわかるだろう。

そんなことだから、働いている人の大部分が前に進むことができないでいるのだ。彼らは教えられてきた通りのことしかしない。つまり、「安定した仕事を見つける」ことだけを考える。たいていの人は給料と、退職金や年金など、会社から与えられる恩典のために働く。これは短期的に見れば有利かもしれないが、長期的に見た場合は悲惨なことになりかねない。

私は若者にアドバイスをするとき、「『いくら稼げるか』ではなく『何を学べるか』で仕事を探しなさい」と言う。特定の専門を選ぶ前に、また「ラットレース」にはまる前に、将来を見渡しながら、自分はどんな技術を習得したいと思っているかじっくり考えることが大事だ。

「給料をもらって支払をする」という、一生続くこのパターンに一度はまってしまうと、人間は小さな輪の中で走るハムスターと同じになってしまう。ハムスターは毛の生えた小さな足を猛烈な勢いで動かし、それにつれて輪も猛烈な勢いで回る。でも次の朝になっても、ハムスターがいるのは前と同じかごの中だ。こんなすばらしい仕事がほかにあるだろうか!

トム・クルーズが主役を演じた映画『ザ・エージェント』にはいいセリフがたくさんあった。たぶん、その中で一番記憶に残るセリフは「Show me the money.（金を見せろ）」だろう。だが、私が一番真実味があると思ったのは、トム・クルーズが首になった会社を去るシーンのせりふだ。トム・クルーズは同僚全員に向かって、「おれといっしょに出て行こうっていうやつはいないか?」と聞く。けれどもだれも返事をしない。部屋が一瞬凍りつく。そのときただ一人、女性従業員が口を開いて言う――「そうしたいけれど、あと三カ月で昇進するのよ」

この女性のせりふこそ、あの映画の中で最も真実味のあるせりふだろう。請求書の支払をするためにがむしゃらに自分を働かせようとしてみんながよく自分に言い聞かせるのは、こういう言葉だ。高い教育を受けた父は昇給するのを毎年楽しみにしていたが、毎年がっかりしていたのを私は見て知っている。父はもっと資格を取ればまた昇給があるにちがいないと信じて学校に戻るのだが、そうしたところでまた落胆するのがおちだ。

### ●長い目で見て学ぶ

私はよく、「いま毎日やっていることの行きつく先はどこですか?」という質問をする。かごに閉じ込められたあの小さなハムスターのように、請求書の支払のために毎日懸命に働いている人たちは、そのつらい労働が自分をどこに運んで行くか考えたことがあるだろうか? 将来に待っているものが何なのか、考えたことがあるだろうか?

米国定年退職者協会の前委員長シリル・ブリックフィールドの報告によると、「企業による年金支給制度は混乱をきわめている。まず第一に、現在、企業の五十パーセントは年金制度を導入していない。これだけでも大問題だ。それに加えて、残りの五十パーセントのうち七十五から八十パーセントの企業が、毎月の支給額が五十五ドルとか、百五十ドル、あるいは三百ドルといった、実質的効果のまったくない年金制度しか持っていない」

“The Retirement Myth”(定年退職の神話)という著書の中で、クレイグ・S・カーペルは次のように書いている。

「私は全国規模の大きな年金コンサルティング会社の本社を訪ね、企業のトップの人間を相手にぜいたくな退職プランを練ることを専門にやっている役員の一人に会った。この女性に、重役室の住人ではないふつうの会社員は、退職後の収入の道としてどんなことが考えられるのかとたずねた。すると、彼女は『それはもうこれしかないでしょう』というように自信に満ちた笑みを浮かべながら、『シルバー・ブレット（銀の弾丸）』と答えた。『そのシルバー・ブレットっていうのは何ですか？』と私は聞き返した。彼女は肩をすくめて『もし、ベビーブーマーが自分に老後を養うお金がないことに気がついたら、いつだって自分の頭に一発お見舞いすればいいっていうことですよ』と答えた」

そのあとカーペルは、昔風の、きちんと詳細の定められた年金プランと、もっとリスクが高い、401kプラン（税優遇制度を利用した個人年金プラン）との違いについて説明している。そこに描かれた未来は、いま一生懸命働いている人の大半にとっては、バラ色の人生とは言えない。それに、これは年金についてのみ考慮した場合の話で、そのほかに、医療費や長期滞在型老人ホームの費用などを考慮に入れたら、そこに見えてくる未来はバラ色どころか恐ろしいものとしか言いようがない。一九九五年に出版されたこの本の中でカーペルは、老人ホームの費用は年三万ドルから十二万五千ドルかかると書いている。ためしに自分の家の近くの質素な老人ホームに出かけて調べたところ、年間費用は八万八千ドルだったそうだ。

医療を社会化する方向に進んでいる国では、すでに多くの病院が、「誰を生かし、誰を死なせるか」というたきびしい決断をくださなければいけないところまできている。このような決断をくだすとき、病院側が判断の基準とするのは、唯一、患者の財産と年齢だ。患者が年寄りならば若い人の方が優先されることが多い。患者がお金もなく年寄りだとなると、医療を受けられるのは最後の最後になる。つまり、金持ちでないといい教育が受けられないのと同じように、あまりお金を持っていない人たちは適切な医療が受けられない場合がある。そして、その一方で金持ちだけが適切な医療を受けることができ、長生きすることになる。

だから私は疑問に思うのだ——会社に雇われている人たちは、将来のことをきちんと考えているのだろうかと。あるいは、彼らは自分がどこへ向かっているかなど疑問にも思わずに、ただ次の月にもらえる給料のことだけを考えているのだろうか？

私は、すでに成人していて、お金をもっと儲けたいと思っている人と話すときにはいつも「人生の先の方まで見とおしてごらんなさい」とアドバイスをする。お金と安心はたしかに重要だ。私もそれは認める。だが、お金を儲けたいと思ったら、ただお金と安心のためにだけ働くのではだめだ。だから私はそういう大人には、新しい技術を学べるような別の仕事もしてみるようにと勧める。中でも私がよく勧めるのは、合法的なマルチ商法を行っている会社で仕事をしてみることだ。セールスの技術を学ぶにはこれほどいい学校はない。この種の会社の中には、成功の足を引っ張る要因の一つである、「失敗と拒否に対する恐怖心」を克服するためのすばらしい訓練プログラムを持っているところが少なくない。長い目で見た場合、教育はお金より価値がある。

だが、私がこのようにアドバイスをすると、「そんなのたいへんすぎる」とか「私は自分に興味のあること以外はやりたくない」といった反応が返ってくることが多い。

「たいへんすぎる」と言う人に対して私は、「じゃあ、あなたは自分が稼いだお金から五十パーセントを政府に払い続け、一生を終える方がいいんですか？」と聞く。それから、「私は自分に興味のあること以外はやりたくない」と言う人には、「私はスポーツジムに通うことにとくに興味はないけれど、元気で長生きしたいから行っているんです」と言う。

古いことわざで「年を取った犬には新しい芸は教えられない」というのがあるが、残念ながらこのことわざには一理ある。変化することに慣れていない場合は、そうするのがひじょうにむずかしい。

新しいことを学ぶために働くという考えに抵抗がある人もいるだろう。そういう人は、次の話を励みに、がんばってほしい――人生はスポーツジムに行くのによく似ている。スポーツジムへ通うとき、一番辛いのは「行こう」と決心するときだ。決心さえつけばあとは楽だ。私もジムに行くのがおっくうだということはよくあるが、それでも行って運動し始めると楽しくなる。そして、エクササイズが終わったあとはいつも、無理をしてでも来てよかったと思う。

### ●専門的な仕事をするなら組合に入る

「新しい知識や技術を学ぶのはいやだ、自分の好きな分野の専門をどうしてもきわめたい」という人は、自分の勤めている会社に組合があるかたしかめる必要がある。労働組合は専門的な技術を持つ従業員を保護するためのものだ。

高い教育を受けた父は州知事とそりが合わなくなり州政府の仕事をやめてから、ハワイの教員組合の委員長になった。父は、組合委員長の仕事はそれまでやった仕事の中で一番たいへんだとよく言っていた。一方、金持ち父さんの方は、自分の経営する会社に労働組合ができないようにつねに目を光らせていた。労働組合が組織されそうになったことは何度かあったが、金持ち父さんはいつもうまくそれを切りぬけた。

二人ともその必要があり、それなりの利益があったからこそそのような立場をとったわけだから、個人的には、私はどちらの側に立つつもりもない。ただ言えることは、もし学校で教えられたとおりに高度な専門知識を身につけ、それを生かして働くつもりなら、組合による保護を受けなさいということだ。たとえば、私が飛行機の操縦士としてのキャリアを続けていたとしたら、私は強力なパイロット組合がある会社をさがしただろう。なぜなら、私はたった一つの産業でしか通用しない技能を習得するために生涯を捧げることになるからだ。もし、この産業からはじきだされるようなことになったら、人生をかけて獲得したこの技能はほかの産業では通用しない。

十万時間という長い飛行経験があり年俸十五万ドルをもらっていた中堅パイロットでも、学校教師としてそれだけの給料をもらおうと思ったら、かなりむずかしい。技術は産業から産業へと必ずしも使いまわしできるものではない。航空会社でパイロットがそれに対して給料をもらっていた技術は、ほかの産業、たとえば教育の世界では同じだけの価値は持っていない。

いまは医者にも同じことが言える。医療システムにおけるさまざまな変化のおかげで、多くの医療の専門家が、HMO（健康管理機関）のような各種医療機関のもとに組織化される必要が出てきた。学校教師には当然組合が必要だ。今日のアメリカ社会で、教員組合は最大、かつ最もお金を持っている組合だ。NEA（全国教育連合）は強大な政治力を持っている。教師に組合の保護が必要なのは、教師の技術もパイロットの技術と同じく、教育以外の産業では限られた価値しか持たないからだ。「専門をきわめるなら、組合に入る」これが大原則、賢いやり方だ。

## ●専門をきわめるより、広い知識を

私が教えるクラスで「マクドナルドのハンバーガーよりおいしいハンバーガーを作れる人はいますか？」と聞くと、ほとんどの生徒が手をあげる。そんなとき私は続けて「じゃあ、もしあなたがたの方がおいしいハンバーガーを作れるとしたら、なぜマクドナルドの方があなたより稼ぎがいいんでしょう？」とたずねる。

答えは明らかだ――マクドナルド社はすぐれたビジネス戦略を持っている。才能にあふれたたくさんの人が貧乏のままでいる理由は、彼らがおいしいハンバーガーを作ることに専念するばかりで、ビジネス戦略についてはまったく無知のままだからだ。

ハワイにいる私の友人の一人はすばらしい芸術家で、かなりの収入がある。ある日、亡くなった母親の弁護士が電話をかけてきて、母親が三万五千ドルの遺産を彼に残していると言ってきた。つまり、遺産から弁護士の報酬と政府への税金を差し引いたあと、それだけ残ったということだ。友人はすぐに、これはいい機会だ、相続した遺産の一部を宣伝に使えば収入を増やすことができると思った。そして二ヵ月後、金持ちのなかでもとくに裕福な人を対象とした高価な雑誌に、全面四色刷りの広告を掲載した。その広告は三ヵ月掲載されたが、読者からはまったく反応がなく、しまいには彼は遺産をすべて使ってしまった。この友人はいま、不当表示で雑誌会社を訴えたいと言っている。

これは、ハンバーガーはおいしく作れるがビジネスのことをまったく知らない人のいい例だ。私が友人に何を学んだかたずねると、友人は「広告会社の営業の人間はペテン師だということがわかったよ」とだけ言った。そして、私がセールスや直接販売の講習を受講したらどうかと勧めると、友人は「そんな時間はないし、金をむだなことに使いたくない」と答えた。

世の中には、才能があるのに貧乏な人たちがあふれている。彼らが貧乏だったり、経済的に苦しんでいたり、才能に見合わない収入しか得られない原因は、彼らが持っている知識、才能にあるのではなく、彼らが「知らないこと」にある。つまり、前のたとえで言えば、彼らはハンバーガーを売ることや配達する技能を磨くことより、最高のハンバーガーを作る技術をきわめることばかりに熱心なのだ。マクドナルドのハンバーガー作りの腕は最高とは言えないかもしれないが、ごくふつうのハンバーガーを売ったり配達したりする腕前は最高だ。

貧乏父さんは私に専門を持たせたがった。父にとってはそれが給料を多くもらうための方法だった。知事から、州政府にはもう父の席がないと宣告されたあともまだ、父は私に専門的な技能を身につけるように勧め続けた。その後父は、教員組合のそもそもの目的に大いに関心を持つようになり、高い能力を持ち、高度な教育を受けたこのプロたちのために、より多くの保護と生活の保障を求めてキャンペーン活動を行うようになった。私は父とよく議論したが、過度な専門化こそが組合による保護の必要性を生み出した原因であるという考えに、父はぜったいに同意しなかった。専門性を高めれば高めるほど動きがとれなくなり、その専門的技能に頼りきりになるということが、父にはどうしても理解できなかったのだ。

金持ち父さんはマイクと私に、自分を鍛えるようにといつも忠告してくれた。同じようなことを多くの会社がやっている。会社はビジネススクールから卒業したばかりの有能な若い学生を見つけ、いつか会社を任せられるように「鍛え」始める。だから、このような有能な若い社員は一つの課で専門的な仕事をすることはない。ビジネスのシステムのあらゆる側面を学ぶことができるように、あちこちの課を転々とさせられる。一方、金持ちが自分の子供や、他人の子供を鍛えることもよくある。このようにして鍛えられるなかで、子供たちはビジネスの実務の全体的な知識を得たり、それぞれの部や課がどのような相互関係を持っているかを学んでいく。

第二次世界大戦の戦中・戦後の世代にとっては、会社から会社へ移ることは「悪い」ことだったが、今日では、それは「賢い」やり方だと考えられている。どうせ会社から会社へと移るのなら、専門にこだわらずに、「稼ぐ」ことより「学ぶ」ことに重点をおいて新しい会社をさがしてはどうだろう? 短期的には収入が減ることになるかもしれないが、長期的に見ればたくさんのおまけがついて返ってくる。

## ●必要な技術を学び、教える

専門的な技術の中でもっとも大事なのはセールスとマーケティング、つまり売る能力だ。その基本にあるのは、相手が顧客であれ従業員であれ、上司、配偶者、また子供であれ、他人と意思を疎通させる能力だ。

人生で成功するのに必要不可欠なのは、書く、話す、交渉するといったコミュニケーション能力だと言ってもいい。私はこの技術を高めるために、講習に出席したり、自習用テープを買ったりして自分の知識と技術を広げる努力をつねに続けている。

前にもお話ししたように、高い教育を受けた方の父は、自分の能力が上がれば上がるほど一生懸命働いた。また、専門性を高めれば高めるほど深く罠にはまっていった。その結果、給料は上がったが、選択の余地はせばまった。州政府の仕事から締め出されてからまもなく、父は職業に関して自分がどんなに弱い立場にいるか、その実情に気づいた。けがや年をとったために急に試合に出られなくなったプロスポーツ選手のようなものだ。高収入の地位は失われ、頼りになるのはごく限られた技術だけだ。あのあと、父があれほど組合に肩入れするようになったのは、このためだったのではないかと私は思う。父は、組合に入っていればどれほど助かっただろうかということに気がついたのだ。

金持ち父さんはマイクと私に浅く広く知識を増やすようにいつも言っていた。また、自分より頭のいい人間と仕事をし、そういう人間を集めて一つのチームとして働かせるようにとも教えてくれた。これは現代なら、「専門職のシナジー（共同作用）」とでも呼ばれるべきものだ。

私は、元教員でいまは一年に何十万ドルも稼いでいるという人に出会うことがある。そういう人たちは教育の分野だけでなく、そのほかの技術も持ち合わせているからこんなに稼げるのだ。彼らは教えることもできるが、セールスとマーケティングの能力も持っている。私はセールスとマーケティングの能力ほど重要な技術はないと思う。たいていの人はセールスとマーケティングの能力を習得するのはむずかしいと思っている。その大きな理由は、拒否されることに対する恐怖だ。コミュニケーションや交渉の仕方がうまくなり、拒否されることに対する恐怖心をコントロールすることができるようになれば、それだけ人生が楽になる。

ベストセラー作家になりたがっていたシンガポールの新聞記者にアドバイスしたのと同じことを、みなさんにもお勧めする。専門を持つことは強みでもあるが弱みでもある。私の友人の中には、天才的な能力を持っているのに、他人とうまくコミュニケーションがとれないために、ほんのわずかの収入に甘んじている人が何人もいる。私はそういう友人には、物の売り方を学ぶために一年だけ時間をとるようにアドバイスする。たとえそのあいだ収入がまったくなくても、コミュニケーションの能力は上がるはずだ。そして、その能力にはかぎりない価値がある。

学習者、売り手、あるいは市場で取引をする人間として有能になることに加えて、よい教師、よい生徒になることも必要だ。本当の金持ちになるためには、「もらう」だけでなく、「与える」こともできなければならない。お金に困っていたり、適職が見つからずに困っている人は、この「まず与えて、次にもらう」ことが欠けている場合が多い。よい生徒でもなく、よい教師でもないから貧乏でいる、という人を私はたくさん知っている。

私の父は二人とも気前のいい人だった。二人とも「まず与えること」をつねに実行していた。教えることは彼らにとって与える方法の一つだった。二人は与えれば与えるほど、多くのものを得た。ただ、お金を与えることに関しては二人のあいだに一つ大きな違いがあった。金持ち父さんは多額のお金を人に与えた。教会や慈善事業に寄付をし、財団を作ってそこにお金を出した。金持ち父さんは、もらうためには与えなければならないことを知っていたのだ。お金を与えることは、巨富を誇る一族の富を維持するための秘訣でもある。だから、ロックフェラーやフォードといった財団があるのだ。富豪の財産の一部をもとに作られたこれらの財団は、彼らの富を増やすと同時に、恒常的にその一部を他人に与え続けるためのものだ。

高い教育を受けた父はいつも、「お金があまったら、それをあげる」と言っていた。問題は、お金があまるなんてことは一度もなかったことだ。だから父は、もっとお金を稼ごうと一生懸命働いた。そして、「与えよ、さらば与えられん」という一番重要なお金の法則を信じることなく、「もらってから与える」という考えにとらわれ続けた。

いまの私のなかには両方の父の考えが同居している。私の一部はたしかに、お金を作るマネーゲームを楽しむ筋金入りの資本主義者だが、それとは別に、私は社会的な責任を担う教師の一面も持っている。教師である私は、「持てる者」と「持たざる者」のあいだのギャップがどんどん広がっていくことを憂えている。私は個人的には、このギャップの広がりの大きな原因は時代遅れの教育システムにあると思っている。

# 実践の書

## 実践その一
# まず五つの障害を乗り越えよう

お金の流れについて学び、その流れの読み方を習得できたからといって、それだけで他人からもらう給料をあてにせずに完全に経済的に自立できるとはかぎらない。その先にまだ障害物が横たわっている場合もある。

お金の流れは読めるようになったのに資産を増やすことができないという人にとって、大きな障害となるものとしては次の五つが考えられる（繰り返して言うようだが、ここで言う「資産」とは多額のキャッシュフローを生む資産、つまり、請求書の支払のためだけに朝から晩まで働き続けるのではなく、思い通りの生き方ができるように自分を解放してくれるだけの現金を生み出してくれる資産を指している）。

1. 恐怖心
2. 臆病風
3. 怠け心
4. 悪い習慣
5. 傲慢さ

## ●第一の障害　お金を失うことに対する恐怖心

失敗するなら若いうちに

私は、お金を失うこと、つまり損をすることが楽しくてたまらないという人にお目にかかったことがない。また、ひと財産築いた人で、そこに至るまでに一度も損をしたことがないという人にもお目にかかったことがない。一方、これまでに投資などで一セントたりとも損をしたことがないという人で、いまお金に困っているという人には数え切れないほど出会っている。

損をするのが怖いのはあたりまえだ。その恐怖はだれもが持っている。金持ちだって同じだ。問題なのは恐怖そのものではなく、それに対する対処のしかただ。つまり、損をしたときにそれにどう反応するかが問題なのだ。失敗に対する対処のしかたが人生に違いを生み出すと言ってもいいだろう。このことはお金に関してだけでなく、人生におけるあらゆることにあてはめることができる。金持ちと貧乏人のあいだの大きな違いは、この恐怖をどのように処理するかにある。

恐怖心を持つこと自体はよいことだ。お金に関するかぎり、臆病になるのもかまわない。それでもまだ金持ちになれる可能性は充分ある。人間はだれだって、あることに関しては勇敢なヒーローでいられる一方で、別なことに関してはどうしても臆病になってしまうということがあるものだ。私の友人の奥さんで救急医療室の看護婦をしている女性は、血を見ると何のためらいもなくてきぱきと行動にとりかかるのに、私が投資の話を始めると耳をふさいで逃げ出してしまう。私の場合は血を見ても逃げたりしない。その場で気を失う。

金持ち父さんはお金に関して人間が持っている異常なほどの恐怖心についてよく知っていた。「世の中には蛇をひどく怖がる人もいれば、損をすることをひどく怖がる人もいる。どちらもいわば理由のない『恐怖症』だ」金持ち父さんはよくそんなふうに言っていた。そして、お金を失うことに関する恐怖症を乗りきる方法はこうだと言っていた。

「もし危険を冒したり心配したりするのがいやだというならば、若いときに始めることだ」

まだ若いときから貯金を習慣づけるようにと銀行が勧めるのはこのためだ。若いときに始めれば金持ちになるのは簡単だ。いまはこのことについて詳しくは説明しないが、二十歳からお金を貯め始めた人と三十歳から貯め始めた人のあいだに差ができるのはあたりまえだ。それもかなり大きな差だ。

「世界の不思議」と呼ばれるものはいくつもあるが、その中の一つは複利の力だと言う人がいる。マンハッタン島は史上最高の「いい買い物」だったとよく言われる。ニューヨークは二十四ドル相当の安物のアクセサリーやビーズ玉と引き換えに売り渡された。だが、この二十四ドルを年利八パーセントの複利で投資していたとしたら、一九九五年までには二十八兆ドル以上になっていたはずだ。これだけのお金があれば、ロサンゼルスの大部分を買い占めた上、残ったお金でマンハッタンを手に入れることができただろう。一九九五年当時の不動産の値段からすれば、これはけっして大げさな話ではない。

私の家の隣の人は大手のコンピュータ会社に勤めている。勤続二十五年になるそうだ。五年後には401k年金プランによって四百万ドルの退職金をもらって会社を辞める。そのお金はいまは主に高利回りの投資信託に投資されているが、隣人は退職したら社債や公債に買い換えるつもりだと言う。つまり、まだ五十五歳の若さでこの隣人は年間三十万ドルの現金収入を自動的に得られるようになる。これは仕事をしていたときの給料より多い。つまり、危険を冒して投資で損をするのがいやで地道にやってきたとしても、このような夢のような生活を手に入れることもできるのだ。だが、そのためには早くスタートを切らなくてはならない。そして、退職後の計画をしっかり立てることが必要だ。また、どんな小さなことでも投資をする際には、適切なアドバイスをしてくれる、信頼のおけるファイナンシャル・プランナーを雇わなければならない。

だが、この隣人のように早いスタートを切らなかったのであまり時間が残っていない、あるいはもっと早くに引退したいという場合はどうしたらよいだろうか？　その場合、損をすることに対する恐怖心をどうコントロールしたらいいのだろう？

貧乏父さんはなにもしなかった。そういった話を話題にするのを避けるばかりだった。

一方、金持ち父さんは私に「テキサス人のようなものの考え方をしろ」とよく言っていた。「私はテキサスも、そこに住む人たちも好きだ。テキサスではなにもかもがほかより大きい。テキサス人は勝つときは大きく勝つし、負けるとなったらとことん負ける」

「テキサスの人は損をするのが好きなんですか？」と私が聞くと、金持ち父さんは次のように答えた。

「そういう意味で言ったんじゃない。損をするのが好きな人間なんていやしない。損をしてうれしいなんていう人がいたらお目にかかりたいものだ。私が言いたいのは、危険や、それに成功したときの褒美、失敗したときの代償といったものに対するテキサス人の態度がほかと違うってことだ。つまり、人生の舵取りのしかたが違うんだ。要するにスケールが大きいんだな。お金に関することになるとゴキブリみたいな生き方をしているこちらの大部分の人間とは大違いだ。ゴキブリは光に照らされるとあわてふためく。店で店員が二十五セントおつりをごまかしたといってはブーブー文句を言うんだ」

金持ち父さんは説明を続けた。

「私が一番好きなのはテキサス人の生き方だ。勝ったときはテキサス人はそれを誇りにするが、負けたときはそれを自慢にする。テキサス人のあいだでは『損をして文無しになるなら、大損をしろ』と言われているくらいだ。だれだって、タウンハウスを一軒売り払っても足りないくらい損をして破産したなんてことを世間に知られたいとは思わない。ここらの大部分の人間は損をするのが怖いので、破産をするにしても売り払うタウンハウスすら持っていないんだ」

金持ち父さんはマイクと私に、人が金銭的に成功を収めることができない最大の理由は、慎重にやりすぎるからだとよく話してくれた。「人は損をするのが怖くて、そのために損をする」というのが金持ち父さんの口癖だった。

もとNFLの名クォーターバックだったフラン・ターケンソンは「勝つこととは、負けを恐れないことを意味する」と言っているが、これも言葉こそ違え同じことを言っている。

私の個人的経験から言うと、多くの場合、勝利は敗北のあとにやってくるように思う。たとえば、私が自転車に乗れるようになるまでには、何度もころばなければならなかった。また、ボールを一個もなくしたことのないゴルファーにお目にかかったこともないし、失恋の経験が一度もなくて大恋愛を実らせたという人にもお目にかかったことがない。そして、前にも言ったように、一度も損をせずに金持ちになったという人にもお目にかかったことがない。

たいていの場合、人が金銭的な成功を手に入れられない最大の原因は、金持ちになる喜びよりも損をする苦しみの方を考えてばかりいるからだ。テキサスにはもう一つ、「だれもが天国に行きたがるが、死にたがる人はいない」という格言がある。世の中の大部分の人が金持ちになることを夢見ているが、損をするのを恐れるあまり何もしない。だから彼らは決して天国に行きつくことはないのだ。

金持ち父さんはテキサスに旅行したときの話をマイクと私によくしてくれた。「危険や損、失敗に対しどのような態度をとるか、そのやり方を本当に学びたいと思ったら、サン・アントニオにあるアラモ砦に行ってみるといい。あそこには、勝ち目がまったくないことを知りながら、砦にふみとどまって戦うことを選んだ勇敢な人々にまつわるすばらしい話が残されている。彼らは降参するよりも死ぬことを選んだ。この話はいろいろなことを考えさせてくれる。くわしく知っておくだけの価値はあるよ。戦いの勝ち負けという点からは、あれはたしかに悲劇的な敗北だった。壊滅させられたんだから。失敗と言われてもしかたがない。彼らは負けたんだ。で、テキサス人は失敗に対してどんな態度を取るんだったかな？　そうだ。テキサス人はいまもこう叫ぶんだ。『アラモ砦を忘れるな！』とね」

マイクと私はこの話を何度も聞かされた。金持ち父さんは自分が大きな取引を前にして気持ちが落ち着かないときに、いつも私たちにこの話をした。やるべきことはすべてやり、いまはもうのるかそるかだ……というときにも、この話をした。また、間違いを犯すことや損をすることを恐れる気持ちがわいてきたときにも、この話をした。この話は金持ち父さんにとって力の源だった。なぜならこの話は、たとえ損をしても、いずれはそれを得に変えることができるのだということを思い出させてくれるからだ。金持ち父さんは、失敗しても、それが自分をより強く、より賢くしてくれることを知っていたのだ。だからといって、金持ち父さんは失敗を望んでいたわけではない。ただ、自分がどんな人間か、損失に対しどのような態度をとることができるかを知っていたのだ。たとえ負けてもそれを受け入れ、勝利に変えるのが彼のやり方だった。これこそが、金持ち父さんとほかの人とのあいだの勝敗を分けた鍵だ。このやり方を知っていたから、ほかの人が尻込みしてしまうところでも前に進むだけの勇気を持てたのだ。

「だからテキサス人が大好きなんだよ。連中は最大の失敗を受け入れ、それを観光名所に変えて大もうけしたんだからな」アラモ砦の話のあと、金持ち父さんはいつもそうつけ加えた。

このように金持ち父さんはテキサス人にまつわるいろいろな話をしてくれたが、その中でいまの私に一番役に立っているのは、次のような言葉だ。「テキサス人は失敗を葬り去ったりしない。失敗によって意気を奮い立たせる。失敗を受け入れ、それを元気の源に変えるんだ。テキサス人は失敗からエネルギーをもらって勝利者になる。だが、このやり方はテキサス人だけにあてはまるわけじゃない。すべての勝利者にあてはまることなんだ」

これは、先ほど、ころぶことが自転車に乗れるようになるための一つのステップだったと言ったのとまったく同じことだ。いまでも覚えているが、私は自転車から落ちてやる気をなくすどころか、そのたびに「ぜったいに乗れるようになってやる」と決意を新たにしたものだ。ボールをなくしたことのないゴルファーにお目にかかったことがないとも前に書いたが、トップクラスのプロゴルファーになるような人にとっては、ボールをなくしたりトーナメントで敗北を喫したりという経験は、「もっとうまくなろう」「もっと練習しよう」「もっと勉強しよう」と気持ちを奮い立たせてくれるものにほかならない。だからこそうまくなるのだ。敗北によってやる気を奮い立たせる者が勝者となり、敗北によって打ち負かされてしまう者が敗者となる。「私はいかなる失敗もチャンスに変えるようつねに努力してきた」というジョン・D・ロックフェラーの言葉も同じことを言っている。

私は日系アメリカ人だが、その立場からちょっと言わせてもらう。多くの人が真珠湾攻撃は日本に急襲を許したアメリカ側の誤りだというが、私はあれは日本の誤りだったと思う。映画『トラ・トラ・トラ!』の中で、日本の海軍将校が急襲の成功にわきかえる部下たちを前に厳粛な顔でこう言う――「われわれは眠れる獅子を起こしてしまった」。事実、この襲撃をきっかけとして「リメンバー・パール・ハーバー」を合言葉にアメリカは奮い立った。そして、アメリカにとって最大の損失であった真珠湾攻撃が勝因へと変わったのだ。大きな敗北がアメリカに力を与え、アメリカはその後間もなく世界の大国として姿を現すことになる。

失敗をこやしにしてやる気を起こす者が勝者となり、失敗によって打ち負かされる者が敗者となる。勝利の最大の鍵はここにある。負けてばかりいる人はこのことを知らない。これこそが、勝者だけが知る勝利の秘訣と言ってよいだろう。だから彼らは負けることを恐れない。フラン・ターケンソンの言葉をもう一度思い出してみよう――「勝つことは負けを恐れないことを意味する」。ターケンソンのような人たちは自分がどんな人間かを知っているので、負けることを恐れない。彼らは負けることが大嫌いだ。だからこそ、たとえ負けてもそれをバネにして自分をいっそう強くする。負けることを「嫌う」ことと、それを「恐れる」ことの間には大きな違いがある。たいていの人はお金を損するのが怖くて、それでなおさら損をする。大きなタウンハウスを手に入れてそのおかげで首が回らなくなる。お金に関するかぎり、彼らはあまりに安全第一にしすぎるし、考え方が小さすぎる。大きな家や大きな車は買うくせに、大きな投資はしようとしない。アメリカの国民の九十パーセントが金銭的な問題をかかえている理由は、勝とうとせずに、損をしないことしか考えていないからだ。

こういう人はファイナンシャル・プランナーや会計士、株式ブローカーに相談し、バランスのとれたポートフォリオを買う。銀行の譲渡性預金（CD）や、低リスク低利子の公債、安全な投資信託などにかなりの金をつぎ込み、公開されている個々の株式の購入にあてる金はわずかだ。これはたしかに慎重で安全な投資のしかたとは言えるが、勝利には決して結びつかない。負けないようにという守りの姿勢のポートフォリオだ。

ここで誤解のないようにちょっと断っておきたい。いま言ったようなポートフォリオはまだましな方で、アメリカ人の七十パーセントのポートフォリオはこれよりひどいかもしれないのだ。これは実に憂えるべき状況だ。たしかに安全だけを考えたポートフォリオでもないよりはましだ。安全を望む人にはそういうポートフォリオが最適だ。だが、安全だけを考え、つねにバランスのとれた投資だけをするというのは、投資で成功する人間のやるやり方ではない。手持ちの金は少ししかないが金持ちになりたいという人にとって必要なのは、バランスをとることではなく焦点をしぼることだ。これは成功を収めている人を見ればすぐわかる。スタートの時点では彼らはバランスのとれたやり方など決してしない。バランスを大切にする人間はどこにも行きつくことはできない。同じところにいつまでもとどまっているだけだ。前に進むにはまずバランスを崩さなければならない。歩き始めるときにどうするか、考えてみたらいい。

## バランスよりも一点集中

トーマス・エジソンはバランスがとれていなかった。一つのことに集中していた。ビル・ゲイツもしかり。ドナルド・トランプもしかり。ジョージ・ソロスもしかり。ジョージ・パットンは自分の指揮する戦車隊を広範囲に少しずつ配置するのではなく、ドイツ軍の手薄なところに集中させて勝利を収めた。対独防衛のために国境に要塞を築きマジノ線を構築したとき、フランスは広くまんべんなく配置する方法をとった。その結果フランスがどうなったかは、みなさんご存知のとおりだ。

もし金持ちになりたいという気が少しでもあるのなら、焦点を絞らなければだめだ。たくさんの卵をごく少ない数の籠に入れる。これが秘訣だ。いつもお金に困っている中産階級の人間がやるようなことをしてはだめだ。つまり、わずかな卵をいくつもの籠に分けて入れるというのではだめなのだ。

損をするのがどうしてもいやなら、安全策をとればいい。損をしたら落ち込むだけという人は、バランスのとれた投資に専念すればいい。二十五歳以上で、リスクを冒すのが怖くてたまらないという人は、これまでの方針を変えずに安全な道を選べばいい。ただし、そうするならばスタートを早く切ることだ。そういう人がお金を貯めるには時間がかかるから、早くから巣に卵をせっせと貯めこまなければいけない。

どんな人であれ自由を夢見ている人、つまり「ラットレース」から解放されたいと思っている人は、まず自分にこう聞いてほしい――「失敗に対して自分はどのように反応するだろうか」と。失敗をバネにやる気が出せるという人は、失敗を恐れずにやってみるのがいいかもしれない。ただし、私が言えるのは「かもしれない」というところまでだ。一方、失敗したら落ち込む、やる気をなくす、頭にくる（何でも自分の思う通りにならないと、すぐに訴訟を起こすような甘えた人間がその例だ）という人は安全第一で行くのがいい。会社に勤め続け、公債や投資信託を買うくらいにしておく。だが、ここでも次のことは覚えておいてほしい。それは、たしかにこういった方法はリスクの高いやり方より安全ではあるが、それでもいくらかの危険はともなっているということだ。

テキサス人の話からフラン・ターケンソンの話まで持ち出してこれまでいろいろ言ってきたのは、資産の欄を充実させるのが、あなたが思っているほどむずかしくはないことをわかってほしかったからだ。たいした才能もいらない、ちょっとしたゲームにすぎない。教育だってそれほどいらない。小学校の五年生の算数で充分だ。ただし、特別な才能はいらないが心構えが肝腎だ。やる気、忍耐が必要だし、失敗に対して堂々たる姿勢をとれなければだめだ。負ける人は失敗を避けようとして負ける。だが実際は、失敗は敗者を勝者へと変える。アラモ砦を忘れるな！

### ●第二の障害　悪いほうにばかり考えて臆病になる

#### 騒音に耳を傾けない

「空が落ちてくる。空が落ちてくる」と叫びながら裏庭をかけ回り、世界の終わりが近づいていると大騒ぎをした「チキン・リトル」の話は多くの人が知っている。また、だれでも自分のまわりに一人くらいはチキン・リトルのような人がいる。あるいは、人間はみなチキン・リトル的な面を持っていると言ってもいいだろう。臆病風は人間の持つこのチキン・リトル的な側面にほかならない。人はだれでも、恐怖や疑いの気持ちに惑わされて、臆病になる。

私たちはみな疑いの気持ちを持っている。「私は頭がよくないのではないか?」「有能ではないのではないか?」「あの人の方が私よりできるのではないか?」といった疑いだ。そして、これらの疑いのために萎縮してしまって何もできなくなることが多い。何もしないまま、「もし……になったらどうしよう?」と果てしなく考えるのだ。「もしこの投資をしたあと、経済がめちゃくちゃになったら……」「もしなにかが起こって、借金を返せなくなったら……」「もし計画通りにことが運ばなかったら……」――答えのない問いは果てしなく続く。

あるいは、頼みもしないのにこちらの欠点や弱点を指摘してくる友達や家族がいるというのもやっかいだ。そういう友達や家族は、「なんでそんなことができるなんて思うんだい?」とか、「そんなにうまい話だったらみんながそうしているはずじゃないか」「そんなことしたってうまくいきっこない。きみには何もわかっていないよ」などと言ってくる。身近な人からこのような疑いの言葉をひっきりなしに聞かされて、何もできなくなることもよくある。そういうことを言われ続けると、いやな思いが胸のあたりにたまってきて、眠れなくなることもある。そうなると前には進めない。だから安全なやり方を変えず、チャンスをみすみす逃してしまう。胸にしこりを抱えながら、何もできずに座ったまま人生が過ぎていくのをながめていることになるのだ。人間はだれもが人生で一度はそういう経験をするし、なかには何度もそんな経験をする人もいる。

全米ナンバーワンのファンドマネジャーと呼ばれるピーター・リンチに言わせれば、空が落ちてくるなどという警告は「騒音」に過ぎず、だれもがあちこちで耳にするものだ。

「騒音」には二つの種類がある。一つは私たちが頭の中で勝手に作り出した騒音、もう一つは外から聞こえる騒音だ。この二つめの騒音は多くの場合、友人や家族、仕事仲間、マスコミなどからもたらされる。リンチは一九五〇年代、核戦争の危機がとりざたされて、人々が放射能よけのシェルターを作って食料や水を買いだめしたときのことをよく引き合いに出す。あのときシェルターなど作らず、そのための費用を投資に回していたら、いまごろはもう、他人からもらう給料などあてにしないでよい、経済的に独立した状態になっていただろうと言うのだ。

数年前、ロサンゼルスで暴動が起きたとき、全国的に銃の売上がぐんと伸びた。ワシントン州で「レア」に焼いたハンバーガーのせいで一人死者が出たときには、アリゾナ健康局がレストランに対し、牛肉はすべて「ウェルダン」にするように指示を出した。また、ある年の二月、製薬会社が全国ネットのテレビで、インフルエンザにかかっている人々の様子を含んだコマーシャルを放映したときには、そのあと風邪薬の売上が伸びただけでなく、実際に風邪をひく人の数そのものが増えたという話もある。

世の中にお金に困っている人が多いのは、投資に関することとなると、「空が落ちてくる、空が落ちてくる」と根も葉もない警告を発して騒ぎ立てるチキン・リトルのようになってしまう人がたくさんいるからだ。人はだれでも心の底にチキン・リトル的な側面を持っているから、外からのチキン・リトルの脅しにまんまと乗ってしまう。世界の終わりだの、株暴落といった不吉なこと、破滅的なことに関する噂や根も葉もない話に惑わされて疑いを持ったり、恐怖を感じたりしないでいるには大きな勇気が必要だ。

## 不動産を買ったあと臆病風に吹かれることはよくある

一九九二年、リチャードという名の友人が私と妻を訪ねて、ボストンからフェニックスまではるばるやってきた。リチャードは私たちがそれまでに株と不動産の運用によってかなりの成果をあげていることを知っていて、同じようにしたいと思っていたのだ。当時、フェニックスの不動産の価格は低迷していた。私たちは二日かけて、キャッシュフローと資本評価の面から見て大きな可能性を持つと思われる物件をリチャードに見せた。

妻と私は他人に不動産を斡旋して手数料をとる不動産業者ではない。不動産は私たちにとって投資の対象だ。リゾート用に開発された集合住宅の一つを訪れたあと、私たちはその物件をあつかっている不動産屋に連絡をとった。リチャードはその日の午後、その物件の購入を決めた。寝室が二つあるタウンハウスで、値段はたったの四万二千ドルだった。相場で言えば六万五千ドルはするだろうという物件だった。リチャードはいい買い物をしたと大喜びで契約をすませてボストンに帰っていった。

二週間後、同じ不動産屋が私のところに電話をしてきて、リチャードが解約してきたと教えてくれた。私は理由を確かめるためすぐにリチャードに電話をかけた。リチャードが言うには、隣人に話をしたら割に合わない買い物だと言われたのだそうだ。つまり高すぎるというのだ。

私はリチャードに、「その隣人というのは投資家なのか?」とたずねた。リチャードは「そうじゃない」と答えた。「じゃ、なぜその人の言うことを聞くんだ?」と私が聞くと、リチャードは弁解がましく、もう少しほかの物件も見てみたいのだとだけ言った。

その後フェニックスの不動産市場は底をうち、上向きに変わった。そして一九九四年にはリチャードが買い損ねたタウンハウスはふつうの月で千ドル、シーズンの冬には二千五百ドルで貸し出された。そして、一九九五年にはその売値は九万五千ドルまで跳ねあがった。三年前にリチャードに必要だったのは頭金の五千ドルだけだった。それさえ払っていれば、「ラットレース」から抜け出すためのすばらしいスタートを切れたはずなのだ。リチャードはいまでも、現金を生む資産となるものは何も持っていない。いまからでも遅くはない。以前より見つけるのがむずかしくなってはいるが、フェニックスにだってまだ「いい買い物」が残っている。

リチャードが最後になって尻込みをした気持ちはわかる。何かを買ったあとで後悔することはだれにでもある。その感情には「買い手の後悔」という名までついている。買うことを決めてからさまざまな疑いが忍び寄ってきて、私たちを悩ませる。その結果チキン・リトルが勝利を収め、金銭的な悩みから解放されるチャンスを失う。

もう一つ例をあげよう。私はわずかだが資産の一部を譲渡性預金ではなく、タックス・リーエン証券(税金滞納のために差し押さえられた不動産を投資対象とした証券)で持っている。年利率は十六パーセントで銀行の五パーセントよりずっといい。この証券は不動産によって保証されており、州の法律に従って売られている。これらの条件も経営不振の多くの銀行よりずっといい。つまり証券を買う際の手続きがしっかりしているので、そのために安全が保証されているようなものだ。実際のところ、譲渡性預金との違いは流動性に欠けることくらいだ。だから、私はこの証券を二年から七年ものの譲渡性預金だと思っている。

私がタックス・リーエン証券を持っていると話すとほとんど決まって——その人が自分のお金を譲渡性預金にしているときはとくに——「それはリスクが大きすぎる」と言われる。そして、そうすべきではない理由を説明される。私がその情報の出所を聞くと、友達から聞いたとか、投資に関する雑誌で読んだといった返事が返ってくる。つまり、自分ではやってみたことがないくせに、やっている人に向かって「そんなことをすべきではない」理由を述べ立てるというわけだ。最悪の場合でも年率十六パーセントだというのに、疑いの気持ちに支配された人たちはその事実を見ようとせず五パーセントの年率に甘んじている。疑いは高くつくものだ。

ここで私が言いたいのは、多くの人がお金に困った状態から抜け出せず、安全策しかとれないでいる大きな理由は、疑いの気持ちと臆病風のせいだということだ。本当は思いきってやれば金持ちになることは簡単なのに、疑いの気持ちのおかげでいつまでも貧乏のままでいる。前にも言ったように、「ラットレース」から抜け出すことは技術的には簡単だ。高い教育もいらない。それなのに多くの人がそれをしないのは、この疑いの気持ちのせいなのだ。

「臆病な人間は決して勝者にはなれない」金持ち父さんはよくそう言っていた。また、次のようにもよく言っていた――「根拠のない疑いや恐怖が臆病な人間を作る。臆病な人間は批判をし、勝利を収める人間は分析をする」。金持ち父さんの説明によれば、批判が人の目を見えなくする一方、分析は人の目を開いてくれる。分析をする勝者には、批判ばかりをしている人間に見えないものが見え、また、ほとんどの人が見逃してしまうチャンスが目に入る。人が見逃してしまうものを見つけること、これこそが、どんなことにおいても成功の秘訣だ。

経済的な自立、あるいは自由を求める人にとって、不動産は投資のための強力な道具、ほかの投資とは比べものにならないすぐれた道具だ。それなのに、私が不動産を投資の道具にしていると言うと、たいていの人が「トイレの修理をするなんてごめんだ」と言う。これこそピーター・リンチ言うところの「騒音」、金持ち父さん言うところの「臆病者のたわごと」だ。そんなことを言う人は批判ばかりしていて分析をしない人だ。疑いや恐怖のために心を閉ざし、目を開けようとしない人だ。

だから、私は「トイレの修理なんてごめんだ」と言う人にはこう反論する。「私がトイレの修理をしたいと思っているなんて、きみはいったい何を根拠にそんなことを言うんだ?」と。彼らは、本当に求めているものより、トイレの方が大事だと言っているようなものだ。私が「ラットレース」から解放されるための方法について話しているのに、彼らの最大の関心事はトイレというわけだ。このような思考パターンが多くの人を金詰りの状態に閉じ込めている。分析をせずに批判ばかりしていては進歩はない。

「『いやだ』という気持ちが成功の鍵を握っている」金持ち父さんはよくそう言っていた。

私だってトイレの修理をするのはいやだ。だから私の代わりに修理してくれる不動産管理人を必死でさがす。一戸建てやアパートの管理をきちんとやってくれる管理人が見つかれば、現金収入の道が開けたも同然だ。実のところ、よい管理人を見つけることが不動産で成功する秘訣とも言える。私にとっては不動産そのものよりも、よい管理人を見つけることの方が大切だ。優秀な不動産管理人の方が不動産屋よりも早く掘り出し物の物件の情報を手に入れる場合もよくある。そうなると管理人はさらに貴重な存在となる。

「『いやだ』という気持ちが成功の鍵を握っている」という言葉の意味はこれでおわかりいただけたと思う。私だってほかの人と同様にトイレを修理するのはいやだ。だから、何とかして自分でそれをせずにより多くの不動産を手に入れ、「ラットレース」から抜け出す方法を考え出した。「トイレの修理なんてごめんだ」と言うばかりで何もしようとしない人たちは、不動産という強力な投資の手段を頭から否定する。彼らにとっては経済的な自由よりもトイレの方が大事なのだ。

### 株式投資にも分析がものを言う

株への投資の話をすると「私は損をしたくないから」と言う人がよくいる。そう言う人は、この世の中に損をするのが好きな人がいるとでも思っているのだろうか。私を含めて、だれだって損をするのはいやだ。だが、「損をしたくないから」と言う人が金持ちになれないのは、損をしない方法を選んでいるからにほかならない。彼らは分析をする代わりに心を閉ざし、不動産と並んで強力な投資の手段である株式市場にチャンスを与えることすらしない。

一九九六年十二月、私は近所のガソリンスタンドの前を友人と二人で車で通った。友人はガソリンの値段の表示を見て、それが最近値上がり傾向にあることに気づいた。心配性というか「チキン・リトル」タイプのこの友人は、いつも空が落ちそうで、しかも自分めがけて落ちてくると信じていた。

家に戻ると、この友人は今後数年のあいだに石油価格が高騰する理由を裏付ける統計を次々に見せてくれた。当時私はある石油会社の株を相当持っていたが、その私すら見たことがないような統計だった。その情報をもとに、私はすぐに調査を開始し、新たに油田を開発しようとしている石油会社で、まだ評価が低い会社を見つけ出した。そして、一株六十五セントの株を一万五千株購入した。

それから二カ月後の一九九七年二月、私はまたこの友人と同じガソリンスタンドの前を通った。たしかに友人の言った通りだった。ガソリンの値段は一ガロンあたり十五パーセント近く上がっていた。「チキン・リトル」はまた眉をひそめてぐちをこぼした。私はにこりとした。なぜなら、その前月に例の小さな石油会社が新しい油田を発見し、友人からヒントをもらって私が購入した一万五千株は一株につき三ドル以上あがっていたからだ。そして、友人の言うことがまた正しければ、ガソリンの価格は上がり続けるはずだった。

チキン・リトルは分析をしないで心の扉を閉める。株式投資に際して「逆指値」というのがどのように働くかが世の中にもっと知れ渡っていれば、損をしないことばかり考えながら投資するのではなく、儲けるために投資する人がもっと多いはずだが、残念ながらこのことはあまり知られていない。「逆指値」というのは単純なコンピュータのコマンドで、株価が下がりはじめたら自動的に株を売り払うことを指示するものだ。こうすれば損は最小限に押さえられ、もうけを最大にすることができる。「損をするのは絶対にいやだ」という人には絶好の手段ではないだろうか。

「いやだ」という気持ちに惑わされない

「……はいやだ」という気持ちにばかりとらわれていて、本当に自分がやりたいこと、ほしいものを忘れてしまっている人たちを見るたび、私は「ああ、この人たちの頭の中ではずいぶん騒音がひどいのだな」と思う。チキン・リトルが頭のなかを占領していて、「空が落ちてくる！　トイレがこわれる！」と叫び回っているのだ。だから、自分のやりたくないことをやらなくてすむ方法をとる。だが、そのために支払われる代価は大きい。人生で自分が最も得たいと思っているものが得られないかもしれないのだから。

金持ち父さんは人のなかに巣食うチキン・リトルへの対処法を教えてくれた。それは「ケンタッキー・フライド・チキンの創始者カーネル・サンダースがやったことをやりさえすればいい」というものだった。サンダースは六十六歳のときに事業に失敗し生活保護を受けるようになった。しかし、それだけでは生活はやっていけなかった。そこで、自分が考え出したフライド・チキンの作り方をだれかに買ってもらおうと全国を回った。そして、千九回断られ、やっと千十回目に買ってくれる人を見つけた。その結果、サンダースはたいていの人が引退生活に入る頃になって大富豪への道を歩み出した。「彼は勇気と根気を持っていた」

──金持ち父さんはサンダースについてそう言っていた。

つまり、疑いの気持ちが頭をもたげ、臆病風が吹いてきたなと思ったら、カーネル・サンダースがやった通りのことをすればいいのだ。サンダースはチキン・リトルをから揚げにして、それを商売にしてしまったのだから！

## ●第三の障害　忙しいことを理由に怠ける

忙しい人が一番の怠け者

世の中には、忙しい人間が一番怠けているということがよくある。お金を稼ぐためにせっせと働いていたビジネスマンが仕事以外のことを怠けたために道をあやまった……といった話を耳にしたことのある人は多いだろう。妻と子供に楽な暮らしをさせてやろうとせっせと仕事をし続けるビジネスマンの話だ。男は朝早くから夜遅くまで会社で働き、週末には家にまで仕事を持ち帰る。そして、ある日、いつものように会社から帰ると家にはだれもいない。妻が子供を連れて家を出て行ってしまったのだ。妻とのあいだがかならずしもうまくいっていないことは男にもわかっていた。だが、二人の関係を修復するために努力をするよりも、仕事で忙しくしている方を男は選んだのだ。家族を失い、落胆した男の仕事の業績はがた落ちになり、結局男は仕事も失う。

近頃私がよく出会うのは、忙しすぎて自分の財産に注意を払うことを怠けている人たちだ。自分の健康に注意を払うことを忘れている人もいる。どちらの場合も理由は同じ――忙しいからだ。こういう人たちがいつまでも忙しい状態を続けるのは、自分が真正面から立ち向かわなくてはならない問題を避けるためにほかならない。そのことを彼らに指摘してやる必要はない。心の奥底では自分でもわかっているのだから。それを証明するには、彼らに面と向かって言ってやればいい。そうすると、彼らは「そんなことはない」と真っ赤になって怒り出したり、不機嫌な表情になったりするだろう。

彼らが忙しい理由は仕事だけではない。子供もその理由になる。また、テレビを見たり、釣りをしたり、ゴルフをしたり、買い物をしたりといったことで忙しいということもある。でも、口では「忙しい、忙しい」と言いながらも、心の底では自分が何か大切なことを避けようとしているのだということがわかっている。こういうのが最もよく見かけられる「怠慢」の形だ。つまり、忙しい状態を続けることで怠け続けるという形だ。

## 怠け心につける薬は欲張り心

それではこの「怠け心」を解消するにはどうしたらいいだろう？　その鍵はちょっとした「欲張り心」にある。

私たちの多くは欲張ったり、ないものねだりするのはよくないことだと言って育てられてきた。私の母もよく「欲張るのは悪いことよ」と言っていた。だが、だれでも心のなかには、「すてきな物がほしい」「新しい物がほしい」「もっとわくわくするようなことをやってみたい」などという欲望を持っている。だから、親たちは子供のそのような欲望を抑えるために罪の意識をよく利用する。

母がよく使ったのは「あなたは自分のことばかり考えているのね。弟や妹がいることを忘れたの？」という言葉だった。父の常套句は「何を買ってほしいんだって？　お金が天から降ってくるとでも思っているのかい？　木にお金がなっているとでも言うのかい？　おまえにもわかっているはずだ。うちはそんな金持ちじゃないんだ」

私の心に深く根を下ろしたのは、そういった親の言葉自体ではなく、それによって植えつけられた罪の意識だった。

あるいは罪の意識を裏返した言葉が親の口から出ることもある。つまり、「おまえたちにこれを買ってやるために私は自分の人生を犠牲にしている。おまえたちにこれを買ってやるのは、私が子供のときこんなふうにしてもらえなかったからだ」といった言葉だ。

私の家の近所に、ほとんど文無しのくせに、子供のためのおもちゃでガレージがいっぱいで車を中に入れられないという人がいる。その家の子供はほしいものは何でも買ってもらっている。家の主はいつも「ほしいものがあるのに手に入らないという気持ちを子供に持たせたくないのだ」と言い、子供の教育資金や自分たちの引退後の生活のためのお金を貯めることもせずに、せっせと子供におもちゃを買い続けている。最近、新しいクレジットカードが送られてきたからと言って、子供をラスベガスまで連れて行った。「あれもこれも子供のためを思ってやっているんだ」とその人は言う。だが、この人が支払っている代価は大きい。

金持ち父さんは「それを買うお金はない」という言葉を口にしてはいけないと教えてくれた。貧乏父さんがいた私の家では、耳にするのはこの言葉ばかりだった。金持ち父さんは「それを買うお金はない」と言う代わりに「どうやったらそれを買えるようになるか?」と子供たちに自問させた。金持ち父さんに言わせるとその理由は、「それを買うお金はない」という言葉が脳の働きを止めてしまうからだ。つまりそう言ってしまえばそれ以上考えなくてすむ。一方、「どうやったら……?」という問いは脳を働かせる。答えを探すために脳は考えざるを得なくなるのだ。

しかし、それより重要なのは、金持ち父さんが「それを買うお金はない」という言葉は嘘だと感じていたことだ。そして、「人間の魂はそのことを知っている」と思っていたのだ。金持ち父さんはよく「人間の魂というのはひじょうに強いものだ。魂自身は自分が何でもできることを知っている」と言っていた。だから、怠け心に負けて「それを買うお金はない」と言った瞬間、人間の中で戦いが始まる。魂は「そんなことはない!」と言って怒り出す。怠け心は自分のついた嘘をなんとか弁護しなければならない。こういうことはよくある。たとえば、魂が「さあ、ぐずぐずしていないで。ジムに行って運動をしよう！」と叫ぶ。すると怠け心が言う。「でも、私は疲れているんだ。今日は仕事がたいへんだったんだ……」また、こういうこともある。魂が「もう貧乏暮らしにはあきあきした。ここから抜け出して金持ちになるぞ」と言うと、怠け心が「金持ちなんてのは欲張りな人間がなるんだ。それに、金持ちになるなんてたいへんだ。危険もともなうし、損をするかもしれない。いまだって一生懸命働いている。どっちにしろこれ以上なにかやる余裕はない。今夜やらなくちゃいけないことだけだって手一杯なんだ。明日までにすませておくように上司から言われているんだから」と言う。

そのほかにも、「それを買うお金はない」という言葉には人を悲しい気持ちにさせるという悪影響がある。自分の無力を感じ、その気持ちが失望へと成長したり、落ち込みの原因になることもよくある。また無感情状態におちいるという場合もある。つまり、「どうやったらそれを買えるようになるか？」と考えることは可能性を開き、わくわくした気持ちや夢を持つことにつながるのに対し、「それを買うお金はない」と決めつけてしまうことは、そういった感情を殺してしまうことになる。金持ち父さんは私たちが「買いたい」と思ったその対象が何かはあまり気にしなかった。金持ち父さんにとっては「どうやったらそれを買えるようになるか？」という言葉によって精神を鍛え、魂を活性化させることの方が大切だったからだ。

だから、金持ち父さんはマイクや私に物をくれるということはほとんどなかった。その代わり、「どうやったらそれを買えるようになるかな？」と質問してきた。「それ」の中には大学進学も入っていた。私たちは二人とも自分で稼いだお金で大学を卒業した。金持ち父さんが私たちに学んでほしいと願っていたのは、目標を達成すること自体ではなく、それを達成するまでのプロセスだったのだ。

## 欲張り心に罪の意識を持たない

いま私が問題だと感じるのは、自分の欲張り心に対して罪の意識を感じる人がおおぜいいることだ。子供の頃からそう感じるように条件付けられてきたことがその原因だ。少しでもよいものがほしいというのは自然な気持ちなのに、多くの人は「ぜいたくだ」とか「そんなもの、いつになったって買えるわけがない」などと感じるように無意識に条件付けられている。

ラットレースから抜け出そうと決心したとき、私がしたのは、たった一つ質問をすることだった。つまり「二度と働かなくてすむ状態を手に入れるにはどうしたらよいか?」と自問したのだ。すると、私の頭にいろいろな解決法が浮かんできた。あのとき一番むずかしかったのは、私の本当の両親がいつも言い続けていた「それを買うお金はない」という言葉に打ち勝つことだった。ほかにも「自分のことばかり考えるのはやめなさい」「ほかの人のことも少しは考えなさい」など、欲張り心を押し込めるために罪の意識を芽生えさせるさまざまな呪文と戦わなければならなかった。

前にも言ったように、怠け心に打ち勝つには、ほんの少し欲張りになればいい。それはちょうど、心のなかのWII-FMラジオに耳を傾けるようなものだ。WII-FMというのはWhat's In It-For Me(こうだったら自分にとってどんなプラスがあるか?)という言葉の頭文字をとったものだ。つまり、人には、いま自分のやっていることをちょっとやめて、たとえば「もし私が健康で、セクシーで、ハンサム(あるいは美人)だったら、どうなるだろう?」などと考えてみる必要があるということだ。「もしこれから一生働かないで暮らせるとしたら、どんな人生になるだろう?」「ほしいものがすべて手に入るだけのお金を持っていたら、私は何をするだろう?」……質問はどんな形でもいい。大事なのはほんの少し欲張りになることだ。その欲張り心、何かいまよりよいことを求める気持ちがなければ、決して進歩もない。私たちがみなよりよい生活を求めているからこそ世界は進歩する。新しいものが発明されるのもそのためだし、私たちが学校へ行って勉強するのもそのためだ。だから、心では「本来はこうあるべきなのに」とわかっているのに、それを避けている自分に気づいたときにはいつも、「それをしたらどんなプラスがあるだろう?」と自問しよう。そして少し欲張りになることだ。それこそが怠け心につける最良の薬なのだから。

ただし、何でもやりすぎはよくない。欲張りすぎるのもだめだ。だが、映画『ウォール街』でマイケル・ダグラス扮する主人公が言った言葉は心に止めておく価値がある――「欲張ることはよいことだ」。また、私の金持ち父さんは「欲張ることよりも、それに関して罪の意識を持つことの方がよくない」とよく言っていた。その理由は、罪の意識が、欲望から生み出される健全な精神を骨抜きにしてしまうからだ。個人的には私は、ルーズベルト大統領夫人で「世界人権宣言」の起草に力をつくしたエリノア・ルーズベルトの、次のような言葉が一番要点をついているように思う。それは「自分の心に聞いて『正しい』と思うことをやることだ。なぜなら、いずれにせよ批難を受けることになるのだから。たとえ何をしようと、また何もしなくても、文句を言われる」というものだ。

## ●第四の障害　自分への支払を後回しにする悪い習慣

人間の行動は習慣によってコントロールされている

人間の生き方はその人が受けた「教育」よりもむしろ「習慣」の影響を強く受ける。私の友人の一人はアーノルド・シュワルツェネッガー主演の映画『コナン・ザ・グレート』という映画を見たあと、「シュワルツェネッガーのような身体になれたらいいなあ」と感想をもらした。その場に居合わせた男たちのほとんどが「そうだ、そうだ」とうなずいた。

「シュワルツェネッガーの身体は前は貧弱で、ぎすぎすだったって話を聞いたことがあるよ」別の友人がそう付け加えた。

「ああ、その話はぼくも聞いたことがある」また別の友人が続けた。「毎日ジムでトレーニングをするのが習慣になってるって話だ」

「ああ、そうじゃなきゃあの身体は無理だよ」

「そんなことないさ」何にでもけちをつけないと気がすまない友人の一人が口をはさんだ。「シュワルツェネッガーは生まれつき素質があったに決まってる。ぼくたちには無理さ。そんなことよりいつものようにビールにしよう」

この話は人間の行動が習慣によってコントロールされていることをよく示している。私は金持ち父さんに、金持ちがどんなことを習慣にしているのかたずねたことがある。いつものように、金持ち父さんはすぐに答えを与えるのではなく、実際の例を通して学べるように話をしてくれた。

## 自分にプレッシャーをかけて原動力にする

「きみのお父さんはいつ、請求書の支払をするかい?」金持ち父さんが聞いた。

「毎月一日です」

「払ったあとお金は残っているかい?」

「ほんの少しだけ」

「きみのお父さんがいつもお金に困っている最大の理由はそれだよ。悪い習慣にどっぷりつかっている。まずほかの人への支払をすませて、最後にいくらか残ったら、そのときはじめて自分に支払をしているんだ」

「お金が残るなんてことはほとんどありません。でも、請求書は払わないわけにいかないでしょう？　それとも、払うべきじゃないって言うんですか？」

「もちろん払わなくちゃいけないよ。請求書の支払を期日通りにすませることは大事だ。私だってそうしている。でも、私はほかの人への支払をする前に自分に支払うんだ。ほかの人っていうのには政府も入る」

「でも、お金が足りなかったらどうなります？　そうしたらどうするんですか？」

「同じことだよ。たとえお金が足りなくても自分自身への支払をまずする。自分の資産の欄は政府よりもずっとずっと大事だからね」

「でも、そんなことをしたら政府に追いかけられませんか？」

「ああ、もし税金を払わなければね。いいかい、私は政府に払わないとは言っていない。ただ、たとえお金が足りなくても自分への支払をまずすませると言っただけだ」

「でも、どうしたらそんなことができるんですか？」

「『どうしたらできるか』じゃなくて、『なぜそうするか』っていうのが問題なんだよ」

「わかりました。じゃ、なぜそうするんですか？」

「原動力を得るためだよ。支払わなかったらうるさく文句を言ってくるのはどっちだと思うかい？　きみ自身かい？　それともきみにお金を貸している人？」

「お金を貸している人の方が自分よりうるさく言うに決まっています」そんなことあたりまえだと思いながら私は答えた。「自分に払わなくったって、自分じゃなにも言いませんよ」

「じゃ、わかるだろう。自分に対してまず支払をしたとすると、そのあと、自分がお金を借りている人や税務署に対して支払をしなければいけないというプレッシャーが強くて、なんとか新たな収入の道を見つけようとがんばることになる。『支払わなくてはいけない』というプレッシャーが原動力になるんだ。そして、お金を借りている相手がうるさく言ってこないようにと、よぶんな仕事をしたり、新しい会社を興したり、株の売買を始めたりするようになる。私はそうやってきたんだよ。そのプレッシャーのおかげで私はより一生懸命働くようになり、必死で考えるようになった。そして、そういったことを続けるなかで私はお金に関してより賢くなり、より多くの行動力を持てるようになったんだ。もし自分に対する支払を最後にしていたら、プレッシャーも感じなかっただろうが、その代わり文無しになっていたと思うよ」

「つまり、政府やそのほかの人たち、あなたがお金を借りている人たちを恐れる気持ちが原動力になるっていうわけですか?」

「そのとおりだ。いいかい、税金を取りたてる役人たちはガキ大将のように弱い者いじめをする。税金だけじゃなくて、借金を取りたてる人間というのはだいたいそうだ。たいていの人はこのガキ大将に抵抗することなく降参してしまう。彼らに対する支払はするが、自分には何も払わない。やせっぽちの弱虫が顔に砂をかけられるって話はきみも知っているだろう?」

私はうなずいた。「ウェイト・リフティングとボディ・ビルディングの広告でしょう? 漫画雑誌でよく見ますよ」

「たいていの人はいじめっ子が砂を蹴ってそれが顔にかかってもだまっている。私は違う。いじめっ子に対する恐怖心を利用して自分を強くするんだ。ほかの人はいじめっ子のせいで弱くなる。ほかの人に支払うためにどうしたらよぶんなお金を作ることができるか……それを考えるように自分にプレッシャーをかけるのは、ジムに通って身体を鍛えるのと同じだ。お金に関する『筋力』を鍛えれば鍛えるほど私は強くなる。いまではいじめっ子なんてくそくらえだ」

金持ち父さんの言っていることはなかなかおもしろそうで、私はおおいに気に入った。「つまり、自分に対する支払を先にすれば、お金に関して自分が強くなるってことですね。頭も鍛えられ、実際にお金も儲かる……」

金持ち父さんは大きくうなずいた。

「で、反対に自分に対する支払を最後にすると自分が弱くなる。会社の上役や、税金や借金の取り立て人、家主なんかに一生追いかけ回されることになる。それもこれも、お金に関してよい習慣を身につけていないというだけの理由なんですね」

金持ち父さんはまたうなずいた。「あのやせっぽちの弱虫みたいにね」

## ●第五の障害　無知を隠すために傲慢になる

傲慢さというのはエゴに無知が加わったものだ。

「知識が私にお金を儲けさせてくれる。無知はお金を失わせる。傲慢さが頭をもたげてくると、いつも私は損をした。なぜなら、傲慢な気持ちでいるときは、自分が知らないでいることは大して重要じゃないと本気で信じているからだ」金持ち父さんは私によくそう言っていた。

私はこれまでの経験から、自分の無知を隠すために傲慢さを利用する人がたくさんいることを学んだ。とくに、財務報告書を前に会計士やほかの投資家たちと話をしているときによくそのことを実感する。

会計士や投資家たちはわけ知り顔にまくし立てる。彼らが自分でも何を言っているかわかっていないのは私の目には明らかなのに……。彼らは嘘をついているわけではないが、本当のことを言っているわけでもない。

お金の世界、金融や投資といったことに関わっている人たちの中には、自分で何を言っているのかまったくわかっていない人がおおぜいいる。お金に関わる業界の人の大部分は、中古車のセールスマンのように口からでまかせの売り込み文句を言っているだけだと言ってもいい。

あることについて自分は知らないと気づいたら、その分野の専門家をさがすか、それについての本を見つけるかして自分で自分を教育し始めることが大切だ。

## スタートを切るための十のステップ

実践その二

「金持ちになるのは簡単だった」そう言えたらどんなにいいだろう。でも実際はそうではなかった。だから、「まずなにをしたらいいのですか？」と聞いてくる人に対して私ができることといえば、私が毎日繰り返している思考のプロセスをお話しすることくらいだ。だが、実際のところ、割のいい取引を見つけるのは簡単だ。それは断言してもいい。お金を儲けるのは自転車に乗るのによく似ている。自転車の場合、はじめはふらふらしたり倒れたりするが、しばらくするとごく簡単に乗れるようになる。ただ自転車はかならずだれでも乗れるようになるが、金もうけの場合は最初にふらふらする時期を乗り越えるのがむずかしく、だれでも簡単に目標を達成するわけではない。その時期を乗り越えるかどうかは、その人の決意の強さによる。

何百万ドルものお金が儲かる絶好のチャンスをものにするには、お金に関する才能が必要だ。私は人間はだれもがお金に関する才能を持っていると思っている。めんどうなのは、この才能はお呼びがかかるまでじっと寝ていることだ。その理由は、お金に対する愛情を諸悪の根源ときめつける文化の中で育ち、そう信じるように教え込まれてきたからだ。この文化は「職業を身につけお金のために働く方法を学ぶのが一番いい」と言うばかりで、お金を自分のために働かせる方法は教えてくれなかった。それどころか、「将来のお金の心配はしなくていい、しっかり勤め上げたあかつきには会社か政府がめんどうをみてくれるから」などというたわごとを私たちに吹き込み続けた。最終的にその「つけ」を払うはめになるのは、いまも私たちと同じ教育システムのなかで教育を受けている私たちの子供だ。学校で子供たちに伝えられるメッセージは私たちのときと変わらない——一生懸命働いてお金を儲け、それを使う、お金が足りなくなれば借りる……。

残念なことに西側世界の九十パーセントがいま言ったような考えにとりつかれている。その理由は簡単だ。仕事を見つけてお金のために働くことの方が楽だからだ。そんな大部分の人間と自分は違うと感じている人は、これからお話しする十のステップを実践すれば、かならず「お金に関する才能」を目覚めさせることができるだろう。このステップは私自身がたどってきたものだ。その中のいくつかでもやってみようという気になれば、それはそれでけっこう。もし、どれもピンとこないのなら、独自の方法を編み出せばいい。眠っているお金に関する才能が、きっとあなた独自の「十のステップ」を生み出す手助けをしてくれるだろう。

ペルーにいたとき、四十五年間金《きん》を掘り続けているという男に、どうして金鉱が見つかると確信が持てるのかたずねたことがある。その人は「金《きん》はどこにでもあるんだ。多くの人にはそれが見えない。そのための訓練を受けていないからね」と答えた。

このことは金儲けにもあてはまる。不動産を例にとろう。私は一日歩き回っただけで、掘り出し物の物件を四つや五つ見つけることができる。たとえ同じ地域を歩き回ったとしても、ふつうの人は一つだって見つけられないだろう。その理由は、ふつうの人が「お金に関する才能」を開花させるための労力を惜しんでいるからだ。

あなただけが活用することのできるこの天賦の才能を開花させるための十のステップをこれからお教えしよう。

## ❶強い目的意識を持つ──精神の力

もしだれかに、金持ちになりたいか、あるいは金銭的な心配がまったくない状態になりたいかとたずねたら、たいていの人は「イエス」と答えるだろう。しかし、そのあとに現実的な問題が頭をかすめる。そこに到達するまでの道は険しく、ひどく長く思える。お金のために働いてよぶんが出たら株式ブローカーに渡すくらいのことをしている方がずっと楽だ。

いつだったか、オリンピックのアメリカ代表になりたいという夢を持っている若い女性に会った。夢は夢として、現実の彼女の生活は、毎朝四時に起きて学校へ行く前に三時間泳ぐという過酷なものだった。週末の夜も友達と遊ぶわけにはいかない。その一方で、ほかの学生と同様に、よい成績をとるために勉強もしなくてはいけない。

「何がそんな超人的な努力と犠牲を要する夢にあなたを駆り立てるのですか」とたずねると、この女性はあっさりと「私自身と、私の愛する人たちのためにやっているんです。困難を乗り越え、犠牲を払うための原動力は愛です」と答えた。

何かをやる「理由」あるいは「目的」は、「やりたい」という気持ちと「やりたくない」という気持ちが組み合わさったものだ。たとえば私が金持ちになりたい理由は、私の心の奥にある「やりたい」気持ちと「やりたくない」気持ちが組み合わさったものだと言える。

そのうちのいくつかをあげてみる。まず「やりたくない」ことのリストだ。これを最初にあげるのは、「やりたい」ことはここから生まれるからだ。私は一生仕事を続けるのはいやだ。私は安定した職につき郊外に一戸建てを持つなどという、両親と同じ夢を持つのもいやだ。私は雇われて働くのはいやだ。私の父は仕事が忙しくて、いつも私のフットボールの試合に来られなかった。私はそれがいやでたまらなかった。死ぬまで一生懸命に働いた父が死んだとき、政府が税金の名のもとに父の生涯の稼ぎの大部分を取り上げてしまったのもいやだった。父は自分が額に汗して稼いだものすら、子供に残すことはできなかったのだ。金持ちはそんなばかなことはしない。一生懸命働き、働いた分はしっかりと子供に残す。

次に「やりたい」ことのリストだ。私は世界中を旅行し、自分の好きなように生きたい。それも若いうちにやりたい。私は自由になりたい。ただ、もう単純に自由に！　自分の時間と人生を好きなように使いたい。私はお金を自分のために働かせたい。

いまあげた「やりたくないこと」と「やりたいこと」が、私の心の奥底の感情に根ざす「理由」だ。あなたにとっての「理由」はなんだろう？　そう自分に聞いたとき心に浮かぶ理由がしっかりしたものでなければ、現実に横たわる障害の方が勝つ。私は何度も損をしゼロからやりなおした。ころんでもころんでも起きあがり前進を続けたのは、心の奥に深く根ざす理由があったからだ。私は四十歳までにすべてから解放され自由になりたいと思っていた。しかし、実際にそうなるまでには多くのことを学ばなければならず、結局四十七歳までかかった。

前にも書いたが、「金持ちになるのは簡単だった」と言えたらどんなにいいかと思う。実際は簡単でもなく、またひどくむずかしくもなかった。ただ言えるのは、強い目的意識、理由づけがなければ人生で何をやるのもむずかしいということだ。

強い目的意識、理由づけを持っていない人はこれから先は読んでもしかたがないかもしれない。たとえ読んだところで、ひどくむずかしく思えるだけだろうから。

## ❷毎日自分で道を選ぶ——選択する力

人が自由な国で暮らしたいと思う最大の理由はここにある。人はだれでもこの「選択する力」を手に入れたいと思っている。

私たちが将来金持ちになるか貧乏になるか、あるいは中流のままで終わるか、その道を選択する力は私たちの手の中にある。たとえわずかでもお金を手にするたび、私たちはこの力を手にしている。金持ちになれるかどうかは、そのお金をどう使うかにかかっている。貧乏から抜け出せない人は、お金を使うときに悪い習慣に従う方を選ぶ。

私は子供の頃よく『モノポリー』で遊んだが、これはのちにひじょうに役立った。実際のところ、だれも私にこのゲームが子供の遊びだとは言わなかったので、私は大人になってもこのゲームをやり続けた。そのほかに役立ったのは、もちろん金持ち父さんの存在だ。金持ち父さんは子供の私に資産と負債の違いを教えてくれた。だから、私はごく若い頃にすでに金持ちになる道を選んでいた。そのためにしなければならないのは唯一、資産、それも本当の意味での資産を手に入れることだということも知っていた。私の親友のマイクは親から資産をもらうという幸運に恵まれていた。しかし、そのマイクにしたところで、その資産を保つ方法を学ぶという道を選ばなければそれは実現しなかった。親が残してくれた資産の運用方法を知らなかったばかりにそれを失う子供はたくさんいる。

たいていの人は金持ちにならない道を選ぶ。なぜなら、十人のうち九人は「金持ちになるのはたいへんだ」と思っているからだ。そういう人は「お金には興味がない」とか「金持ちになどなれっこない」「まだ若いから心配することはない」「いくらかお金がたまったら、それから将来のことを考える」「お金のことは夫（あるいは妻）に任せてある」などと言う。このような言葉は人間から二つのものを奪う。一つは私たちにとって最も貴重な資産である時間、もう一つは学習意欲だ。いまお金がないからといって、それは学ばなくてよい理由にはけっしてならない。自分の時間やお金をどう使うか、何を学ぶかは私たちが毎日選択すべきことなのだ。これこそが選択する力だ。私は金持ちになる道を選ぶ。その選択を私は毎日行っている。私と残りの九人の違いはただそれだけなのだ。

まず選択すべきは教育に投資することだ。私たちが持っている本当の唯一の資産は私たちの頭脳だ。頭脳は私たちが自由に使うことのできる、最も強力な道具だ。金銭に関して選択する力について先ほど述べたことがここでもあてはまる。つまりある程度の年齢に達したら、頭脳に何をつめこむかは自分で選ぶ。テレビの音楽番組を一日中見るのもよし、ゴルフ雑誌を読むのもよし、あるいは陶芸教室に通ったり、財産の運用法を教えてくれる教室に通うのもいい。何をやるかはあなたしだいだ。多くの人は、時間とお金をかけて投資について学んだりせずに、いきなり投資を始める道を選ぶ。

最近、私の友達の一人でかなり裕福な女性のアパートが泥棒にやられた。泥棒はテレビとビデオデッキを盗んでいったが、たくさんあった本はすべて置いていった。例は悪いが、私たちはみなこの泥棒と同じ選択権を持っている。お金があまったとき、十人のうち九人はテレビを買い、ビジネスに関する本や投資に関する自習用テープを買うのは残りの一人だけだ。

私は、何か学びたいと思ったらセミナーに出席する。セミナーは少なくとも二日間続くものがいい。というのは、一つのテーマにしばらく没頭するのが好きだからだ。一九七三年、テレビを見ていると、男が一人登場し、頭金なしで不動産を買う方法について三日間のセミナーをすると宣伝をした。私は三百八十五ドルのそのセミナーに出席し、おかげで少なくとも二百万ドルもうけた。それだけではない。お金よりもっと重要なことは、このセミナーのおかげで私はいわば「人生を買った」ことだ。たった一度のセミナーに出席したおかげで、私はそれ以後一生働かなくてすむようになったのだから。いまでもそういったセミナーに一年に二度は出席する。

私はオーディオテープが好きだ。それは簡単に巻き戻しができるからだ。前にピーター・リンチのテープを聞いていたとき、完全には同意できない話が出てきたことがあった。私はリンチの言葉をばかにしたり一方的に批判したりせずに、巻き戻しボタンを押し、その五分ほどの話に繰り返し耳を傾けた。少なくとも二十回か、あるいはそれ以上聞いただろう、心を開いてその話に耳を傾けるうち突然、なぜ彼がそんなことを言っているかがわかってきた。それは魔法のようだった。突然、窓が開いて、世界で有数の投資家である彼の心が手に取るように読める気がした。彼の豊かな教育、経験の宝庫の扉が開かれたのだ。

このときの成果をお教えしよう。いまでも私はそれ以前の考え方を変えていないが、いまは同じ問題や状況を、ピーター・リンチ風の考え方でも見ることができるようになった。つまり、一つではなく二つの考え方ができるようになったのだ。問題や状況の分析方法が増えること、それは何にも増して貴重なことだ。「ピーター・リンチならどうしただろう? ドナルド・トランプなら? あるいはウォーレン・バフェット、ジョージ・ソロスなら?」……いまの私は何か分析しようとするとき、よくそんなふうに自問する。これらの偉大な投資家たちの大いなる頭脳に近づく唯一の方法は、おごらずたかぶらず、謙虚に彼らの言葉を読んだり、耳を傾けたりすることだ。自尊心が高くて人の話を謙虚に聞けない人、批判ばかりしている人は、本当は自分に自信がなくて危険を冒すことができない人間である場合がよくある。その理由は明らかだ。何か新しいことを学ぶとき、それを完全に理解するためには失敗を冒す必要がある。自信がある人でなければそんなことはできない。

この本をここまで読んできた人には、傲慢さが邪魔をして人の話を聞けないという問題はまずないと思う。

傲慢な人は本を読んだり、講義のテープを買ったりはしない。「なんでそんなことを私がしなければいけないのだ?」――世界が自分を中心に回っていると思っている人はそんなふうに考えている。

世の中には、新しい考えが自分の考えと合わないと、あれこれ理屈をこね回したり必死で自説を弁護しようとする「知的な」人たちがたくさんいる。このような人の頭の中にあるいわゆる「知性」は、傲慢さといっしょになって「無知」とまったく変わらないものになっている。高い教育を受けている、あるいは自分は頭がいいと思っている人の家計の内情が、まったくその知性を反映していないというのはよくあることだ。本当の意味で知的な人たちは新しい考え方を喜んで受け入れる。なぜなら、そういう人は新しい考え方がこれまでに蓄積された考え方といっしょになって強力な武器となることを知っているからだ。人の話に耳を傾けることは自分が話すことよりも大切だ。もしそうではないとしたら、神様は人間の口と耳の数を逆にしたはずだ。新しい考え方や可能性に耳を傾け、それを吸収することをせずに、自分の口ばかりで考えようとする人間がこの世には多すぎる。そういう人たちは質問をする代わりに自分の言いたいことを言ってばかりいる。

お金に関して私はいつも自分を長い目で見る。宝くじを買ったりカジノに通ったりする人の多くの頭の中にある「一攫千金方式」は私のやり方ではない。たしかに株は短期間で売り買いすることもあるが、こと教育に関してはじっくり腰をすえて取り組むのが私のやり方だ。もし飛行機を操縦したいという人がいたら、私はまず訓練を受けるように忠告する。投資の場合も同じだ。一番大切な資産、自分の頭脳にまず投資することが大事だ。そうせずにいきなり株や不動産を買おうとする人に出会うたび、私はいつも驚く。家を一軒や二軒買ったところで絶対に不動産の専門家などになれるはずはないのだ。

## ❸友人を慎重に選ぶ――協力の力

私は友人を選ぶとき、その人の財力では選ばない。実際、毎年何百万ドルも稼ぐ友人もいれば、とても貧しい友人もいる。大事なのは私がその両方の友人から多くを学んでいるということ、学ぶために私が意識的に努力しているということだ。

たしかに、金持ちだからという理由で親しくなった人もいる。だが、だからといって彼らのお金をあてにしていたわけではない。私がほしかったのは彼らが持っている知識だ。このようにして知り合った金持ちと真の友情を分かち合うようになったケースもあるが、かならずしもいつもそうなるとはかぎらない。

真の友になれるかどうかはともかく、私が知り合った金持ちには一つ注目すべき共通点がある。それは、彼らがお金についてよく話をするということだ。自分がどんなに金持ちか自慢するわけではない。お金に興味があって、それについて話すのが好きなのだ。同じようにお金に興味を持っている私は彼らから何かを学ぶ。また彼らも私から何かを学ぶ。

友人のなかでも、まったくお金に縁がなくいつもヒイヒイ言っている人たちは、お金やビジネス、投資といったことについて話すのがきらいだ。そういった話は「あさましい」とか「知的でない」と思っているのだ。だから、このような友人からも私は何かを学ぶ。つまり、「どうしたらいけないか」を学ぶのだ。

私の友人のなかには短期間に巨富を蓄えたという人が何人かいる。そのうち三人が、同じようなことを私に話してくれた。それは、彼らの友人でお金に困っている人たちは、「どうやって金を儲けたのか」と彼らにたずねることは決してなかったということだ。そういう人たちは別の二つの理由で彼らのもとにやってきた。その二つの理由とは、お金を借りるためと、仕事を世話してくれと頼むためだ。

ここでしっかりと心にとめておいていただきたいのは、貧乏な人や、臆病な人の言うことを聞いてはいけないということだ。私の友人のなかにもそういう人がいるし、私は彼らが大好きだが、ことお金に関しては、彼らは臆病なチキン・リトルにすぎない。お金、とくに投資の話となると彼らが言うことはただ一つ、「空が落ちてくる」ということだけだ。そういう人たちはいつも何かがうまくいかなくなると思っていて、その理由をいくつも並べあげる。問題は、世の中の多くの人がその言葉に耳を傾けてしまうことだ。最悪の事態ばかりを予測する情報をうのみにするこういった人たちもチキン・リトルなのだ。昔から言われている「類は友を呼ぶ」ということわざはあたっている。

投資のための貴重な情報の宝庫であるCNBCを見ている人はごぞんじだろうが、あのチャンネルではよく、いわゆる専門家を集めたパネル・ディスカッションをやる。そうすると、ある専門家は市場が大暴落すると言うのに対し、別の専門家は高騰すると言うといった場面に出くわす。賢明な人はその両方の意見に耳を傾ける。この二人の専門家の意見にはかならず一理あるはずだから、頭から否定せずに耳を傾けることが大切だ。残念ながら、貧乏から抜け出せずにいる人の多くはチキン・リトルの言うことにばかり耳を貸す。

これまで私が取引や投資の話をすると、それを止めようとする友人の方が多かった。数年前、友人の一人が年利六パーセントの譲渡性預金を見つけたと大喜びで報告してきた。私が州政府発行の証券で十六パーセントの年利を得ていると言うと、その翌日、この友人は私の投資がなぜ危険かを説明する記事を送ってきた。その結果――いま私は十六パーセントの年利を受け取り、友人はあいかわらず六パーセントだ。

富を築くのをさまたげるハードルのうち越えるのが最もむずかしいのは、自分自身に正直になり、人と違ったことをするのをためらわないことだろう。市場でいつも遅れて買い始め、大損をするのは無知な大衆だ。そんな割のいい儲け口があったとしても、それが新聞の第一面に載る頃にはほとんどの場合、もう遅すぎる。そんな古い情報に振りまわされるより、新しい儲け口をさがす方がいい。私がサーフィンをやっていた頃、仲間内でよく言っていたこと――「いい波はかならずまたやって来る」――はここでもあてはまる。波が行ってしまったというのに、あせってそれに乗ろうとすると、たいていは波に足をすくわれる。

　頭のいい投資家は市場の波が最高のときに乗ろうとねらったりしない。波に乗りそこなったら、次をさがし、そのための準備をする。ほかの大部分の投資家がなかなかそうできない理由は、人気のないものを買うのが怖いからだ。勇気のない投資家は、群れでしか動くことのできない羊のようなものだ。こういう人は、賢い投資家が利益をふところにして次の波へと移って行く頃に欲を出し、勢いの衰えた波に乗ろうとする。反対に賢い投資家は人気がないところを選んで投資する。彼らは、投資とは売るときに利益を得るのではなくて買うときに利益を得るものだということを知っている。そして、辛抱づよく待つ。前に言ったように、彼らは市場の波が最高のときをねらって乗ろうとはしない。サーファーと同じように、次の大きな波のために待機する。

　もうかる投資はどれも「インサイダー取引」だ。インサイダー取引といっても、法律に反する取引とそうでないものとがある。だが、どちらにしてもインサイダー取引に違いはない。唯一の違いは「内部」からどれくらい離れているかだ。「内部」に近い金持ちの友人を持つといいという理由の一つは、お金の源がそこにあることだ。お金は情報をもとに作ることができる。次の大きな波がいつ来るか、その情報を手に入れて、早めに波に乗り、波がくずれる前にそこから逃げ出すのがいい。だからといって、法律に反するインサイダー取引をやれと言っているわけではない。ただ、情報を手に入れるのが早ければ早いほど、少ない危険で大きな利益を得るチャンスがあるということだ。友達というのはそういった情報を交換し合うためにいる。これこそがファイナンシャル・インテリジェンスだ。

## ❹新しいやり方を次々と仕入れる――速習の力

パン屋はみな「パンの作り方」に従ってパンを作る。たとえその作り方がもう頭の中に入っていて何も見なくてよいとしても、一定の作り方に従わないかぎりパンは焼けない。金儲けをする場合も同じだ。英語のスラングでお金のことをパン生地と同じ dough（ドウ）という言葉で呼ぶことがあるのは、このせいかもしれない。

「その人がどんな人間かは、食べ物によって決まる」という言葉を聞いたことがある人も多いだろう。私はこれとはちょっと違う考え方を持っている。それは「その人がどうなるかは、学んだことによって決まる」というものだ。言いかえれば、「何を学ぶかは慎重に決めなさい。頭脳はとても大きな力を持っていて、その中につめこんだものによって、あなたがどうなるかが決まる」ということだ。たとえば料理を学んでいる人は料理ばかりしている。そしてプロの料理人になる。プロの料理人になりたくないと思ったら、料理を学ぶのはやめてほかに何か勉強しなければいけない。学校の先生も同じだ。教職を学んだ人は多くの場合教師になる。人は学んだものになる。だからこそ、何を学ぶかを慎重に決めなければならない。

お金に関することとなると、ほとんどの人の頭の中にあるのは学校で習った基本的なやり方だけだ。つまり、お金のために働くというやり方だ。世の中にはびこっているこのやり方に従い、何百万という人が朝起きて仕事に出かけ、稼いだお金で請求書の払いをすませ、あまったお金でいくらか投資信託を買い、また次の日に仕事に出かける。これが大部分の人にとっての基本的なやり方、いわば「お金の作り方」の基本だ。いまやっていることにうんざりしている人、あるいは充分なお金を稼げないでいる人、そういう人たちは、いま自分の頭の中にある「お金の作り方」を変える必要がある。

二十六歳のとき、私は「抵当流れの不動産を買う方法」という講座を受けた。週末に一度だけ開かれたこの講座で私は一つの方法を学んだ。次のステップは、自分が学んだことを実行に移すだけの行動力を持つことだ。たいていの人はここで立ち止まってしまう。私はその後三年間、ゼロックスに勤めるかたわら、抵当流れになった物件を買うための技術を学び続けた。そして、その結果マスターした方法を使うことで数百万ドルを手にした。今日ではこの方法はもう使えない。抵当流れの物件の動きが遅すぎるし、第一それに投資する人が増えすぎている。

だから、このあと私は別のやり方をさがし始めた。たくさんの講座に出席したが、そこで学んだことを全部利用したわけではない。まったく使わなかった場合も多い。だが、つねに何か新しいことを学んだ。

私が出席した講座の中には、デリバティブ（金融派生商品）を売り買いする人のための講座もあれば、オプション取引に関する講座、カオス理論に関する講座もあった。ときには、原子物理や宇宙科学の博士号を持った人たちでいっぱいの教室に飛びこんで、場違いな思いをしたこともある。でも、そんな一見関係のないような学問でも、株や不動産への投資に何らかの形で関わりを持ち、そういった投資をより意味のある、より利益を生むものにするのに役立った。

短大や大学で開かれている生涯教育のカリキュラムの中には、ファイナンシャル・プランニングや投資についての講座がかならずある。まず手始めとしてやってみるには、こういった講座が最適だ。

「金儲けの方法」をマスターするもう一つの鍵は、より速く効果の上がる方法をさがすことだ。私はそうしている。ふつうの人が一生かかってやっと手にするようなお金を私が一日で作ることができるのは、それを実行しているからだ。

もう一つ大切なことを教えよう。すべてがどんどん変わっていく現代においては、あなたが何を知っているかはもうあまり意味を持たなくなっている。なぜなら、あなたが知っていることがもう時代遅れになっている場合が多いからだ。問題なのはいかに速く学ぶことができるかだ。この技術を身につけることはひじょうに大切だ。前にも言ったように「より速く」効果の上がるお金の作り方を見つける際に、この技術が大いにものを言う。いまでは、お金のために一生懸命働くというのは、人類が洞窟に住んでいた時代に生まれた大昔のやり方になっている。

### ❺自分に対する支払をまずすませる——自制の力

自分で自分をしっかりコントロールできない人は金持ちになるのはあきらめた方がいい。海兵隊に入るなりお寺で修行するなりして、自己抑制能力をつけるのが先決だ。投資をしてお金を手に入れても、自制がきかずにそれを失うことになっては元も子もない。宝くじで大当たりした人がすぐにそれを使い果たしてしまうのは、自制心がないためだ。給料が上がるとすぐ新車を買ったり豪華船クルーズに出かけたりする人も、自制心がない人だ。

この章で紹介している十のステップのうちどれが一番重要かを決めるのはむずかしい。だが、習得が一番むずかしいものとなると、なんといってもこの自己抑制能力だろう。自己抑制能力をすでに持っている人は別として、いまからこれを身につけるのは至難の技だ。金持ちと中流以下の人とを分ける鍵は、この自己抑制能力にあるといっても言いすぎではないと思う。

簡単に言うと、自尊心に欠け、金銭面でのプレッシャーにすぐ負けてしまう人は決して金持ちになれない。この本の前半で繰り返し述べたように、私が金持ち父さんから学んだ教訓の一つは「人生があなたをつつきまわす」ということだった。人生につつきまわされる原因は、他人がいじわるをするからではない。その人が自分で自分をコントロールする能力を持っていないからだ。内面的な強さを持っていない人は、自己抑制能力を持つ人のえじきになる。

私は起業家育成のための講座を持っているが、そこで私はいつも、自分が売っている商品やサービスにばかり気をとられないで、管理能力を高めることに努めるように言っている。自分自身のビジネスを始めるために必要な管理能力のうち、最も大切な能力は次の三つだ。

**1．キャッシュフローの管理**
**2．人の管理**
**3．自分の時間の管理**

この三つの管理能力は起業家だけでなく、どんな人にも、どんなことにもあてはまると思う。個人として人間が生きていく際に、この三つはいろいろな形で関わってくる。家族の一員として、ビジネスマンとして、あるいは慈善事業にたずさわる者として、一つの町や国の一員として生きるあなたは、これらの三つの管理能力と無縁ではいられない。

この三つの能力はどれも自己抑制能力を習得することによって高められる。私は「まず自分に支払え」という言葉には大きな意味があると思っている。

「まず自分に支払え」という言葉の出所はジョージ・クレイソンの著作“The Richest Man in Babylon”（バビロンで一番の金持ち）だ。この本はベストセラーになり、何百万部も売れた。だが、何百万という人がこの重要なメッセージを読んでいるにもかかわらず、その通りにしてみようという人はほとんどいない。これも前に言ったことだが、ファイナンシャル・リテラシーを身につければお金に関する数字を読むことができるようになる。そして、数字を読むことができれば、数字が語る物語が聞こえる。「まず自分に支払え」と口癖のように言っていたとしても、その人の貸借対照表と損益計算書を見れば、私にはその人がそれをきちんと実行しているかどうかすぐわかる。

「百聞は一見にしかず」だ。ここでまた図を見て、まず自分への支払をすましている人と、そうでない人とを比較してみよう。

次の二つの図を見てその違いがわかるだろうか？ ここでもう一度注意しておくが、数字が語る物語を聞く鍵はキャッシュフローの理解にある。たいていの人は数字にばかり気を取られて、それが語る物語を聞き逃してしまう。キャッシュフローの持つ力が本当にわかってくれれば、図㉑のどこがおかしいか、一生働き続けたのにもかかわらず、退職後には生活保護などの政府の援助を必要とする人がなぜこんなにたくさんいる

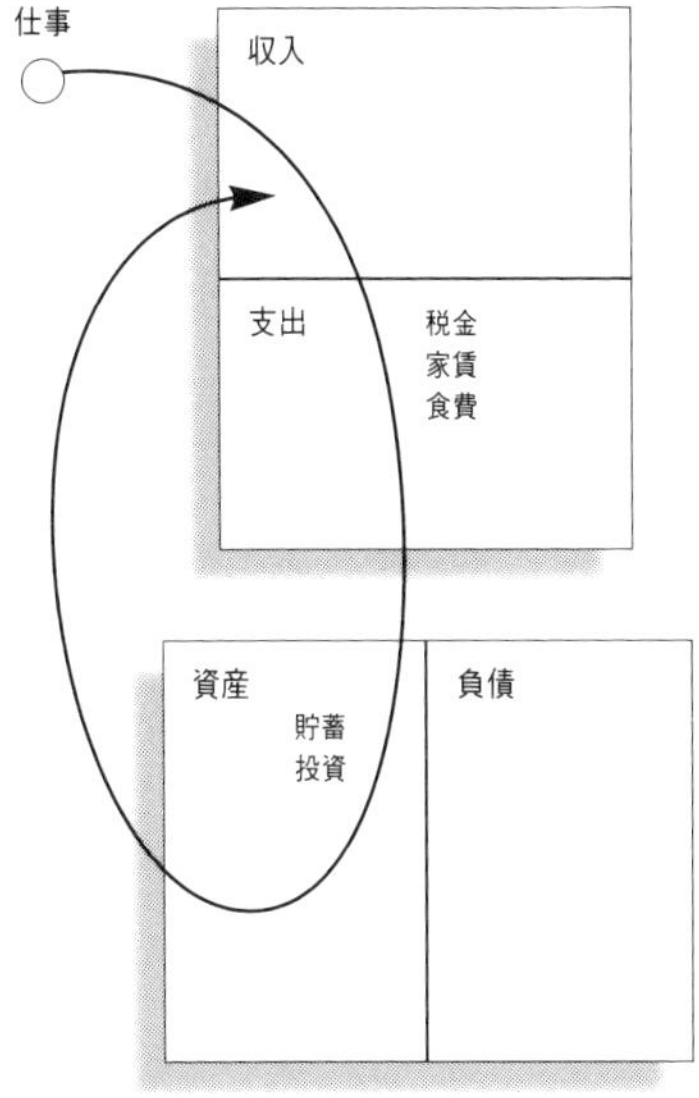

⑳まず自分に支払う人の場合は……

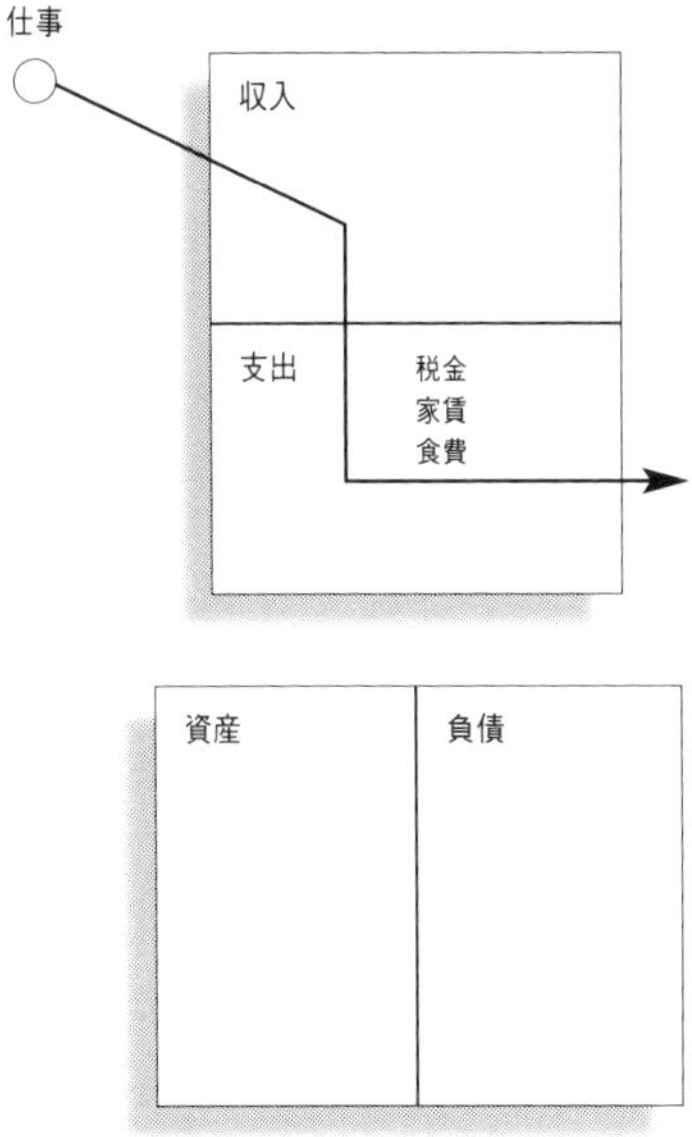

㉑自分への支払いを後回しにすると……
何も残らないことが多い

のか、その理由がすぐにわかるようになるだろう。

図⑳は、まず自分に対する支払をすませる人のお金の流れを示している。この人は毎月収入が入ると、家賃などの支払をすませる前に自分への支払をしている、つまり収入の一部を資産へ割り当てている。クレイソンの本を読んだ人は何百万といる。彼らには「まず自分に支払え」という言葉の意味も充分わかっているはずだ。それなのに、実際には自分に対する支払はいつも後回しにしている。

税金や家賃などの支払を先にするのがいいと心から信じている人たちは、「そんなこと、とんでもない!」と抗議の声をあげることだろう。「責任感が強く」ていつも期日通りに支払をすませる人たちにも文句があるにちがいない。だが、誤解してもらっては困る。私は何も、無責任になれ、請求書の支払をするななどと言っているわけではない。ただ、あの本に書かれていた「まず自分に支払え」という忠告にしたがえと言っているだけだ。図⑳は、それを実行したときの正しい家計のありかたを示している。そうしなかったらどうなるか、それは図㉑を見るとわかる。

私と妻はたくさんの経理士や会計士、銀行員といっしょに仕事をしてきたが、そのほとんどが「まず自分に支払う」という考えには大きな抵抗を感じるようだった。その理由は、このようなお金のプロたちは、大衆がやる通りにするのがふつうだからだ。つまり自分への支払は最後にして、まずほかに支払う。

私の場合、これまでにキャッシュフローが請求書の支払に追いつかないという月が何ヵ月かあったが、そのときでも自分への支払を先にしていた。会計士や経理士はパニックにおちいって悲鳴をあげた。「税務署につかまってしまいますよ」「クレジットカードが使えなくなりますよ」「電気を止められたらどうするんです?」そんな声を耳にしても私は自分への支払を先にするのをやめなかった。

「なぜそんなことをするのか?」と疑問に思われる方もあるだろう。その答えは “The Richest Man in

Babylon”にある通りだ。つまり、自己抑制の力と内面的な強さだ。もっとくだけた言い方をするなら「ガッツ」だ。金持ち父さんのコンビニエンスストアで働き始めた最初の月に、金持ち父さんは「たいていの人は人生につつきまわされてもだまっている」と話してくれた。まったくその通りだ。借金の取立人が電話をしてきて、「払わない気か、それなら……」と言って脅す。おじけづいたあなたはつけを支払い、自分への支払を後回しにする。買い物に行った先の店員は「カードでお求めになれば簡単ですよ」と言い、不動産屋は「さあ、決めましょうよ。税金の控除もありますし」と勧める。クレイソンの本が役に立つのはこんなときだ。つまり、多数派の動きに逆らって行動するだけのガッツを持ち、それによって金持ちになる方法がこの本には書かれている。あなたは本当は弱い人間ではないかもしれないが、ことお金の話になると、多くの人がいくじなしになってしまう。

先ほども言ったように、私は何も無責任になれと言っているわけではない。私のクレジットカードの未払い残高が少ないのも、ほかの借金が低く抑えられているのも、すべて私が自分に対する支払を先にしているからにほかならない。私が自分の個人的な収入を最低限に抑えているのは、政府にとられたくないからだ。“The Secrets of the Rich”（金持ちの秘訣）という私のビデオを見てもらうとわかるが、資産からの私の収入がネバダにある会社を通して支払われている理由はここにある。私がお金のために働いていたら、政府にごっそり持っていかれる。

たとえ請求書の支払を最後にしていても、頭を充分働かせているから、私は借金で首がまわらなくなったりしない。私は借金してものを買うのがきらいだ。実際のところ、私は世の中の九十九パーセントの人よりも大きい負債を抱えている。だが、その返済は自分ではしていない。他人が負債を返済してくれている。つまり借家人たちだ。もうおわかりだろう。自分に先に支払う際に一番大切なルールは、借金をしないということだ。私の場合、他人から借りているお金の返済を最後にしているが、そもそも借金を最低限に抑える努力をしているので、返済に困るようなことにはならない。

二つめのルールは、収入が少ないときでも自分への支払を先にするということだ。債権者や政府がうるさく言っても私は気にしない。取立てが厳しくなるのは大歓迎だ。その理由は、そうなれば私が助かるからだ。つまり、債権者からのプレッシャーのおかげで私は必死でお金を儲けようとする。だから、どんなときでも私は自分に対する支払を先にして、投資をする。そして、債権者たちにどならせるのだ。で、結局は、借金は期日通りにすっかり返す。妻も私も借金の返済を滞らせたことはない。ただし、債権者たちからのプレッシャーに負けて、定期を解約したり、株を現金化したりして返済することは決してない。そんなことをするのは、財産の運用方法としてはあまり賢いやり方とは言えない。

賢いやり方はこうだ。

1．自分で返済をしなければならないような大きな借金はしない。経費を低く抑える。まず資産を作る。大きな家やいい車を買うのはそのあと。ラットレースに巻きこまれるのは賢明なやり方ではない。

2．収入が少ないときでも貯蓄や投資用の資産を取りくずしたりせずに、外からのプレッシャーが大きくなるにまかせる。そして、そのプレッシャーを利用して自分の中にあるお金に関する才能を刺激し、請求書の支払をするためにより多くの金を儲けるにはどうしたらよいか、そのアイディアを考えさせる。そうすれば、ファイナンシャル・インテリジェンスを高めるだけでなく、より多くのお金を作り出す能力も高まる。

私はこれまでに何度も金銭的に行き詰まることがあったが、それでも決して資産を取り崩したりせず、収入を増やすために自分の脳みそを使ってきた。経理の担当者たちはいつも悲鳴をあげ、あわてふためいていたが、私は砦を守る優秀な騎兵のように、断固として資産という砦を守り続けたのだ。

貧乏な人は、貧乏になるような悪い習慣を持っているから貧乏から抜け出せない。この悪い習慣の一つは、貯めたお金に手を出すことだ。金持ちになる人は、貯めたお金は請求書の支払のためにではなく、より多くのお金を作り出すためのものだということを知っている。

私が言っていることはずいぶんと厳しいと思われるかもしれない。だが、前にも言ったように、内面的な強さを持っていなければ、いずれにしても人生につつきまわされるだけなのだ。

お金に関することで外からプレッシャーがかかるのはいやだという人は、自分に合った別のやり方を見つけるしかない。支出を抑えるのはいい方法だ。そして、稼いだお金を銀行にせっせと預け、法外な所得税を払い、あまったお金で安全な投資信託を買い、世間並の生活を送ることだけを考えていればいい。だが、この方法には一つ問題がある。それは「自分にまず支払う」というルールに反していることだ。

このルールは自己犠牲を強いるものでもなければ、お金に関して絶対的な制約を設けるものでもない。まず自分に対する支払をして、そのあとは飢え死にしようがどうなろうがいいというわけでもない。人生は楽しむためにある。あなたの中に眠るお金に関する才能の目を覚まさせることができれば、人生の楽しみを何一つ犠牲にすることなく、金持ちになってすべての支払をきちんとして、自分のほしいものをすべて手に入れることもできるのだ。これこそがファイナンシャル・インテリジェンスだ。

## ❻ブローカーにたっぷり払う——忠告の力

家の前に「売家——売主直売」という看板が出ているのはよく見かける風景だ。また、近頃ではテレビで手数料の割引を広告するブローカーたちもよく見かける。

金持ち父さんが私に教えてくれたやり方は正反対だ。金持ち父さんは「その道の専門家」に充分な報酬を支払うことが大事だと信じていた。私も同じやり方でやってきた。いま、私は弁護士や会計士、不動産ブローカー、株式ブローカーなどに相当な額を払っている。その理由は、もし彼らが本当のプロならば（これが実に肝腎なことだが）、彼らに助けてもらえばかならずお金が儲かるはずだからだ。彼らが自分の仕事の報酬としてより多くの金を得ることは、とりもなおさず、私自身がより多くの金を儲けることを意味する。

現代は情報の時代だ。情報には値段がつけられないほどの価値がある。いい不動産ブローカー、いい株式ブローカーならば、いい情報を与えてくれるばかりか、きちんと時間をとっていろいろ教えてくれる。私はそんなブローカーを何人か知っている。そのなかには、私がお金に困ったときにいろいろ教えてくれた人もいる。悪い時期を乗り越えたいまも、彼らとはいい仕事をしている。

仲介をしてくれる人に支払うお金は、彼らが与えてくれる情報をもとに私が得ることのできる収入に比べたら微々たるものだ。自分を助けてくれた不動産ブローカーや株式ブローカーのふところがうるおうのを見るのはうれしい。なぜなら、たいていそういうときは、私がたっぷりお金をもうけたときだからだ。

いいブローカーは私にお金を儲けさせてくれるだけでなく、私の時間も節約してくれる。たとえば、ブローカーのおかげで、九千ドルで買った空き地が、何日もしないうちに二万五千ドルで売れたとする。そうすることで、私はポルシェを手に入れるまでの時間を短縮できる。

ブローカーはあなたの代わりに市場にアンテナをはってくれる。彼らは毎日市場に目をこらしている。だから、私はそこにいなくてもいい。のんびりゴルフでもしていればいいのだ。

「売主直売」の看板を立てて自分で家を売ろうとする人は、自分の時間の大切さをわかっていないのではないかと思う。ほんの何パーセントかの手数料を節約するために時間と労力をかけるのは私はごめんだ。その時間を使って、もっと金儲けができるかもしれないし、愛する家族といっしょにいることだってできるのだから。私がいつも不思議に思うのは、たとえサービスが多少悪くてもレストランでは十五から二十パーセントのチップをかならず払う中流以下の多くの人たちが、わずか三から七パーセントの手数料をブローカーに払うのに文句を言うことだ。こういう人は、支出の欄に属する人たちに喜んでチップをあげて、資産の欄に寄与する人たちにチップを払うのを渋っているのだ。これは賢いやり方とは言えない。

ブローカーならだれでも同じというわけではない。残念ながら、ブローカーのほとんどは単なるセールスマンだ。中でも不動産のセールスマンは一番たちが悪い。彼らは不動産を売ることは売るが、自分ではほとんど不動産を持っていない。住宅用の家を売るブローカーと投資用の不動産を売るブローカーでは大きな違いがある。このことは株式や債券、投資信託、保険などを売るブローカーにもあてはまる。それなのに、どのブローカーでも一様に、自分はファイナンシャル・プランナーだと自称する。

おとぎ話にもあるように、魔法をかけられてカエルにされた王子さまを見つけるには、たくさんのカエルにキスをしてみるしかない。ただ、昔からよく言われている次の言葉はしっかりと胸に叩きこんでおいてほしい——「百科事典が自分に必要かどうか、百科事典のセールスマンに聞くな」

私は不動産や株のブローカーを雇うときには、まず面接をして、相手が個人的にどれくらい不動産あるいは株を持っていて、税金を何パーセント払っているかを聞くことにしている。税金に関する法律顧問や会計士を雇うときも同じだ。私の会計士の女性は自分自身のビジネスを持っている。つまり、職業は会計士だが、ビジネスとして不動産を持っているのだ。その前には、自分で小さな会計事務所をやっている会計士を雇っていたが、その人は不動産をまったく持っていなかった。私がいまの会計士に乗り換えた理由の一つは、前の会計士とは不動産ビジネスに対する愛情を共有できなかったことだ。

大事なのは、顧客の利益を最大にすることをつねに心がけるブローカーを見つけることだ。時間をさいてあなたにいろいろ教えてくれるブローカーはたくさんいるし、そういう人たちはあなたにとって最高の資産となり得る。あなたが正当な扱いをすれば、たいていのブローカーはそれに値するだけの誠意を見せてくれる。もしあなたが彼らの手数料を節約することばかり考えているとしたら、彼らがあなたのために真剣に働きたいと思わなくなってもなんの不思議はない。これはごくあたりまえの話だ。

前にも話したように、自分のビジネスを始めるにあたって大切な管理能力の一つは人の管理だ。多くの人は、「管理する」というと、自分より能力的に劣っている人、自分より地位が低く自分が権力をふるえる相手、たとえば会社の部下などのことしか考えない。中間管理職にいつまでもとどまっている人の多くは、自分より下の人間といっしょに仕事をするやり方は知っていても、自分より上の人間をどう扱ったらよいかわからないから、昇進できないのだ。人を管理することの本当の意味は、専門分野で自分よりすぐれている人をうまく使うこと、そして充分に報酬を与えることにある。会社に重役会があるのはこのためだ。たとえ個人でも同じことだ。これこそがファイナンシャル・インテリジェンスだ。

## ❼もとはかならず取り戻す——ただでなにかを手に入れる力

はじめてアメリカに足を踏み入れた白人入植者たちは、アメリカインディアンのあいだで行われていた一つの文化的習慣にひじょうにとまどった。入植者が寒さに震えているとインディアンは毛布をくれたが、それを贈り物だと思って受け取った入植者は、あとになってインディアンがそれを返してくれと言ってくると腹を立てることがよくあった。

インディアンの方も、入植者が毛布を返そうとしないことを知ると腹を立てた。「インディアン・ギバー(一度与えたものを取り戻す人)」という言葉はこのようなところから生まれた。つまり、単純な文化的な誤解が原因で生まれた言葉だ。

「資産の欄」を増やすことを第一に考える場合、「インディアン・ギバー」方式をとることは金もうけのために不可欠と言ってよい。すぐれた投資家がまず考えるのは「私のお金をいかに短期間で取り戻すか」ということだ。彼らはまた、「何をただでもらえるか」を知ることにも熱心だ。これは投資に対する「分け前」にあたる。投資収益というものがひじょうに重要なのはこのためだ。

例をあげて話そう。あるとき私は自宅の近くに小さな分譲マンションを見つけた。それは抵当流れの物件だった。債権者の銀行は六万ドルを要求していたが、私は五万ドルを提示した。銀行はすぐにその条件をのんだ。金額の提示とともに、五万ドル分の銀行小切手を添えたのが効いたのだ。小切手を見た銀行側には私が本気で購入しようとしていることがよくわかった。この話を聞いて、「多額の現金を使いすぎるのではないか?」「こんなときはローンを組んだ方がいいのでは?」と疑問を持つ投資家も多いだろう。答えは、この場合は「ノー」だ。

私は自分が所有する投資会社を通じて、このマンションを冬季リゾート用に貸し出している。一年のうち四カ月、避寒地を求めて人々がアリゾナにやってくる時期には月二千五百ドル、シーズンオフにはわずか千ドルで貸しているが、三年でほぼもとをとった。いまもこの資産を持っているが、元手を取り戻したあとも毎月この資産は金を生んでいる。

株式に関しても同じことが言える。私が株式売買の仲介を頼んでいるブローカーはよく私に、新製品の発表など、株価が上がりそうな動きがあると言って、かなりの額のお金を一つの会社の株の購入にあてるように勧める。そんなとき、私は言われたように投資して、株が上がるまで一週間から一カ月のあいだ待つ。次に、最初に投資した金額に相当する株を売り、そのあとは株価の上下について心配するのはやめる。もう元本は戻っているわけだし、それをまた別の投資に利用することもできる状態になっているわけだから、残った株の値段が下がっても私のふところは痛まない。こんなふうにして、私のお金はいったん私の手を離れても、じきに戻ってきて、その後も、私は実質的には「ただで」手に入れた資産、つまりこの場合なら残った株を持ち続ける。

とはいえ、たしかに私も損をしたことがある。それも何回も。ただし、私は損をしてもだいじょうぶなお金しか投資しない。たとえば十の投資をしたとすると、そのうち大当たりするのは二つか三つで、残りの五つか六つは損も得もしない。そして二つか三つは損をする。だが、私はいつも、そのときに手元にあるお金より多くの損は絶対しない。

危険を冒すのがいやだという人たちは、お金を銀行に預ける。長い目で見れば、貯蓄はたしかにしないよりましだ。だが、お金を引き出すことができるようになるまで時間がかかるし、多くの場合、銀行預金にはただでもらえるおまけは何もついてこない。かつては銀行がトースターなどの電化製品を顧客に配っていたこともあるが、この頃ではそんなことをする銀行はまずない。

私の場合は、何かに投資したとすると、かならずおまけ、つまりただでもらえる何かがついてくる。それは、元手を回収したあともお金を生み続けるマンションだったり、小さな倉庫だったり、更地だったり、一戸建てだったり、株だったり、オフィスビルだったりする。しかもそこにあるリスクは最小限だ。この問題については専門的にあつかった本が何冊も出ているので、ここではくわしく述べることはしない。マクドナルドの創始者として有名なレイ・クロクがハンバーガーを売っていた理由は、ハンバーガーが好きだったからではなく、フランチャイズ店が入居する不動産を「ただで」手に入れたかったからなのだ。

賢い投資家になるためには、単なる投資収益以上のものに注意を払わなければいけない。つまり、元手を回収したあとにただで手に入る資産だ。これこそがファイナンシャル・インテリジェンスだ。

## ❽ぜいたく品は資産に買わせる——焦点を絞ることの力

私の友人の息子には、お金をどんどん使ってしまうやっかいなくせがあって、それがだんだんひどくなっていった。十六歳になると、当然ながら自分の車がほしいと言い出した。「友達はみんな親に車を買ってもらっている」と言うのだ。そして、自分の大学進学用の貯金を頭金にして買いたいと言い出したので、この友人は私のところに相談にやってきた。

「息子の思い通りにやらせた方がいいだろうか、それともほかの親たちのように、親の金で買ってやるのがいいだろうか?」

私は友人に次のように答えた。「うるさくせがまれるのを避けるという目先のことだけを考えれば、それもいいだろうが、長い目で見た場合、それがきみの息子のためになるとは思えない。車をほしがっていることの機会を利用して、きみの息子に何かを学ばせることはできないだろうか?」友人は私の言葉の意味をすぐに理解し、いそいで家に帰っていった。

二カ月後、私はこの友人にばったり出会った。

「きみの息子は車を手に入れたかい?」

「いや。でも、車のためにと言って息子に三千ドルをやったんだ。大学に行くために貯めてあったお金には手をつけずに、私のお金を使えと言ってね」

「それはなかなか気前のいい話だな」

「というわけでもないんだ。というのは、このお金には条件をつけたんだ。息子が車をひどくほしがっているのを利用するというきみの忠告に従って、この大きなエネルギーを使って息子が何かを学べるようにしてやろうと思ったんだ」

「なるほど。で、条件っていうのはなんだったんだい?」

「まず、ぼくらはきみが作った例の『キャッシュフロー』ってゲームを引っ張り出してきて、ゲームをやりながら、お金の賢い使い方について長いあいだ話し合った。それから、ぼくがお金を出すから『ウォール・ストリート・ジャーナル』を購読するように言って、そのほかに、株式市場についての本を何冊か渡した」

「それで? いったいどういう条件をつけたんだい?」

「ぼくは息子に、この三千ドルはおまえのものだが、それをそのまま車を買うのに使ってはだめだと言ったんだ。自分で株式ブローカーを見つけて株を売買し、三千ドルを六千ドルにしたら、そのうち三千ドルは車を買うのに使い、残りは大学進学のために貯金しろってね」

「で、どうなったんだい?」

「株の売買を始めて最初の頃はけっこううまくいって、いくらか儲かったが、何日かすると儲けは全部すってしまった。そのあと、息子は真剣になったよ。いまはたぶん二千ドルほど損しているだろうけれど、株に対する興味の方はぐんと増えたみたいだ。ぼくが買ってやった本は全部読んでしまったし、図書館に行ってもっと本を借りてきたくらいだ。『ウォール・ストリート・ジャーナル』もすみからすみまで読んで、株の動きを見逃さないようにしている。見るテレビもMTVからCNBCに変わったよ。いま手元にあるのは千ドルだけだが、息子の株に対する興味と学習能力はうなぎのぼりだ。息子には、あの金を全部すってしまったらあと二年間は車なしで暮らさなければいけないということがよくわかっているからね。でも、それを気にしているってふうはないんだ。いまでは車を買うこと自体にもあまり興味がないみたいだ。もっとおもしろいゲームを見つけたからね」

「全部すってしまったら、どうなるんだい？」

「まあ、そのときはそのときさ。本当を言えば、ぼくと同じくらいの歳になってから全財産をなくすような危険を冒すより、いまあり金全部をなくしてくれた方がいいと思っているくらいだ。それに、あの三千ドルは、これまでに息子の教育のためにかけたお金のなかで一番ためになっていると思っている。いま息子が学んでいることは、これから一生役に立つだろう。それに、息子はお金の持つ力について前とは違った尊敬の念を持つようになっている。お金をどんどん使ってしまう悪いくせはなくなったと思うよ」

「まず自分に対して支払う」という話をしたときにも言ったが、自分を抑制する力を習得できない人は金持ちになるのはあきらめた方がいい。なぜなら、資産からキャッシュフローを生むというのは理論的には簡単なことだが、お金を運用するための精神的な強さを持つことはひじょうにむずかしいからだ。誘惑に満ちた現代の消費社会では、支出の欄を増やし放題にする方がずっと簡単だ。精神的に弱い人は、抵抗する力がないのでお金は簡単に流れ出てしまう。そのために貧乏になり、いつも支払に追われることになるのだ。

いまお話しした友人の息子の話は、お金をもうけるためにお金を運用するという、ファイナンシャル・インテリジェンスのいい例だ。

年のはじめに、百人の人に一万ドルずつ渡したとする。その年の終わりにそのお金がどうなっているか、私なら次のように予想する。

1．八十パーセントの人がすっかりお金を使い果たしている。それどころか、そのお金を頭金にして新しい車や冷蔵庫、テレビ、ビデオを買ったり、休暇旅行を楽しんだりしたおかげで、借金をかかえている人も多いだろう。

2．十六パーセントの人が一万ドルを五から十パーセント増やしている。

3．四パーセントの人が一万ドルを倍の二万ドル、あるいは百万ドルへと増やしている。

私たちは職業を身につけ、お金のために働くことができるようにと学校へ通う。私の考えでは、お金を自分のために働かせる方法を学ぶことも、それと同じ、あるいはそれ以上に大切だ。

私だって人並みにぜいたくは好きだ。「人並み」と違うところは、ふつうの人はぜいたく品を借金で買おうとするが、私はそうしないことだ。借金でぜいたく品を手に入れることを覚えた人は、隣の人が持っているものは何でも手に入れるという「罠」にはまっていく。ポルシェがほしいと思ったら、一番簡単な方法は銀行に電話してお金を借りることだ。だが、私はそんなふうにして負債の欄に焦点をしぼったりせず、資産の欄に焦点をしぼる道を選ぶ。そして、「消費したい」という欲望を利用して、自分のなかにある「お金に関する才能」に刺激と動機付けを与えるようにする。

現代社会ではその傾向が強くなりすぎていると思うが、何かほしいものがあると、人はお金を作り出すことではなく、借りることばかりを考える。目先のことだけを考えればお金を借りる方が簡単かもしれない。だが、長い目で見ると、この方法はめんどうだ。すぐに借金に走るのは現代人、現代アメリカがおちいっている深刻な悪癖と言うことができるだろう。だから、次の言葉をよく頭に入れておいてほしい——いま楽に見える道があとになって険しい道になり、険しく見える道があとになって楽な道になることがよくある。

お金の奴隷ではなく主人となるための訓練は、早い時期にやるに越したことはない。お金は大きな力を持っている。残念ながら、多くの人はお金の力を自分にいいようにではなく、悪いように使っている。ファイナンシャル・インテリジェンスがあまりない人はお金に振り回される。そして、お金の方が賢くなってしまう。そうなったら、一生お金のために働くことになる。

お金の主人になるにはお金より賢くなる必要がある。そうすればお金はあなたが言うとおりの事をするようになる。あなたに従うようになるのだ。お金の奴隷ではなく主人になる。これこそがファイナンシャル・インテリジェンスだ。

## ❾ヒーローを持つ――神話の力

子供の頃、私はウィリー・メイズだのハンク・アーロン、ヨギ・ベラといったメジャーリーグのスターたちを敬愛していた。彼らは私にとってヒーローだった。リトルリーグで野球をしていた私は、将来は彼らのようになりたいと心から思っていた。もちろん彼らのベースボールカードは大切な宝だったし、彼らについてなら何でも知りたかった。どんな情報も見逃さず、打点や防御率、打率だけでなく年俸も、マイナーリーグからどうやって這い上がってきたかも知っていた。自分も彼らと同じようになりたかったから何でも知りたかったのだ。

九歳か十歳の頃、打席に立ったり、一塁手やキャッチャーとして守備をする私は、私でいて私ではなかった。つまり、野球をする私はヨギや、ハンクになりきっていたのだ。このやり方は何かを学ぶ際にひじょうに役に立つが、大人になるにつれて私たちはこのことを忘れてしまう。純真な心とともにヒーローを失ってしまうのだ。

私は近所でバスケットボールをする子供たちをながめることがある。もちろん子供たちはそれぞれ自分の名前を持っているが、ボールを追う彼らはもうふだんの彼らではない。マイケル・ジョーダンであり、サー・チャールズであり、またクライドなのだ。ヒーローのやることをそっくりまねるというのは、じつに効果的な学習方法だ。O・J・シンプソンのような人物が失墜すると、あんなに大騒ぎになるのはこのためだ。シンプソンの場合、裁判にかけられたことが問題なのではない。ヒーローがひとり失われたことが問題なのだ。私たちが子供のときから親しみ、あこがれ、「あんなふうになりたい」と思っていた人物が失われたのだ。私たちはそれまで持っていた気持ちを、突然、すっかり捨てなければならなくなる。

成長するにつれ、私のヒーローも姿を変えていった。いまの私のスポーツヒーローはピーター・ヤコブソン、フレッド・カップルズ、タイガー・ウッズといったゴルフ界のスターたちだ。私は彼らのスイングをまね、彼らについて書かれたものはできるかぎり目を通す。

私にはそのほかに、ドナルド・トランプ、ウォーレン・バフェット、ピーター・リンチ、ジョージ・ソロス、ジム・ロジャーズといった財界のヒーローがいる。子供のとき、野球のヒーローの防御率や打点に精通していたのと同じように、いまの私はこういった人物に関する情報をたくさん持っている。ウォーレン・バフェットがどんなものに投資をしているか、つねにフォローしているし、株式市場に関する彼の意見はどんなものでも読むようにしている。ピーター・リンチの場合も同じだ。彼がどんなふうにして投資対象の株を選ぶかを学ぶために、私は彼の本を読む。ドナルド・トランプについて読むときには、彼がどんなふうにして交渉し取引をまとめるかを学ぶ。

バットを抱えて打席に立った九歳の私が私ではなかったのと同じように、市場に立ったり、取引の交渉の場についた私は、無意識のうちにトランプの大胆さをまねて行動している。あるいは、株の動きを分析するときには、ピーター・リンチならこうするだろう……と考える。ヒーローを持つことで、私たちは彼らの底知れない才能の一部を手にすることができるのだ。

ヒーローは私たちに刺激を与えてくれるばかりではない。彼らを見ていると、物事が簡単に思えてくる。簡単そうに見えるからこそ、私たちは彼らと同じようになりたいという望みを持つのだ。「彼らにできるのなら、私にもできるはずだ」と私たちは思う。

投資をひどくむずかしいことのように考え、人にもそんなふうに言う人があまりに多すぎる。そういう人には近づかないで、投資がやさしく見えるようにしてくれるヒーローをさがすことが大切だ。

## ⑩教えることで得る――与えることの力

私の実の父は教師だったが、金持ち父さんも、私にたくさんのことを教えてくれたという点では「教師」だった。金持ち父さんが教えてくれたことで、私がこれまでずっとモットーとしてきたことの一つは、出し惜しみをしないこと、与えることだ。高い教育を受けた私の実の父も、時間と知識という点ではたくさんのものを人々に与えた。だが、お金をあげたことはほとんどと言っていいほどなかった。前にも言ったように、私の父の口癖は「よぶんなお金ができたら、人にもあげる」だった。もちろん、そんなよぶんなお金はいつだってなかった。

金持ち父さんは教育だけではなく、お金も人々に与えた。彼は「十分の一税」という考え方を固く信じていた。これは「何かほしいものがあったら、まず与えなければだめだ」という考え方だ。お金が足りなくなると教会や慈善事業に寄付をする。それが金持ち父さんのやり方だった。

この本で読んだほかのことはみんな忘れたとしても、ぜったいに忘れないでいてほしいことが一つある。それは、何かが足りないとか何かが必要だと感じたときには、まず、それを人に与えることだ。そうすればあとになって、二倍にも三倍にもなって返ってくる。このことはお金、ほほえみ、愛情、友情などいろいろなことにあてはまる。「足りないものを与える」というのは、たいていの人は一番やりたがらない。だが、私の経験から言わせてもらうと、このやり方はいつも効果がある。私は単純に、「人間だれでもおたがいさま」と思って、自分がほしいと思うものを人に与える。私はお金がほしいからお金をあげる。そうすると、それが何倍にもなって戻ってくる。何かを売りたいと思ったら、だれかが何かを売るのを手伝ってあげる。そうすると、私のものも売れる。契約をとりたいと思ったら、だれかが契約をとるのを手伝う。そうするとまるで魔法のように、私のところにも契約が舞い込んでくるのだ。何年か前に聞いた言葉――「神は受け取る必要はないが、人間は与える必要がある」には真実が含まれていると思う。

金持ち父さんはよく、「貧乏な人の方が金持ちよりも欲張りだ」と言っていた。その理由はこうだ。お金をたくさん持っているということは、ほかの人がほしがっているものをその人が与えていることを意味する。私はこれまでずっと、お金が足りなくなったり、何か助けが必要になったりしたときには、いつも自分がほしいと思っているものをまず人にあげるようにしてきた。そんなふうにして何かをあげると、かならずそれが戻ってきた。

「必要なものをまず与えよ」という言葉は、私に一人の男の話を思い出させる。その男は凍てつく寒さの夜、両手いっぱいの薪を抱えてストーブの前に座っている。そして、ストーブに向かってこう叫ぶのだ――「おれを温めてくれたら、薪をくべてやるよ！」。お金や愛情、しあわせ、セールス、契約といったものの場合も同じだ。それを得るためにあなたが覚えておかなくてはならないことはただ一つ、ほしいものをまずだれかに与えれば、それが増えて返ってくるということだ。多くの場合、自分が何をほしいか考え、それを他人にあげるにはどうしたらいいかと考えただけでも、見返りがもたらされる。出会った人たちが私にほほえみかけてこないと感じたときは、いつも私は自分からほほえみかけ、「ハロー」と声をかける。するとまた魔法のように、ほほえみを浮かべた人が私のまわりに突然増える。世界はあなたを映す鏡にすぎないというのは本当だ。

私が「教えれば見返りがある」と言うのは、こういうわけなのだ。何かを学びたいという人に誠意を持って教えれば教えるほど、あなたは多くを学ぶことができる。お金について学びたければ、だれかにそれを教えてあげることだ。そうすれば、新しいアイディアやもっとするどく物事を見分ける方法が、あなたのもとにどっと流れ込んでくる。

たしかに、何かを与えたのに何も戻ってこなかった、あるいは戻ってきたものが自分のほしいものとは違ったということも何度かあった。だが、そのような場合はあとでよく考えて見ると、最初から何かがほしくて、それが目的で与えていることが多かった。つまり、純粋に「与えるために与える」のではなく、見返りを期待して与えるという下心があったのだ。

私の実の父は教師を対象に教え、主任教師にまでなった。金持ち父さんの方は自分のビジネスのやり方を若い人たちに教え続けた。いま振り返って考えれば、二人をふつうの人より賢い人間にしていたのは、自分の知識を他人に分け与える寛大さだったのだと思う。この世の中には私たちよりずっと賢い知力が存在するものだ。自分だけの力でそのレベルに到達することもできるが、将来その力へと成長する「芽」の助けを借りた方が楽に到達できる。そのために必要なのは、自分がいま持っているものを出し惜しみせず、気前よく人に与えること。そうすれば、知力の方もあなたに対して気前よくしてくれるだろう。

## 具体的な行動を始めるためのヒント

実践その三

ここまで読んできて、前の章で紹介した十のステップでは物足りないと感じた読者もいるかもしれない。あの十のステップを「行動の指針」ではなく、一種の「哲学」としてとらえた人はたぶんそう感じる。たしかに哲学を理解することも行動と同じくらい大切だ。世の中には考えるよりも行動したい人もいれば、行動するよりも考えるという人もいる。私の場合はその両方にあてはまる。私は新しい考え方を仕入れるのも、行動するのも大好きだ。

そこで、金持ちになるためのスタートを切るにあたって具体的に何をしたらいいか知りたい人のために、私がかつてやったこと、いまもやっていることをいくつか簡単に紹介しようと思う。

### ●いまやっていることをやめる

言いかえれば、ちょっと休みをとって自分の生活をふりかえり、いまやっていることでうまくいっていることは何か、うまくいっていないことは何かを見極める。前と変わらず同じことをやり続けながら、別の結果を期待するのはまったくばかげている。いまやっていることを見直したら、うまくいっていないことはやめて、新しくやることをさがすようにすればいい。

## ●新しいアイディアをさがす

投資のための新しいアイディアをさがすとき、私はよく本屋に行って、自分が知らないこと、ユニークな主題をとりあげた本をさがす。つまり、自分がまったく知らないような「やり方」について書かれた本を買うのだ。ジョエル・モスコウィッツによって書かれた“The 16 Percent Solution”(十六パーセントの解決法)という本を見つけたのも本屋でのことだった。私はすぐにそれを買って読んだ。

それからが肝腎なところだが、私はすぐに行動に移った。モスコウィッツの本を読んだ次の木曜日、私は本に書かれた通りのことをした。そのやり方に従い、一つ一つ手順をふんでやってみたのだ。そして、弁護士事務所や銀行で格安の不動産物件を見つけることに成功した。たいていの人は何か新しいアイディアを仕入れても行動に移らない。あるいは、せっかく自分が学んだやり方について他人がけちをつけて、自分が行動に移るのをとめてくれるのを待っている。私がモスコウィッツの本を読んだときも、隣人の一人が、なぜそのやり方がうまくいかないか、私に説明してくれた。でも、私はその人の言うことに耳を貸さなかった。なぜなら、その人はこのやり方を使ってやってみたことがなかったからだ。

## ●自分がやりたいと思っていることをすでにやりとげた人を見つける

そういう人を見つけたらランチに誘い、ちょっとした秘訣やアドバイスを聞かせてもらう。年間の利率が十六パーセントのタックス・リーエン証券についての本を読んだとき、私は郡の税務署に出かけ、そこで働いていて、タックス・リーエン証券に自分でも投資をしているという女性を見つけた。私はすぐにランチに誘った。この女性は息を弾ませて、自分のすばらしい体験を聞かせてくれ、知っていることを全部教えてくれた。さらに、どうやってこの投資を始めたらいいか、その方法も教えてくれた。ランチのあと、その日の午後いっぱい彼女は私につきあってくれ、ありとあらゆるものを見せてくれた。そして、翌日には私は彼女の助けを借りて二つの土地を見つけた。この物件はそれ以来、十六パーセントの利率で利益をあげている。私が費やした時間は、本を読むのに一日、行動を起こすのに一日、ランチに一時間、そして二つの物件を見つけるのにかかった一日だけだ。

## ●講座に出席する、自習用のテープを買う

私はいつも新聞で、何かおもしろそうな講座をやっていないかさがす。こういった講座の中には無料のものも多いし、有料でもたいして高くない。自分が本当に学びたいと思っていることに関しては、けっこう参加費のかかるセミナーにも出席する。このような講座やセミナーのおかげで、私はいまお金の心配もなければ、仕事をさがす必要もない状態でいられるのだ。講座やセミナーに参加する私を見て「そんなのはお金のむだだ」と言い、自分では参加しなかった友人たちは、いまでも前と同じ仕事をあくせくやっている。

## ●オファー(買付申込)をたくさんする

私はたとえば不動産がほしいとしたら、たくさんの物件を見てそのほとんどに対して買付申込をする。買付申込の仕方がわからないという人も心配にはおよばない。私だって知らない。売主に買付申込をするのは不動産業者の仕事だ。彼らが私たちの代わりに買付申込をしてくれる。私は自分でやらなくていいことはできるだけやらない。

あるとき、友人の女性がアパートの買い方を教えてほしいと言ってきた。そこで、次の土曜日、彼女と不動産業者と私との三人で物件を見て回った。物件は全部で六つあった。そのうち四つは明らかに売れ残りの

どうしようもない物件だったが、残りの二つはまあまあだった。私は六つの物件全部に対して、売主の希望価格の半値で買付申込をするように言った。それを聞いた友人と不動産業者は心臓麻痺でも起こしそうだった。二人とも、そんなことをするのは失礼だし、売主が気を悪くするかもしれないと言うのだ。だが、本当の理由は、不動産業者がその値段で交渉するのがめんどうだったからだと思う。ともかく二人はなにもせず、もっといい物件はないか探しつづけた。

この友人は結局、買付申込は一度もせず、いまでも適切な価格の「いい物件」はないかとさがし続けている。だが実際、それが適切な価格かどうかは、その物件をほしいと言う人が別に現れるまで決してわからない。売主というのはたいていい高めの価格をつける。実際の価値よりも低い価格を売主がつけることはまずないと思っていい。

この話から学べること、それは「買付申込をしろ」ということだ。投資家でないふつうの人は、何かを「売る」ことがどういうことかまったくわかっていない。私は何カ月も前から売りたいと思っている不動産物件を一つ抱えている。こうなったらもうどんな話でも大歓迎だ。どんなに安い値段がついたところでかまわない。十四のブタと交換しようとだれかが言っても、私は大喜びするだろう。十四のブタでは割に合わないことはわかっているが、だれかがこの物件に興味を持っているとわかっただけでうれしいからだ。それに、この買付申込がきっかけとなってだれかがもっと多く出そうと言ってくるかもしれない。もしかしたら、次の人は十四のブタではなく養豚場まるごとと交換しようと言ってくるかもしれない。もちろん、これはたとえ話だ。肝腎なのは、このようにしてゲームが進行するということだ。ものを売ったり買ったりする「ゲーム」はおもしろい。このことは覚えておいてほしい――売買はおもしろい。それと同時に、それが「単なるゲーム」だということも忘れないでほしい。ともかく買付申込をしてみることだ。だれか「それでいい」と言ってくる人がいるかもしれない。

もう一つ忘れてはいけないのは、買付申込をするときにかならず免責条項を付け加えることだ。不動産の場合、私は「当方のビジネスパートナーの同意を条件とする」という文言をつけて買付申込をする。この「ビジネスパートナー」がだれか、名前などを明記したことは一度もない。その「パートナー」が私の猫であることを知っている人はあまりいない。相手が買付申込を受け入れたが私の方は取引を成立させたくないという場合、私は自宅に電話をして猫を相手に「パートナー」との会話をする。こんなばかばかしい裏話をあえて披露したのは、この「ゲーム」が実際にどんなに簡単で単純なものかをわかってもらうためだ。物事を複雑にして、シリアスに考えすぎる人が世の中には多すぎる。

掘り出し物の物件を見つける、自分にあったビジネスを見つける、自分に本当に役に立つ優秀な人間を見つける、適切な投資家を見つける——こういったことはすべてデートの相手を見つけるようなものだ。その市場に出かけてたくさんの人と話をし、買付申込や、別の買付申込に対抗する新たな申込をたくさんし、さらに交渉もして、拒絶や受諾の経験をたっぷりしなくてはならない。私は、独身でだれかとつき合いたいのに、家に閉じこもったまま電話が鳴るのを待っているという人たちを何人も知っている。でも、シンディ・クロフォードやトム・クルーズなみの美貌の持ち主でないかぎり、この方法はうまくいかない。ふつうの人は、やはり市場にでかけるのがなによりだ。たとえそれが近所のスーパーマーケットであっても行かないよりましだ。調査をする、申込をする、拒否する、交渉する、受諾する——こういったことは人生におけるほとんどすべてのことにつきものだ。

## ●ジョギング、ウォーキング、ドライブをする

一カ月に一度はある地域にねらいを定めて、ジョギングをするか、ウォーキングをするか、あるいは車でゆっくりドライブする。私がこれまでに経験した不動産の投資で優良物件と思えるもののいくつかは、ジョギングをしているときに見つけた。私は同じ地域を一年のあいだジョギングし続けることもある。そんなとき私が気をつけるのは「変化」だ。なぜなら、投資を目的とした不動産には、二つの要因が必要だからだ。その一つは価格が安いこと、もう一つが変化だ。割安の物件はいくらでもあるが、変化がなければそこから利益を生むことはできない。だから、私はジョギングをするとき、投資をしてみようかと思っている地域を選んで走る。何度も同じところを走っていると、小さな違いに気がつく。長いあいだ出されたままの「売家」の立て札があれば、売主がしびれを切らして、なんとしても売りたがっているかもしれない。引越しのトラックにも気をつける。引越してくる人、出て行く人、どちらの場合も、私は立ち止まってトラックの運転手と話をする。郵便配達人と話をすることもある。こういった人たちがその地域について持っている情報は驚くほど豊富だ。

たとえば、何らかの理由で評判が悪くなった地域を見つけたとする。事件があってニュースになったために住人がよりつかなくなった地域などだ。私は一年に何回かそのあたりを車で走り、風向きがよい方向に変わる徴候が現れないか観察を続ける。その地域にある店、とくに新しくできた店の人たちと話をし、なぜその場所を選んだのか聞く。私がそれにかける時間は一カ月のうちのほんの数分だし、たいていはジムに行く途中だったり、買い物の途中だったり、何かのついでだから、たいした手間にもならない。

## ●将来の価値を見極める

株に関しては、ピーター・リンチの“Beating the Street”（市場を出し抜いてもうける）に紹介されている、価値が上がりそうな株を選んで買うやり方が私は気に入っている。将来の価値を見極めるという原則は、投資の対象が不動産であれ、投資信託であれ、新しい会社であれ同じだ。また、新しいペット、新しい配偶者、あるいは安売りの洗濯石鹸を試すときも同じだ。

対象が何であれ、将来の価値を見極めて選択するプロセスは同じだ。つまり、自分が求めているものをはっきりと知り、それにねらいを定めてさがすということだ。

## ●株式を「バーゲン」で買う

消費者というのはなぜいつもお金に困ることになっているのだろう? スーパーマーケットがバーゲンセールをしたとする。たとえばトイレットペーパーの安売りだ。すると消費者はどっと押し寄せ、買いだめをする。ところが、株式市場がバーゲンセールを始めると、たいていの場合それは大暴落だの反落だのと呼ばれて、消費者はそこから逃げ出す。スーパーマーケットが値上げをするとそっぽを向いてほかで買い物をする消費者が、株式市場が値上がりをすると買いに走る。これではお金が貯まらなくても当然だ。

## ●適切な場所でさがす

近所の人が十万ドルでマンションを買った。私はその部屋の隣で、ほとんど同じ間取りのマンションを五万ドルで買った。値段が上がるのを待っていると言うこの隣人に、私は「利益は買ったときに生まれるのであって、売ったときに生まれるのではない」と話して聞かせた。隣人が仲介を頼んだ不動産ブローカーは自分では不動産をまったく持っていない人だった。私が買ったのは銀行の抵当流れ物件係を通してだった。私は抵当流れの物件の買い方を学ぶために五百ドル払って講座をとった。隣人は不動産投資の講座に五百ドル払うなんてもったいないと言った。そんなことをするお金の余裕もなければ、時間の余裕もないと言っていたこの隣人は、いまでも値上がりを待っている。

### ●買い手を見つけてから売り手をさがす

あるとき、友人の一人が土地をさがしていた。この友人にはお金はあったがひまがなかった。私は友人がさがしている土地よりも大きな土地を見つけたので、いちおう買付の優先権を取りつけてから友人に電話をした。友人はその一部を買いたいと言った。そこで、私はその土地の一部を友人に売り、その代金で残りの土地を買った。つまり、残りの土地はただで手に入れたのだ。ここでの教訓は、「パイはまるごと買って分けろ」ということだ。たいていの人は自分の持っているお金で買える範囲のものしかさがさない。だから小さいパイしか見つからないのだ。そして、結局一切れのパイしか買わないから、割高になる。物事を小さくしか考えられない人は大きなチャンスをものにできない。もっと金持ちになりたいと思っている人は、まず物事を大きく考えるようにしなくてはいけない。

小売り業者はたくさん買う人には喜んで割引をする。商売人はみんな、ともかく一度にたくさんのお金を消費する人が好きだからだ。だから、たとえ本当は小さくても、考えることだけは大きくするといい。自分の会社でコンピュータが必要になったとき、私は友人に電話をして、コンピュータを買うつもりはないか聞いて回った。何人かほしいという人を見つけたところで、店に出かけて値引きの交渉をした。買いたいという台数が多かったので、店は喜んで交渉に応じてくれた。私は株の売買の際にも同じようなことをしたことがある。「小さい人」は小さくしか考えられないから、あるいは一人で行動しようとするから、小さいままでいる。あるいはまったく行動しないからという場合もあるだろう。

## ●歴史から学ぶ

市場で株が売買されている大会社といえども、はじめはどれも小さかった。カーネル・サンダースが金持ちになったのは、六十歳をすぎて財産をすっかりなくしたあとだった。ビル・ゲイツは三十歳になる前に、世界でも有数の富豪になった。

この章で紹介したのは、チャンスをつかむために私がこれまでにやったこと、あるいはいまもやり続けていることの一部だ。いま私が「これまでにやった」「やり続けている」という言葉を使ったのには大きな意味がある。繰り返し言っているように、金儲けをしたいと思ったらまず行動しなければだめだ。

さあ、こんなところでぐずぐずしていないで、いますぐ行動に移ろう！

# エピローグ

# たった七千ドルで四人の子供を大学に行かせた男の話

本書もエピローグを迎え、出版の期日も迫ってきたので、最後にちょっとしたお話をして終わりにしたいと思う。

この本を書こうと思い立った最大の理由は、ファイナンシャル・インテリジェンスを高めることが、人生でよくぶつかるいろいろな問題を解決するのにいかに役立つかをみなさんにわかってもらうことにあった。お金に関する教育、訓練を受けたことがない人は、ほとんどの場合、「ふつうのやり方」で人生を乗り切ろうとする。つまり、一生懸命働き、あまったお金を貯め、足りなければお金を借り、必要以上に税金を払うという方法だ。

本書ではいろいろな例をあげてきたが、最後に、いま子供をかかえる家庭の多くが頭を悩ませている金銭的な問題の解決例を一つお話ししたい。子供にいい教育を受けさせると同時に、引退後の自分たちの生活も安定させたい――これは多くの人の願いだ。次にあげるのは、その願いを実現させるのに、ただがむしゃらに働くのではなくファイナンシャル・インテリジェンスを使ったよい例だ。

ある日友人の一人が、四人の子供を大学にやるための教育資金を貯めるのがどんなにたいへんか、私にぐちをこぼした。この友人は毎月三百ドルを投資信託購入にあて、これまでに一万二千ドル貯めていた。彼の計算では四人の子供全員に大学を卒業させるには四十万ドルが必要だった。当時一番上の息子は六歳だったので、お金を貯めるのに友人に残された時間は十二年だった。

これは一九九一年の話で、当時のフェニックスの不動産市場は最低レベルに落ち込んでいた。つまり、みんな家を投げ売りしているような状態だった。私はクラスメートだったこの友人に、投資信託の一部を解約して家を一軒買うように勧めた。友人は私のアイディアに興味を持った。そこで、それが本当に可能かどうか、二人で検討し始めた。友人が一番問題だと思っていたのは、すでに借金が支払能力をはるかに越えていたので、持ち家以外に家を買うために銀行からお金を借りるのは無理だということだった。私は銀行を利用しなくても不動産を買う方法はいくつもあるからだいじょうぶだと言って聞かせた。

それから二週間、私たちはこちらの条件にぴったり合うような家をさがして物件を見て回った。売りに出ている家はいくらでもあったので、これは楽しい買い物だった。最後に、最高級の住宅地に立つ、寝室三つ、浴室二つの家が見つかった。家の所有者は、会社のダウンサイジングのために失業し、新しい仕事が見つかったカリフォルニアに家族で引越しをするので、その日のうちに家を売りたいということだった。

売値は十万二千ドルだったが、私たちは七万九千ドルの買付申込をした。売主は即座にOKした。この家には「無資格ローン」がついていたので、たとえ文無しの失業者でも銀行の審査なしに購入できた。残っていた住宅ローンが七万二千ドルだったので、友人が用意しなければいけない金額は七千ドルですんだ。つまり、売値とローンの残金との差額だ。元の所有者が家を引き払うとすぐに、友人はその家を貸家にした。その結果、ローンの返却を含めいろいろな経費を差し引いたあと、月々百二十五ドルの収入を得ることができるようになった。

友人の計画は、十二年間その家を貸し続け、この百二十五ドルのよぶんな収入をローンの元金返済にあて、借金を早く減らすというものだった。私と友人の計算では、十二年たてば借金のほとんどを返済でき、長男が大学に通い始める頃には、月々八百ドルほどの純益が上がるはずだった。また、そのときまでにその家の値段があがっていれば、売ることもできる。

三年後の一九九四年、フェニックスの不動産市場に大きな変化があり、友人の貸家に十五万六千ドルの買付申込があった。この家を借りて住んでいた人がとても気に入ったので買いたいと言ってきたのだ。このときも、友人は私にアドバイスを求めてきた。当然のことながら私は売ることを勧めた。もちろん、内国税法第一〇三一条を利用してすぐに税金を払わなくてすむように、より高い物件に買い換えるように言った。

友人の手元には、結局八万ドル近い金が「運用資金」として残った。私はテキサス州オースチン在住の友人で、ミニ倉庫の事業のために有限のパートナーシップを結ぶ相手をさがしていた女性に電話をした。家を売った友人が無税で手にした八万ドルは、この事業に投資された。それから三カ月もたたないうちに、この友人は月々千ドル近い小切手を受け取るようになった。彼はそれで子供の教育資金用の投資信託を買った。教育資金が前よりずっと速く貯まるようになったのは言うまでもない。一九九六年、ミニ倉庫の事業が売却され、友人は三十三万ドルの小切手を受け取った。この金はさらに新しい事業に投資され、現在そこからもたらされる月に三千ドル以上の収入は、また教育資金用の投資信託の購入にあてられている。いまでは友人は、当初の目標だった四十万ドルに達するのはそうむずかしいことではないと自信を持っている。だが、ふりかえってみれば、こうなるまでに彼に必要だったのは最初の七千ドルと、ほんの少しのファイナンシャル・インテリジェンスだけだった。この友人の子供たちは望み通りの教育を受けることができるだろうし、そのあと友人は、いまでは会社組織にして運用している資産からの利益を引退後の生活費にあてることができる。それどころか、投資戦略がこのようにうまくいったおかげで、彼は早めに引退して悠々自適の生活を送ることすらできるのだ。

いよいよ最後になるが、まず、ここまで読んでくださった読者のみなさんに感謝の言葉を述べたい。「お金の力を自分のために働かせる」ことについて、いくらかでもわかっていただけたらさいわいだ。いま私たちはただ毎日を生き延びるためだけにでも、以前よりも多くのファイナンシャル・インテリジェンスを必要としている。「お金をもうけるにはお金が必要だ」という考え方は、お金に関してあまり高度な知識を持たない人間の考えることだ。だからといって、そういう人の知性が低いというわけではない。ただ、お金を作る「科学」を学んだことがないだけなのだ。

お金とは一つのアイディア、考え方にすぎない。もっとお金がほしいと思ったら、考え方を変えさえすればいい。一代で巨富を築いた人たちも、小さいアイディアを出発点として、それを大きく育てたのだ。投資についても同じことが言える。最初に必要なのはわずか数ドルで、それを大きなものに変えていく。最初から大きなことばかり求めたり、大きな取引をするためにお金を貯めようと必死になっている人をよく見かけるが、私に言わせればそんなことをするのはばかげている。何も知らない投資家が、せっせと貯めた蓄えを一つの取引につぎ込んで、あっというまにその大部分を失ってしまうこともよくある。そういう人は勤勉に働く優秀な労働者ではあるかもしれないが、すぐれた投資家とは決して言えない。

重要なのはお金に関する教育と知恵だ。スタートは早ければ早いほどいい。本を買ったりセミナーに出席するのもいい。実際にお金を運用してみるのもいい勉強だ。はじめは小さい金額でいい。私は六年たらずのうちに、五千ドルの現金を月々五千ドルのキャッシュフローをもたらす百万ドル相当の資産に変えた。だが、私の場合は幼い子供の頃にお金に関する勉強を始めた。お金についての勉強はぜひやってみてほしい。というのも、それはそれほどむずかしいものではないからだ。それどころか、コツをつかんでしまえば簡単だ。

ここまで読んでくださった読者のみなさんには、私の言いたいことが充分わかっていただけたと思う。あなたが何を手にするかは、あなたの頭の中身によって決まる。繰り返して言うが、お金は一つのアイディアにすぎない。ナポレオン・ヒルの著作に“Think and Grow Rich”（頭を使って金持ちになろう）というすばらしい本があるが、タイトルに注意してもらいたい。“Work Hard and Grow Rich”（一生懸命働いて金持ちになろう）ではない。お金を自分のために一生懸命働かせることを学べば、あなたの人生はより楽に、よりしあわせなものになるだろう。いまの世の中では「安全に運用する」のではなく「賢く運用する」ことが大切だ。

## いますぐ行動しよう！

あなたは二つの貴重な贈り物を手にしている。それは頭と時間だ。その二つを使って何をするかは完全にあなたの自由だ。お金を手にするたび思い出してほしい、あなたの運命を決定するのはあなた以外だれでもないことを。お金を手にしたとき、何も考えずにくだらないことにそれを使ってしまうのは「貧乏になる道」を選ぶことを意味する。ローンで家や車を買って負債を増やすためにそのお金を使うのは、「中流階級への道」を選ぶことを意味する。お金を自分の頭に投資し、資産の獲得のしかたを学ぼうとする人は、自分の目標、未来の自分の姿として「金持ちになる道」を選んだ人だ。どの道を選択するかは、ほかのだれでもない、あなたが決める。毎日お金を使うたび、あなたは金持ちになるか、中流階級をめざすか、貧乏のままで一生を終わるか、その選択をしているのだ。

最後に、子供を持っている読者に一言。この本から学んだことは、ぜひ子供に教えてあげてほしい。そうすることで、あなたは、「将来子供たちが世の中に出たときの準備をさせる」という道を選ぶことになる。この選択をするのもほかのだれでもない、あなた自身だ。

あなたとあなたの子供の未来は、あなたが今日、選ぶ道にかかっている。

あなたが手にしている人生というすばらしい贈り物に、大きな富としあわせが訪れますように。

ロバート・キヨサキ
シャロン・レクター

# 著者・訳者紹介

## ロバート・キヨサキ
Robert Kiyosaki

億万長者になる方法を教えるロバートは、「金持ち養成学校の先生」と呼ばれている。

ロバートは、「人々が経済的に苦しんでいる理由は、何年も学校に通いながら、お金について何も学んでいないことにある。学校で、人はお金のために働くことを学ぶ……だが、お金を自分のために働かせることは知らないままで一生を終わる」と主張する。

日系四世のロバートはハワイで生まれ、子供時代を過ごした。家族の中には教育関係者が多く、父親はハワイ州教育局の局長を務めていたこともある。ハイスクール卒業後、ニューヨークの大学へ進学。大学卒業後は海兵隊に入隊、士官、ヘリコプターパイロットとしてベトナムに出征した。

ベトナムから帰還後、ビジネスの世界に乗り出したロバートは、一九七七年ナイロンとベルクロを使った「サーファー用」の財布を考案し、会社を興した。この製品は世界的に大ヒットし、何億ドルという売上を記録した。『ランナーズ・ワールド』『ジェントルマンズ・クウォータリー』『サクセス・マガジン』『ニューズウィーク』の各誌、さらには『プレーボーイ』までが、ロバートと彼の考案した製品をとりあげている。

一九八五年、ロバートは七カ国にまたがる国際的なビジネス教育会社を設立し、以来、何万人という大卒成人にビジネスや投資について教えてきた。

一九九四年に四十七歳でビジネス界から引退したロバートがいまやっているのは、自分がいちばん楽しめること、つまり投資だ。「持てる者」と「持たざる者」とのギャップが広がることを憂えて、彼はボードゲーム『キャッシュフロー』を考案した。これは、それまで金持ちしか知らなかった「金儲けのゲーム」のコツを教える教材だ。

いまの彼の「ビジネス」は不動産と小規模の会社への投資だが、本当に好きなのは教育だ。これまでビジネスをテーマとして、オグ・マンディノ、ジグ・ジグラー、アンソニー・ロビンズなどのビジネス界の巨人たちとともに多くの講演を行っている。ロバートのメッセージは実に明確だ——「自分の経済状態については自分で責任をとれ。人生は自分で切り開いていくものだ。お金と人間の関係は、主人になるか奴隷になるかそのいずれかしかない」。

1時間の講演から3日間のセミナーまで、ロバートはいろいろな形で金持ちになるための秘訣を教える。クラスや講演のテーマは、投資についてのアドバイス、将来金持ちになるように子供を育てる方法、会社を興しそれを売る方法などさまざまだが、最も重要なメッセージは一貫している。それは——「あなたの中で起こされるのを待っている、お金に関する才能を目覚めさせよう」というメッセージだ。

国際的に有名な講演家で著作も多いアンソニー・ロビンズは、ロバートについて次のように語っている。「ロバートの教えは力強く、深い意味を持っていて、人の心の眼を開かせてくれる。私は彼の努力に心から敬意を表し、彼の考えを支援する」

現在のような経済激動の時代にあって、ロバートのメッセージは何にも換えがたく貴重だ。

## シャロン・レクター
Sharon Lechter

妻であり三児の母であると同時に、公認会計士、玩具・出版業界の経営コンサルタントでもあるレクターは、教育に関心が深く、多くの力を注いでいる。

フロリダ州立大学を成績優秀で卒業。専門は会計学。ビジネス界のトップで活躍する数少ない女性の先陣を切って、当時全米トップエイトに数えられる会計事務所に入所。その後コンピュータ会社のCEO、全国規模の保険会社の税務ディレクターなどへと転職し、ウィスコンシン州初の女性雑誌の創刊にもかかわる一方、公認会計士としての仕事を続けてきた。

レクターは三人の子供を育てるうち、教育に興味を持つようになった。読書よりテレビに夢中な子供に「本を読ませる」のは至難の技だった。テレビで育った子供たちは、読書には興味を持たない。レクターは、学校の教育ではこのような子供の現状を打破することはできないと強く感じるようになった。

そこで、彼女は世界初の「しゃべる本」（電子ブック）の開発に参加したが、このプロジェクトは現在巨大産業へと成長した電子ブックの先駆けとなった。彼女はいまも子供の生活に本を取り戻すための新しいテクノロジーの開発に日々いそしんでいる。

自らの子供が成長するにつれ、レクターは彼らの教育に深く関わりを持つようになり、数学、コンピュータ、読書、作文といった分野で、現在の教育システムの改善の必要を強く訴える活動家となった。

「現在の教育システムは今日の世界的なテクノロジーの変化にまったくついていっていません。私たちは子供たちに、彼らがこの世界で『生き残る』ためだけでなく『繁栄する』ために必要な技術を教えてやらなくてはなりません」と彼女は語る。

本書の共著者として彼女は、現在の教育システムの抱えるもう一つの欠陥、つまり「お金に関する知識」の欠如に焦点をあてることを試みている。本書は真に役に立つ知識を学び、経済的にも豊かになることを望むすべての人にとって優れた指針となるだろう。

## キャッシュフロー・テクノロジー社

ロバート・キヨサキと妻のキム・キヨサキ、シャロン・レクターが中心となって設立。お金について教えるための画期的な教材を作り出している。これまでに『金持ち父さん貧乏父さん』をはじめとする書籍、『キャッシュフロー101』『キャッシュフロー・フォー・キッズ』などのボードゲームを制作し、ロバート・キヨサキの考えを広く紹介している。

この会社は「人々のお金に関する幸福度を向上させること」を目指している。

## 白根美保子
Shirane Mihoko

翻訳家。早稲田大学商学部卒業。訳書に『ボルネオの奥地へ』（めるくまーる）『自殺する子どもたち』『死別の悲しみを癒すアドバイスブック』（いずれも筑摩書房）などがある。

# ロバート・キヨサキが勧める本
## あなたのファイナンシャル・インテリジェンスを高めるために

●"As a Man Thinketh", James Allen
「考えるヒント生きるヒント――人生成功への50の黄金律」ジェームズ・アレン著／坂本貢一訳／ごま書房
「「原因」と「結果」の法則」サンマーク出版

●"Beating The street", Peter Lynch
「ピーター・リンチの株式投資の法則――全米NO.1ファンド・マネジャーの投資哲学」ピーター・リンチ著／酒巻英雄監訳／ダイヤモンド社

●"Chaos –Making a New Science", James Gleick
「カオス――新しい科学をつくる」ジェイムズ・グリック著／大貫昌子訳／新潮文庫

●"Creating Wealth", Robert Allen

●"E-Myth revisited：why most small bisinesses don't work and what to do about it", Michael Gerber
「はじめの一歩を踏み出そう――成功する人たちの起業術」マイケル・E・ガーバー著／原田喜浩訳／世界文化社

●"Inc. and Grow Rich",C.W.Allen

●"Investment Biker", Jim Rogers
「冒険投資家ジム・ロジャーズ世界バイク紀行」ジム・ロジャーズ著／林康史、林則行訳／日経ビジネス人文庫

●"Market Wizards", Jack Schwager
「マーケットの魔術師――米トップトレーダーが語る成功の秘訣」ジャック・シュワッガー著／横山直樹監訳／パンローリング

●"Over the Top", Zig Zigler
「潜在脳力超活性化ブック」(CD付)ジグ・ジグラー著／田中孝顕訳／きこ書房

●"The New Positioning", Jack Trout
「ニューポジショニングの法則――勝つブランド負けるブランド」ジャック・トラウト著／新井喜美夫監訳／東急エージェンシー出版部

●"The Wall Street Journal Guide to Understanding Money & Investing" Kenneth M. Morris, Allan M. Seigal
「ウォール・ストリート・ジャーナルに学ぶ――金融・証券ガイド」ケネス・M・モリス、アラン・M・シーゲル著／ブロンズ新社

●"The Warren Buffet Way", Robert Hagstrom
「バフェットの法則――株で富を築く／全米NO.1資産家の投資戦略」ロバート・G・ハグストローム著／三原淳雄、土屋安衛訳／ダイヤモンド社

●"Trading For A Living", Dr. Alexander Elder
「投資苑――心理・戦略・資金管理」アレキサンダー・エルダー著／福井強訳／パンローリング

●"Trump: The Art of the Deal", Donald Trump
「トランプ自伝――不動産王にビジネスを学ぶ」ドナルド・D・トランプ、トニー・シュウォーツ著／相原真理子訳／ちくま文庫

●"Unlimited Power", Anthony Robbins
「あなたはいまの自分と握手できるか」アンソニー・ロビンズ著／邱永漢訳／三笠書房

●"Unlimited Wealth", Paul Zane Pilzer

## 本文で紹介された本

●"The Retirement Myth", Craig S. Karpel

●"The Richest Man in Babylon", George S. Clason
「バビロンの大富豪の教え」ジョージ・S・クレイソン著／福東優訳／筑摩書房　ほか

●"The 16 percent Solution", Joel Moskovitz

●"Think and Grow Rich", Napoleon Hill
「新装版　思考は現実化する」ナポレオン・ヒル著／田中孝顕訳／きこ書房

# 金持《かねも》ち父《とう》さん 貧乏《びんぼう》父《とう》さん

アメリカの金持《かねも》ちが教《おし》えてくれるお金《かね》の哲学《てつがく》

二〇〇〇年一一月一五日 初版第 一 刷発行
二〇一一年 五 月一〇日 初版第八十六刷発行

著者 ロバート・キヨサキ
シャロン・レクター

訳者 白根美保子

発行者 菊池明郎

発行所 筑摩書房
東京都台東区蔵前二―五―三 〒一一一―八七五五 振替〇〇一六〇―八―四一二三

ブックデザイン 鈴木成一デザイン室

イラストレーション 長崎訓子（プラチナスタジオ）

印刷 中央精版印刷

製本 中央精版印刷

ISBN4-480-86330-3 C0033 

定価はカバーに表示してあります
ご注文・お問い合わせ、乱丁・落丁本の交換は左記へお願いします
〒三三一―八五〇七 さいたま市北区櫛引町二―六〇四
筑摩書房サービスセンター 電話〇四八―六五一―〇〇五三

# 『キャッシュフロー101』で
# ファイナンシャル・インテリジェンスを高めよう!

読者のみなさん

『金持ち父さんシリーズ』を読んでくださってありがとうございました。お金についてためになることをきっと学ぶことができたと思います。いちばん大事なのは、あなたが自分の教育のために投資したことです。

私はみなさんが金持ちになれるように願っていますし、金持ち父さんが私に教えてくれたのとおなじことを身につけてほしいと思っています。金持ち父さんの教えを生かせば、たとえどんなにささやかなところから始めたとしても、驚くほど幸先のいいスタートを切ることができるでしょう。だからこそ、私はこのゲームを開発したのです。これは金持ち父さんが私に教えてくれたお金に関する技術を学ぶためのゲームです。楽しみながら、しっかりした知識が身につくようになっています。

このゲームは、楽しむこと、繰り返すこと、行動すること——この三つの方法を使ってあなたにお金に関する技術を教えてくれます。『キャッシュフロー101』はおもちゃではありません。それに、単なるゲームでもありません。特許権を得ているのはこのようなユニークさによるものです。このゲームはあなたに大きな刺激を与え、たくさんのことを教えてくれるでしょう。このゲームは、金持ちと同じような考え方をしなくては勝てません。ゲームをするたびにあなたはより多くの技術を獲得していきます。ゲームの展開は毎回違います。あなたは新しく身につけた技術を駆使して、さまざまな状況を乗り切っていくことになるでしょう。そうしていくうちに、お金に関する技術が高まる

『キャッシュフロー101』
家庭で楽しみながら学べる
MBAプログラム

『キャッシュフロー・フォー・キッズ』
6歳から楽しく学べる子供のためのゲーム

と同時に、自信もついていきます。

このゲームを通して学べるような、お金に関する教えを実社会で学ぼうとしたら、ずいぶん高いものにつくこともあります。『キャッシュフロー101』のいいところは、おもちゃのお金を使ってファイナンシャル・インテリジェンスを身につけることができる点です。

はじめて『キャッシュフロー101』で遊ぶときは、むずかしく感じるかもしれません。でも、繰り返し遊ぶうちにあなたのファイナンシャル・インテリジェンスが養われていき、ずっと簡単に感じられるようになります。

このゲームが教えてくれるお金に関する技術を身につけるためには、まず少なくても六回はゲームをやってみてください。そのあと本などで勉強すれば、あなたはこれから先の自分の経済状態を自分の手で変えていくことができます。その段階まで到達したら、上級者向けの『キャッシュフロー202』に進む準備ができたことになります。『キャッシュフロー202』には学習用のCDが5枚ついています。

子供たちのためには、六歳から楽しく学べる『キャッシュフロー・フォー・キッズ』があります。

『キャッシュフロー』ゲームの創案者
ロバート・キヨサキ